A^{t}V

CAROLA DUNN wurde in England geboren und lebt heute in Eugene, Oregon. Sie veröffentlichte mehrere historische Romane, bevor sie die erfolgreiche »Miss Daisy«-Serie zu schreiben begann.

In der Aufbau Verlagsgruppe sind außerdem erschienen: »Miss Daisy und der Tote auf dem Eis«, »Miss Daisy und die tote Sopranistin«, »Miss Daisy und der Mord im Flying Scotsman«, »Miss Daisy und die Entführung der Millionärin«, »Miss Daisy und der Tote auf dem Wasser«, »Miss Daisy und der tote Professor« und »Miss Daisy und der Tote auf dem Luxusliner«.

Ein weiterer Fall für Miss Daisy. Ihre Recherchen für einen neuen Artikel führen sie auf das Gut Occles Hall, wo die äußerst launische und herrschsüchtige Lady Valeria Regiment führt. Eines Tages wird im Wintergarten des Adelssitzes die Leiche einer Magd gefunden – sie war schwanger und wurde ganz offensichtlich ermordet. Die Polizei verhaftet, wen sonst, den Gärtner – ein wenig zu schnell, findet Daisy, die an seine Unschuld glaubt und vieles an Lady Valerias Verhalten höchst suspekt findet. Zum Glück ist auch Alec Fletcher, Chief Inspector von Scotland Yard (und schon seit ihrem ersten Fall Daisys Schwarm), dieser Ansicht.

Carola Dunn

Miss Daisy und der Tod im Wintergarten

Roman

Aus dem Englischen
von Carmen v. Samson-Himmelstjerna

Aufbau Taschenbuch Verlag

Die Originalausgabe unter dem Titel
The Winter Garden Mystery
erschien 1995 bei St. Martin's Press, New York.

ISBN 3-7466-1776-6

4. Auflage 2004
© Aufbau Taschenbuch Verlag GmbH, Berlin 1997
The Winter Garden Mystery © 1995 by Carola Dunn
Umschlaggestaltung Mediabureau Di Stefano
unter Verwendung eines Fotos von Nancy R. Calsen, Getty Images
Satz LVD GmbH, Berlin
Druck Oldenbourg Taschenbuch, Plzeń
Printed in Czech Republic

www.aufbau-taschenbuch.de

Prolog

Eine milde Nacht war es für die Jahreszeit. Ein Halbmond, der gelegentlich zwischen den vorüberziehenden Wolken hindurchschien, spendete das nötige Licht. Die Erde war krümelig und ließ sich leicht bewegen.

Dennoch seufzte die Person mit dem Spaten erleichtert auf, als der letzte Rest wieder hineingeschaufelt war. Die Fußstapfen verwischen; hinaus durch die Tür in der Mauer und sie leise zuziehen; fest zuschließen, damit kein Gespenst hinterherkommen kann.

Für Reue war es jetzt ohnehin zu spät.

1

Der ältliche, silbergraue Swift, ein Zweisitzer, klapperte und hustete und hielt schließlich an. Einen Moment lang blieb Graf Phillip Petrie noch am Steuer sitzen. Er lehnte den Kopf mit den glatten blonden Haaren zur Seite, die Stirn gerunzelt, ein Abbild tiefer Konzentration. Hatte er da eben ein neuartiges Rasseln gehört? Es juckte ihm geradezu in den Fingern, dieser Frage sofort unter der Motorhaube nachzuspüren, aber es galt, Daisy pünktlich zur Bahn zu bringen.

Er wandte seinen gedankenvollen Blick dem schmalen, mit weißem Stuck verzierten Haus zu, das auf der anderen Straßenseite stand, von einem Eisengitter abgegrenzt. Daisy konnte sagen, was sie wollte, es war verflixt noch eins nicht *comme il faut*, daß zwei Mädchen zusammen wohnten – selbst in diesem Bohemien-Viertel Chelsea – und sich allein ihren Lebensunterhalt verdienten, wo sie doch beide ein Zuhause und Familien hatten, die sie jederzeit aufnehmen würden.

Wenn doch nur Daisys Bruder Fairacres geerbt hätte und jetzt als Viscount dort leben würde. Aber er hatte in Ypern sein Leben gelassen ...

Man schrieb das Jahr 1923, und es war fünf Jahre her, daß Gervaise gefallen war. Hatte ohnehin keinen Sinn, sich den Schrecken der Vergangenheit hinzugeben. Phillip befreite seine langen Beine unter dem Lenkrad und stieg aus. Mit großen Schritten ging er den Vorgartenpfad zwischen den kahlen Sträuchern und allmählich sprießenden Büscheln von Schneeglöckchen und Krokussen hindurch zum Haus und klingelte.

Lucy Fotheringay öffnete ihm. Sie war großgewachsen und hatte eine knabenhafte Figur, wie sie derzeit *en vogue* war, und ihre dunklen Haare waren zu einem modischen Bubikopf geschnitten. Ihre bernsteinfarbenen Augen betrachteten ihn wie üblich mit einem leicht amüsierten Ausdruck. Sie schüchterte ihn ziemlich ein, obwohl er eher gestorben wäre, als dergleichen zuzugeben.

»Hallo, Phillip. Komm rein. Daisy macht sich gerade noch fertig. Das da drüben sind ihre Sachen.« Lucy wies auf einen Stapel Gepäck, der neben dem Eingang aufgetürmt war.

»In Ordnung, ich lad dann schon mal das alte Gefährt voll.«

»Vorsicht mit meinem Photoapparat.« Sie ging zur steilen Treppe am hinteren Ende des winzigen Flurs und rief hinauf: »Daisy, Phillip ist da.«

»Der Gute! Bin in einer Sekunde unten.«

Er verstaute einen abgewetzten Mantelsack und einen schweren Gladstone-Koffer im Wagen und war gerade wieder ins Haus zurückgekehrt, als Daisy die Treppe herunterkam.

Über ihren zierlichen Knöcheln, die in hautfarbenen Strümpfen steckten – ganz der letzte Schrei – endete ein Mantel aus dunkelgrünem Tweed, der die unmodernen Rundungen ihrer Gestalt nicht ganz verbergen konnte. Ein saphirgrüner, glockenförmiger Hut mit einer kecken Schleife an der einen Seite saß über einem fröhlichen, rundlichen Gesicht. Sie lächelte. Ihr Mund, alles andere als das derzeit gefragte Puttenschmollen, war rot geschminkt; die Sommersprossen, an die sich Phillip noch aus Kinderzeiten erinnern konnte, waren von einer Schicht Puder bedeckt; aber sie war immer noch dieselbe gute, alte Daisy. An ihr war jedenfalls nichts einschüchternd.

»Sei gegrüßt, mein Herz.«

»Hallo, Phil. Wirklich nett von dir, daß du mich fährst.« Sie nahm die lederne Phototasche auf. »Könntest du die Schreibmaschine tragen? Das Ding schimpft sich Reiseschreibmaschine, wiegt aber eine Tonne.«

»In Ordnung. Und das Stativ. Haben wir jetzt alles?«

»Das war's.« Sie wandte sich zu Lucy um und küßte die Luft neben ihrer Wange, wie Frauen das immer taten – wohl, um sich nicht den Lippenstift zu verschmieren, vermutete Phillip. »Toodle-oo, Liebes.«

»Pip-pip, Daisy, Darling. Ich hoffe, Occles Hall ist deine Feder wert. Und daß du dich auf jeden Fall prachtvoll amüsierst!«

Sie gingen zum Auto, und er legte die Schreibmaschine und das Stativ auf den Notsitz. Während er Daisy die Tür aufhielt, sagte sie: »Und jetzt ras nicht so, Phil, sonst fliegt mir noch der Hut vom Kopf. Ich kann die Haare so tief im Nacken feststecken, wie ich will, der läßt sich einfach nie richtig fest herunterziehen.«

»Wenn du magst, kann ich auch gerne das Verdeck zumachen.«

»Nein, bloß nicht. Wenn es schon für den Februar so herrlich mild ist, soll man es auch genießen.«

Phillip ließ sich hinter das Steuerrad gleiten und warf einen Blick auf den Knoten, zu dem sie ihre honigbraunen Haare frisiert hatte. »Wieso läßt du dir dann nicht einen Pagenkopf verpassen?«

»Das sollte ich wirklich. Die Haare lang zu lassen, ist nur der allerletzte Versuch, Mutter zu gefallen«, gab sie kleinlaut zu.

»Wenn du ins Witwenhäuschen von Fairacres, also zu ihr ins Dower House ziehen würdest – das würde ihr bestimmt gefallen.«

»Dann würde ich aber auch binnen kürzester Zeit wahnsinnig werden! Laß uns nicht schon wieder darüber streiten.«

»Tut mir leid, altes Haus.« Phillip drückte den Anlasser und spitzte die Ohren, während der alternde Motor rasselnd ansprang. Waren wohl doch keine neuen Klappergeräusche, stellte er halb enttäuscht fest. An einem Motor herumzutüfteln war schließlich eine der wahren Freuden des Lebens. Er legte den Gang ein, und der Swift glitt vom Straßenrand.

»Was machen die Geschäfte?«

»Mäßig bis mittelprächtig.« Rasch lenkte er von diesem unangenehmen Thema ab. »Erzähl mal lieber von diesem Schuppen, über den du schreiben willst.«

»Occles Hall, in Cheshire. Eines von diesen Fachwerkhäusern aus der Tudor-Zeit, über und über schwarz-weiß gemustert und schrecklich malerisch.«

»Und wer wohnt da?«

»Ich hab Bobbie Parslow eine Einladung aus der Rippe geleiert. Wir waren zusammen auf der Schule. Damals war sie eine unheimliche Sportskanone. Ihr Vater ist ein Baronet, und ihre Mutter ist die Schwester von Lord Delamare.«

»Doch nicht etwa Lady Valeria Parslow!«

»Ja, kennst du sie?«

»Nicht persönlich, aber meine Mutter ist vor ein paar Jahren etwas mit ihr aneinandergeraten, als sie im Winter an der Riviera war – irgendein Quatsch wegen einer Buchung, es ging um eine Suite mit Balkon – und du weißt doch, was für ein friedliches Mütterlein ich eigentlich habe. Wenn ich mich nicht täusche, hat Lady Valeria damals den Sieg davongetragen.«

»Das klingt wahrscheinlich. Ich hab schon gehört, daß sie ein wahrer Drache sein soll. Tommy und Madge Pearson haben sie letztes Jahr in Cannes kennengelernt. Sie war mit ihrem Sohn da, angeblich ein atemberaubend gutaussehender junger Mann, sagt Madge jedenfalls, aber sie hatten nicht viel miteinander zu tun. Lady Valeria hat ihn an der kurzen Leine gehalten, und Tommy meinte, sie hätte wohl Angst, daß er einmal eine Frau findet und dann ihren Fängen entkommt.«

»Klingt ja wie eine ziemlich schreckliche Familie. Mußt du da wirklich hin, altes Haus?« fragte Phillip kläglich.

»Muß ich. Mein Redakteur bei *Town and Country* lechzt schon ganz gierig nach dem nächsten Artikel. Der über Wentwater Court war ein Riesenerfolg, weißt du, obwohl ich ja keine Silbe über all die aufregenden Sachen schreiben konnte, die damals passiert sind.«

Er stöhnte auf. »Erinner mich bloß nicht daran! Und jetzt kannst du es kaum erwarten, dich dem nächsten Haufen merkwürdiger Leute ins Nest zu setzen.«

»Ist doch nur für ein paar Tage«, sagte Daisy mit ihrem üblichen munteren Optimismus. Ihre Stimme färbte sich allerdings ein wenig mit Bedauern, als sie hinzufügte: »Mach dir keine Sorgen, mein Lieber, der Blitz schlägt nie zweimal an derselben Stelle ein.«

An der Bahnstation von Euston organisierte Phillip einen Kofferträger, und dann stürzten sie sich in die schmuddelige, geschäftige Vorhalle. Am Fahrkartenschalter hörte er mit Entsetzen, wie sie um eine Fahrkarte zweiter Klasse bat.

»Hör mal, nein, verflixt noch mal«, protestierte er und zog seine Brieftasche hervor, »du kannst doch nicht zweiter Klasse reisen!« Und allen ihren Einwänden zum Trotz zahlte er den Rest für eine Fahrkarte erster Klasse. Er würde in einem der *Lyons Corner Houses* zu Mittag essen müssen anstatt im *Piccadilly Grill*, aber Gervaise hätte das schließlich von ihm erwartet. In der zweiten Klasse würde sich Daisy zweifelsohne mit allen möglichen merkwürdigen Zeitgenossen unterhalten. Sie hatte nicht das geringste Standesbewußtsein.

Den Kofferträger im Schlepptau, machten sie sich zu ihrem Gleis auf.

»Miss Dalrymple!«

Daisys Miene hellte sich bei diesem Ruf auf. Sie wandte sich lächelnd um. »Mr. Fletcher! Phillip, du erinnerst dich doch sicherlich an Detective Chief Inspector Fletcher.«

Phillip schaute ihn grimmig an. Nur zu gut konnte er sich an den Polizisten erinnern und an sein Verhör auf Wentwater Court, an diesen Blick aus grauen Augen unter unheilvollen, schwarzen Augenbrauen, der einem durch Mark und Bein ging, mochte man auch noch so unschuldig sein. Daran, wie dieser Mensch einem das Gefühl vermittelte, ein unreifer Dummkopf zu sein. Was zum Teufel hatte dieser Bursche denn hier zu suchen?

Zugegeben, er hatte sich durchaus wie ein Gentleman gekleidet: dunkler Straßenanzug, Mantel, weicher Filzhut, der dem von Phillip nicht unähnlich war. Trotzdem war der Kerl im Grunde nichts Besseres als ein in Zivilkledagen aufgedonnerter Bulle. Er hatte sich gefälligst nicht an eine Adelsdame wie Daisy Dalrymple heranzumachen, und sie hatte sich gefälligst nicht so zu freuen, ihn zu sehen. Das hatte man also davon, wenn man zuließ, daß höhere Töchter sich mit der Schreiberei und ähnlichem Blödsinn abgaben!

Er nickte kühl.

Der Detective verzog die Lippen zu einem kühlen Lächeln, und er wandte sich wieder Daisy zu. »Wie schön, daß ich Sie noch erwischt habe. Ich muß mich sputen, aber ich wollte Ihnen noch etwas für die Reise mitgeben.« Er überreichte ihr eine Pralinenschachtel bescheidenen Formats.

»Alec ... Mr. Fletcher, wie reizend aber auch! Ich werde zu einem richtigen Ferkel mutieren und alles aufessen, noch bevor ich überhaupt in Crewe umsteige.«

Alec, auch das noch! In finsterem Schweigen führte Phillip Daisy zu ihrem Zug. Die unglaubliche Frechheit dieses Emporkömmlings würde er noch nicht einmal einer mißbilligenden Bemerkung würdigen.

»Nun krieg dich mal wieder ein«, sagte Daisy mit einem sonnigen Lächeln, als sie sich aus dem Fenster lehnte. »In dieser Sache ist Lucy ganz deiner Meinung, aber du mußt doch zugeben, daß es eines Tages sehr nützlich sein könnte, einen Polizisten an seiner Seite zu wissen. Danke fürs Fahren, mein Herz. Cheerio!«

»Cheerio«, erwiderte Phillip mürrisch.

Daisy hockte auf dem Bock der Bahnhofsdroschke neben dem Kutscher, dessen Gesicht über die Jahre von Wind und Wetter gegerbt worden war, und konnte über die kahlen Hecken hinweg die langsam grün werdenden Wiesen der Ebene von Cheshire sehen, die sich zu beiden Seiten des Feldwegs ausdehnte. Dicke, zufriedene Kühe rupften schon am frischen Gras. In der Ferne staksten Dorfkirchtürme aus hier und dort verstreuten Baumgruppen hervor. Trotz des grauen Himmels war die Luft frühlingshaft mild, und zwischen den Hecken glänzte golden das Scharbockskraut.

Der Zosse trottete seelenruhig vor sich hin, ohne von seinem Besitzer weiter beachtet zu werden. Ted Roper, so hatte er sich vorgestellt, war voll und ganz damit beschäftigt, Daisy alles von seiner Familie zu erzählen. Auf seinen ältesten Enkel war er besonders stolz: er hatte Autofahren gelernt, »eins von diesen Motor-Lastautos«, mit dem er regelmäßig Güter von Manchester nach London transportierte.

Daisy überraschte es nicht, daß ein Fremder sie so ins Vertrauen zog. Aus irgendeinem Grund, den sie noch nicht genau erfaßt hatte, wollten ihr die Leute immer alles über sich erzählen. Während sie dann die passenden bewundernden oder mitleidigen Geräusche von sich gab, merkte sie sich alle Details: Eines Tages würde sie sich mal hinsetzen und einen Roman schreiben.

Alles, so dachte sie immer, war für einen Schriftsteller Rohmaterial.

Der Feldweg wand sich um ein trockenes Gestrüpp herum, und dann erstreckte sich plötzlich eine Dorfstraße vor ihnen.

»Occleswich«, sagte Ted Roper. »Sehen Sie die Schornsteine da hinten, oben auf dem Berg? Das ist Occles Hall.«

Der Berg war eher ein sanfter Hügel, stellte aber wohl trotzdem die höchste Anhöhe dar, die dieser Teil von Cheshire zu bieten hatte. Zu beiden Seiten der ansteigenden Straße umgaben identische weiße Lattenzäune identische Gärten und Blumenbeete, die vor identischen Fachwerk-Cottages lagen, alles paarweise nebeneinander angeordnet. Und alles hier war ordentlich: die Schneeglöckchen blühten, und durch den gejäteten Boden hatten die Narzissen schon ihre Triebe geschoben; die schwarz gestrichenen Balken hoben sich wie neu von den weißen Wänden ab; die rautenförmigen Fensterscheiben glitzerten; auf den Schieferdächern war nicht das geringste Anzeichen von Moos oder Flechten zu sehen. Sogar die Schornsteine schienen einheitlich getrimmt zu sein, denn aus allen stieg dasselbe, gerade Fähnlein von blaugrauem Rauch in den windstillen Himmel empor.

»Ach, bitte halten Sie doch mal an, Mr. Roper«, rief Daisy

aus. »Würden Sie wohl einen Moment warten, während ich ein paar Photographien mache? Das ist doch ein wunderschönes Bild, und wer weiß, wie das Wetter in den nächsten Tagen wird.«

»Brrrr, Hotspur!« Sein Pferd blieb gehorsam stehen. »Nehmen Sie sich soviel Zeit, wie Sie brauchen, Miss. Das hier ist ein sogenanntes Musterdorf«, berichtete er. »Vor hundert, hundertfünfzig Jahren hat der damalige Gutsherr das alte Dorf abreißen lassen und das alles hier hingesetzt.«

»Ja, in Dorset hab ich mal ein ähnliches Dorf gesehen«, sagte Daisy, während sie hinunterkletterte und ihre Kamera und das Stativ herunterholte, »aber das hier ist ja noch viel hübscher. Und in so wunderbarem Zustand!«

»Gut, daß Sie Occleswich nicht gesehen haben, ehe Lady Valeria in Occles Hall eingezogen ist. Hat den Parslows ja das Geld eingebracht. Ganz schön runtergekommen waren sie beide, Occles Hall und das Dorf, und die Familie auch, wenn ich's recht bedenke.« Ted Roper lachte aus vollem Herzen und wurde dann wieder ernst. »Nicht, daß ich gegen Sir Reginald auch nur ein Wörtchen sagen möchte. Ist ein rechter Gentleman, ist er wirklich, auch wenn er mächtig unterm Pantoffel steht. Lady Valeria hat da eindeutig die Hosen an.«

»Und Lady Valeria hat Occles Hall und das Dorf restaurieren lassen?« fragte Daisy, während sie ihre Kamera auf dem Stativ festschraubte. Die Kirche aus rosa Sandstein, auf halber Strecke gelegen, würde eine gute perspektivische Mitte für das Bild abgeben, beschloß sie, und schleppte ihren Apparat auf die andere Seite der Straße.

»Ja, sie hat alles instand gesetzt, das hat sie wohl. Das ist der ganze Stolz von Lady Valeria, außer dem jungen Herrn Sebastian natürlich, und sie sieht zu, daß die Pächter alles genau so machen, wie sie das will. Kein einziger Salat, kein Rosenköhlchen in den Vorgärten zu sehen, würd sich auch keiner raustrauen aus der Erde. Gibt nur einen einzigen Mann im ganzen Dorf, der ihr Paroli bieten kann, und in der Familie tut's auch keiner.«

»Und wer ist das?«

»Werden Sie schon sehen, wenn wir da vorbeikommen, Miss«, sagte Ted Roper rätselhaft. »Ist nicht zu übersehen.«

Daisy machte mehrere Aufnahmen. Nachdem die Photos von Wentwater Court so großartig geworden waren, traute sie sich jetzt schon mehr zu, doch konnte es nicht schaden, auf Nummer Sicher zu gehen. Zufrieden verstaute sie ihre Sachen auf dem Wagen und kletterte dann behende auf den Bock. Das Pferd setzte sich wieder in Gang, ohne erst Ted Ropers Schnalzen abzuwarten.

Gleich hinter der Kirche, auf der gegenüberliegenden Straßenseite, stand ein Gebäude im selben Stil wie die anderen Cottages, nur ein bißchen größer. Ein Schild über der Tür tat kund, daß es sich hier um das *Cheshire Cheese Inn* handelte. Daisy mußte über das Schild lachen, auf dem ein großer orangefarbener Käse zu sehen war, aus dem eine kleine Maus durch ein Seitenloch eine grinsende Katze anschaute.

»Fred Chiver, der Gastwirt, wollte den Namen eigentlich zu *Cheshire Cat* ändern«, offenbarte ihr der Kutscher, »aber Lady Valeria hat sich durchgesetzt, weil *Cheese* der historische Name ist, scheint's. Konnte er nur noch das Bild da malen lassen. Ist von einem walisischen Künstlertypen, der hier mal paar Tage gewohnt hat.«

»Mir gefällt's.« Daisy bemerkte einen alten Mann, der auf einer Bank nahe der Tür vor sich hin döste, zu seinen Füßen einen gleichermaßen schlaftrunkenen Hund, und ihr fiel auf, daß dies der erste Mensch war, den sie in Occleswich sah. »Wo sind denn eigentlich die ganzen Leute vom Ort?« fragte sie.

»Rüber nach Whitbury gefahren, Miss. Heute ist Markttag. Die meisten Frauen nehmen den frühen Bus, um ihre Einkäufe zu machen. Und die Kinder sind in der Schule, da drüben hinter St. Dunstan's, neben dem Pfarrhaus.« Er zeigte in die Richtung und sah dabei über die Schulter auf die Kirchturmuhr. »Gleich ist die Schule aus, und der Omnibus von Whitbury ist auch gleich da. Hotspur und ich, wir sind nicht mehr zeitgemäß, so ist das nun mal«, fügte er traurig hinzu. »Lady Valeria, die unterhält uns noch, weil sie keins von den Automobilen in Occleswich haben will, außer ihrem eigenen natürlich. Zerstört den malerischen Eindruck. Der Bus muß ganz unten halten.«

»Das klingt ja wirklich so, als sei Lady Valeria durchaus gewohnt, sich durchzusetzen!« rief Daisy aus.

»Oh, ja, das stimmt«, pflichtete ihr Ted Roper bei.

Hinter dem *Cheshire Cheese* machte die Straße eine Kurve nach rechts. In schnörkeligen Buchstaben stand über der Tür eines Cottages: *Village Store & Post Office*, und ein Schild im Fenster des Nachbarhauses tat kund, daß dort die Dorfpolizei ihren Sitz hatte. Zwischen den beiden Gebäuden zeigte ein Wegweiser in Richtung Bürgermeisteramt, das hinter einer Hecke versteckt lag. Das schien auch schon alles zu sein, was Occleswich als kaufmännisches und soziales Zentrum zu bieten hatte.

Hundert Meter weiter endete die Straße an einer T-förmigen Kreuzung. Auf der gegenüberliegenden Seite versperrte eine hohe Mauer aus demselben rosafarbenen Stein wie die Kirche den Weg. Hotspur marschierte tapfer die Anhöhe hinauf, und Daisy bemerkte beim Näherkommen ein kleines Tor in der Mauer.

»Wo ist denn das Haupttor?«

»Rechts hinunter, dann noch eine Viertelmeile oder so.«

Sie blickte nach rechts – und schnappte vor Erstaunen nach Luft. »Du liebes bißchen, was ist das denn für ein schrecklicher Anblick!«

Das letzte Cottage auf der Straße war die Dorfschmiede. Die Wohnräume waren neben und über der Werkstatt, anstelle eines Vorgartens mit Blumenbeeten lag vor dem Haus ein zementierter Hof, der mit Haufen vor sich hin rostender Metallteile bedeckt war. Verbogene Hufeisen und Pflugschare, zerbrochene Bettgestelle, altmodische Öfen sowie zahllose Teile von Karosserien und die Innereien dahingegangener Automobile waren dort aufgetürmt. Die gefährlich wackelig aussehenden Stapel reichten bis über die Simse der schmuddeligen Fenster.

»Stan Moss, der Schmied, der wollte hier 'ne Tankstelle haben«, sagte Ted Roper grinsend. »Aber klar, daß Lady Valeria davon nichts wissen wollte. Hätt ja den pittoresken Eindruck vom Dorf zuschanden gemacht, nicht wahr. Na ja, und Stan ist unglaublich nachtragend. Hinten, wo er arbeitet, ist es ein bißchen ordentlicher. Aber nur ein bißchen, wohlgemerkt.«

»Ich hätte gedacht, daß Lady Valeria von einer Ohnmacht in die andere fallen würde. Sie läßt ihm diese Unordnung durchgehen?«

»Nicht, daß sie es nicht schon anders versucht hätte. Zwei Jahre führen die schon Krieg. Einmal hat sie fremde Leute hergebracht, die aufräumen sollten, aber die hat er fortgejagt. Also hat sie sie wieder hergeholt, und noch ein paar Polizisten zum Aufpassen, als er mal in Nantwich war. Na ja, und was soll ich sagen, womit ist er zurückgekommen? Mit 'ner neuen Ladung Schrott, als hätt er gewußt, was sie im Schilde führt.«

»Das ist wohl wie die Sache mit der unwiderstehlichen Kraft und dem unbeweglichen Objekt«, bemerkte Daisy.

»Stan ist ein Sturkopf«, stimmte ihr Ted Roper zu. »War immer schon ein streitsüchtiger Typ, und als ihm seine kleine Gracie weggelaufen ist, hat's ihm die Laune auch nicht wesentlich verbessert. Da ging ihm nicht nur ihr Gehalt flöten, seine Haushälterin war er damit auch gleich los.«

»Gracie?«

»Seine Tochter. Ist mit einem von diesen Handlungsreisenden durchgebrannt, vor ein paar Monaten. Gibt aber kaum einen, der ihr das übelnimmt. Hübsche Mädchen wollen nun mal gerne ein bißchen Spaß haben, aber Gracie durfte an ihrem freien Tag von der Arbeit als Serviermädchen oben auf Occles Hall für Stan malochen, und zum Dank hat er ihr auch noch jeden Penny von ihrem Lohn abgenommen. Ach herrje, da kommt ja Lady Valeria. Wir sollten mal lieber weiter.«

Hotspur wurde zu einem Trott überredet, und die Droschke bog rasch um die Ecke. Daisy blickte zurück und erspähte eine respekteinflößende Gestalt, die durch das kleine Tor schritt, einen braun-weiß gescheckten Pointer an ihrer Seite. Lady Valeria war in braunem Tweed gekleidet, trug einen eher männlichen Schlapphut mit Fasanenfeder auf dem Kopf und hielt einen soliden Spazierstock aus Schlehdornholz mit Messingknauf.

Sie blickte weder nach links noch nach rechts, sondern marschierte geradewegs über die Straße, stieg vorsichtig über die Schrotthaufen von Stanley Moss und donnerte mit ihrem Gehstock an seine Tür.

Bäume verdeckten die Schmiede vor Daisys Blick, doch über Hotspurs gemächliches Hufgetrappel hinweg konnte sie zwei wütende Stimmen hören, die sich aufgeregt erhoben.

»Na, sind die beiden mal wieder zugange«, grunzte Ted.

Ihr erster Eindruck von Lady Valeria war nicht gerade ermutigend. Als der Pförtner einige Minuten später die guß-eisernen Tore von Occles Hall aufschwenkte, fuhr Daisy einigermaßen beunruhigt durch sie hindurch.

2

Die Ostfassade von Occles Hall konnte man nur als prachtvoll bezeichnen. Das Fachwerk bestand aus tiefschwarz umrandeten Zacken, Fünfecken, Rauten, Rosetten und Muscheln und war zweifelsohne in dekorativer Absicht und nicht aufgrund baulicher Notwendigkeiten so geschaffen worden. Jedes der drei Stockwerke ragte ein wenig über das daruntergelegene hinaus. In der Mitte befand sich ein zweigeschossiges Torhäuschen, dessen Erdgeschoß ein Torbogen ganz einnahm. Ein massiger Balken darüber war von der Last der Jahre schon ganz durchgebogen. Eine niedrige Steinbrücke führte über den Burggraben zum Herrenhaus, das sich in der stillen Wasseroberfläche spiegelte.

Enttäuscht bemerkte Daisy, daß das spätnachmittägliche Licht schon zu schwach war, um noch photographieren zu können. Außerdem fielen auch schon vereinzelte Regentropfen ins Wasser des Burggrabens und verwackelten damit die Reflexion. Mochte sich Lady Valeria als noch so schwierig erweisen, Daisy würde in jedem Fall so lange bleiben, bis sie ein paar wirklich gute Aufnahmen des herrschaftlichen Renaissancehauses hinbekommen hätte.

Ted Roper fuhr über die Brücke und in den Torvorbau hinein. Mit einem Schnaufen, das sehr nach einem erleichterten Aufseufzen klang, hielt Hotspur in der Mitte des tunnelartigen Torbogens an, der von seinen beiden Enden her schwach durch das rasch schwindende Tageslicht beleuchtet wurde.

Daisy blickte sich um und entdeckte an der Wand gegenüber eine massige, zweiflügelige Tür mit Eisenbeschlägen. Lucys kostbare Kameratasche umgehängt, stieg sie von dem Gefährt ab und ging hinüber. An der Tür war neben einem altmodischen Klingelzug noch ein schwerer Eisenklopfer in Gestalt einer mißgelaunten englischen Dogge befestigt. Aus leidvoller Erfahrung wußte Daisy, daß man sich bei altmodischen Klingelzügen leicht die Schulter auskugeln konnte, und so wagte sie sich an die Dogge und klopfte mit einem lauten Ratt-tatt.

Während Ted neben ihr die Taschen zu einem ordentlichen Haufen schichtete, puderte sich Daisy die Nase. Immer noch gab es kein Lebenszeichen aus dem Haus. Sie bezahlte ihn und wollte ihn gerade bitten, für sie an der Klingel zu ziehen, als sich schließlich mit einem eindrucksvollen, gotisch anmutenden Knarren doch noch die Tür öffnete.

Der Butler, ein hagerer Mensch mit hängenden Schultern und grauen Haaren, die ihm glatt und dünn auf dem Schädel lagen, wirkte, als hätte er gerade beim Rennen in Goodwood sein letztes Geld auf ein Pferd gesetzt, das zu guter Letzt überhaupt nicht an den Start gegangen war. »Miss Dalrymple?« fragte er, und Verzweiflung lag in seiner Stimme.

»Ja, ich bin Daisy Dalrymple«, sagte Daisy fest und trat über die Schwelle in ein kleines, holzgetäfeltes Zimmer, das von Gaslampen beleuchtet wurde.

»Ich bin Moody, Miss. Bitte folgen Sie mir doch.«

Während sie seinen gemessenen Schritten durch eine ganze Flucht ähnlicher Zimmer folgte, hoffte sie, sein Temperament ließe auch gute Laune zu und nicht nur die gegenwärtige Trübsal.

Sie traten in ein weiteres holzgetäfeltes Zimmer, einen länglichen Raum mit niedriger Decke. Die gegenüberliegende Wand war ganz von Fenstern eingenommen. Durch die winzigen rautenförmigen Fensterscheiben konnte Daisy nur erkennen, daß draußen regnerische Dämmerung herrschte. Also sah sie sich um. An den drei anderen Wänden gab es mehrere Türen, und mindestens drei Treppen führten von hier aus empor. Dazwischen hingen Porträts in ziselierten Goldrahmen. Das einzige Mobiliar waren verschiedene uralte Stühle, in denen sich anzulehnen unglaublich schmerzhaft sein mußte, so fein waren sie geschnitzt.

»Die Long Hall, Miss«, sagte Moody düster, »und das ist Mrs. Twitchell, die Sie jetzt auf Ihr Zimmer begleitet.«

Die Haushälterin, eine fröhliche Frau mittleren Alters, trug ein graues Kleid mit weißem Kragen und weißen Manschetten. Ganz im angenehmen Gegensatz zu dem mürrischen Butler plauderte sie munter drauflos, während sie Daisy eine der engen Treppen hinaufführte, die ebenfalls mit der anscheinend allgegenwärtigen Holztäfelung verkleidet war.

»Miss Roberta wird es ja so leid tun, daß sie nicht hier war, um Sie zu begrüßen, Miss Dalrymple. Sie ist nach dem Mittagessen ausgeritten, und wahrscheinlich ist sie dabei weiter weg geraten, als sie eigentlich wollte. Es wird ja schon dunkel, und regnen tut's dazu. Nicht, daß ein Regen Miss Roberta je aufgehalten hätte. Zum Tee ist sie aber bestimmt wieder zurück.«

Sie bogen um weitere Ecken, gingen Treppen hinauf und wieder hinunter, durchquerten Galerien und kamen durch endlose Fluchten von kleinen und großen Zimmern, von denen manche wiederum holzgetäfelt und andere weiß gestrichen waren. Die Bauherren der Tudor-Zeit hatten offenbar nie etwas von Korridoren gehört, und die Decken waren in beliebiger Höhe gebaut, wie es ihnen gerade gefiel. Daß der Fußboden im Geschoß darüber dadurch auf ganz anderer Ebene lag, schien damals niemanden gestört zu haben. Auch an Daisys Zimmer, das sie endlich erreichten, führte eine Stufe zur Tür.

»Da finde ich ja nie wieder zurück!«

»Sie werden das schnell lernen, Miss. Ach, da ist ja schon Gregg, die Zofe Ihrer Ladyschaft. Sie wird Ihnen in allem behilflich sein. Wenn Sie dann soweit sind, bringt sie Sie zum Tee in den Gelben Salon.«

Gregg war eine solide gebaute, schweigsame Landfrau, die Daisys Gladstone-Koffer bereits ausgepackt hatte. Durch welchen Zauber er wohl vor ihr in das Zimmer gebracht worden sein mochte? Gregg bot an, Daisys bestes Abendkleid aus rosenfarbener Charmeuse zu bügeln. Unter dem Einfluß von Daisys besonderem Charme raffte sie sich sogar zu der Bemerkung auf, das wäre ihr eine besondere Freude.

»Nachdem es ja so ist, daß sich Ihre Ladyschaft nichts aus schönen Kleidern macht und ich für Miss Roberta meistens nur den Schlamm von den Reithosen und den Golfstrümpfen abbürsten kann«, erklärte sie.

Daisy, die sich noch aus Schulzeiten an Bobbie erinnerte, erstaunte das nicht.

Sie wusch sich in einer Porzellanschüssel, die auf dem Waschtisch in der Ecke des kleinen Zimmers stand, den Schmutz der Bahnfahrt von Gesicht und Händen, zog ihren Lippenstift nach und puderte sich noch einmal. Dann richtete sie ihr Haar und steckte die Haarklammern etwas fester in den Knoten. Vielleicht würde sie sich wirklich die Haare kürzer schneiden lassen oder gar einen dieser modischen Jungenhaarschnitte wagen, überlegte sie. Lucy verspottete sie dauernd wegen ihrer Frisur, und Mutter hatte schon so viele Gründe, über sie zu klagen, daß es auf einen weiteren auch nicht mehr ankam.

Ihr hellblaues Strickkostüm war durchaus vorzeigbar, wenn auch nicht übermäßig elegant, allerdings wohl ein wenig kurz in Anbetracht der jüngst fast auf die Knöchel gesunkenen Saumlängen. Aber schließlich wollte sie hier professionell auftreten, und es ging nicht um ein gesellschaftliches Ereignis. Sie vermeldete, sie sei nun bereit, in den Gelben Salon geführt zu werden.

Zwei Herren sprangen von ihren Stühlen auf, als Daisy den Raum betrat. Aber sie hatte nur Augen für einen von ihnen. Madge hatte Sebastian Parslow als »atemberaubend gutaussehend« beschrieben, aber auf diesen Anblick war sie nicht vorbereitet.

Er war Anfang Zwanzig, großgewachsen, hatte breite Schultern, schmale Hüften und lange Beine. Sein dichtes, leicht gewelltes Haar war wie aus gesponnenem Gold. Seine Augen waren kobaltblau und hatten wunderbar dunkle Wimpern; Nase und Mund waren wie gemeißelt, das Kinn kantig mit der Andeutung eines Grübchens. Ein englischer Adonis!

Daisy wünschte sich plötzlich, sie hätte doch das Teekleid aus bernsteinfarbenem Chiffon angezogen.

»Miss Dalrymple? Guten Tag. Ich bin Sebastian Parslow«, sagte er mit volltönender Baritonstimme und durchquerte mit der Grazie eines Athleten das Zimmer, um sie zu begrüßen. Dabei tat er so, als bemerkte er ihre fassungslose Bewunderung nicht. »Tut mir leid, daß der Rest der Familie noch nicht da ist, um Sie zu begrüßen. Darf ich vorstellen: Ben Goodman.«

»Der Sekretär von Sir Reginald.« Die Stimme war hell und eher trocken. »Guten Tag, Miss Dalrymple.«

Nur mit Mühe löste Daisy ihren Blick von diesem Prachtexemplar, um den schmalen, dunklen Herrn hinter ihm anzusehen. Wie taktvoll von Mr. Parslow, Ben Goodmans Dienstposition nicht zu erwähnen. Goodman mußte etwa um die Mitte Vierzig sein. Sein schmales, blasses Gesicht war von der Art, die man bei Frauen *jolie-laide* nennen würde: so unauffällig, daß es fast häßlich war, doch mit einem merkwürdigen Reiz.

»Guten Tag, Mr. Goodman.« Sie streckte ihm die Hand entgegen.

Als er zu ihr trat, um ihr die Hand zu schütteln, fiel ihr sein humpelnder Gang auf. Sofort zog sie zehn Jahre von seinem mutmaßlichen Alter ab und fügte seinem Lebenslauf eine Kriegsverletzung hinzu. Sein warmes Lächeln machte ihn ungeheuer attraktiv, denn in seinen Augenwinkeln erschienen viele sympathische kleine Falten, und die Linien um seinen Mund vertieften sich.

»Ich vermute, nach dieser endlosen Reise freuen Sie sich schon auf einen Tee«, sagte er. »Ich hab Moody gesagt, er soll ihn gleich servieren, sobald Sie da sind.«

»Eine Tasse Tee wird mir wirklich guttun, obwohl die Reise eigentlich gar nicht so schrecklich war.« Dank eines Sitzplatzes in der ersten Klasse und einer Pralinenschachtel. »Wenigstens mußte ich nicht in Birmingham umsteigen, sondern nur in Crewe. Und die Fahrt vom Bahnhof hierher war sehr angenehm. Ted Roper hat mir schon alles mögliche über Occleswich erzählt.«

Ein Schatten glitt über die makellosen Züge des peinlich berührten Mr. Parslow: »Niemand hat den Daimler zur Bahn geschickt«, sagte er entschuldigend, »noch nicht einmal den Morris, aber ...«

»Daisy!« Bobby Parslow platzte in den Raum und warf dabei ihre Reitkappe auf den nächstbesten Stuhl. Die Sportjacke über ihrer Reithose war feucht, und ihre Stiefel hinterließen Schlammspuren auf dem Teppich. »Großartig, dich mal wiederzusehen.« Fest drückte sie Daisy die Hand.

Miss Roberta Parslow war ganz offensichtlich Sebastians Schwester, doch bei ihr stimmten leider die Proportionen nicht. Die Größe und die breiten Schultern, die bei einem Mann so beeindruckten, paßten nicht zu einer Frau, und während er elegant wirkte, wirkte sie nur korpulent und robust. Ihr Haar, Stroh im Vergleich zu seinem Gold, war kurz geschnitten und hing so gerade herab wie ein Pferdeschweif. Ihr rechteckiges Gesicht war eine verwaschene Kopie des seinen, als hätte ein Maler Sebastians Porträt mit der bemalten Seite auf eine andere Leinwand gelegt, ehe die Farbe ganz getrocknet war. Ihre Augen waren hellblau, die Wimpern kaum zu erkennen.

Doch war sie ohne Zweifel hoch erfreut, Daisy zu sehen.

»Tut mir schrecklich leid, daß ich so spät komme«, sagte sie. »Ich war gerade auf dem Weg zum Bahnhof, um neben deiner Kutsche herzureiten, aber dann hat Ranee ein Hufeisen verloren. Hast du Mummy schon begrüßt?«

»Noch nicht«, antwortete Daisy, »obwohl ich vorhin gesehen hab, wie ...«

Sie unterbrach sich, als ein Serviermädchen das Teetablett hereintrug.

»Oh, wunderbar«, rief Bobbie aus. »Würden Sie wohl einschenken, Ben? Ich sterbe vor Hunger, und außerdem klekkere ich ja immer bei so was, schrecklich. Ein Sandwich?« Sie bot Daisy den Teller an, nahm sich selbst einen ganzen Stapel der winzigen, dreieckig geschnittenen Brote ohne Kruste und ließ sich dann in einen Sessel plumpsen.

Mr. Goodman bot Daisy Milch, Zitrone und Zucker an, und Sebastian reichte ihr die Tasse.

»Unsere werte Mama ist gerade hinunter ins Dorf gegangen, um Mr. Lake zu sagen, was gestern an seiner Predigt alles nicht in Ordnung war«, sagte er seiner Schwester. »Und du weißt ja, daß sie nie an der Schmiede vorbeigehen kann, ohne Stan Moss noch einmal ordentlich die Meinung zu geigen, sonst wäre sie ja mittlerweile wieder zurück. Eines schönen Tages werden die beiden sich noch prügeln. Wirklich erstaunlich, daß es noch nicht soweit gekommen ist.«

»So ein Ärger! Dann wird er überhaupt keine Lust haben, Ranee morgen für mich zu beschlagen.«

»Ihr bringt eure Pferde zur Dorfschmiede?« frage Daisy.

»Ja. Der Laden sieht fürchterlich unordentlich aus, und Moss ist eigentlich immer schlecht gelaunt, aber trotzdem ist er der beste Schmied in der Gegend und ein Genie, was Maschinen und Motoren angeht. Ich wünschte nur, Mummy hätte sich nicht ausgerechnet den heutigen Nachmittag ausgesucht, um ihn zu ärgern. Andererseits bin ich auch ganz froh, daß sie noch weg ist«, sagte Bobbie unverblümt, während sie ein Pâté-Sandwich verspeiste. »Ich hatte schon Angst, ich wäre nicht rechtzeitig wieder zurück, um dich zu warnen, Daisy.«

»Wovor mußt du mich denn warnen?« fragte Daisy, und plötzlich war ihr höchst mulmig zumute.

»Vor Mummy. Sagen Sie, Ben, ist das etwa ein Victoria-Biskuitkuchen? Schneiden Sie mir doch bitte ein schönes großes Stück ab, seien Sie so gut. Also, Daisy, ich fürchte, Sie war nicht gerade begeistert, daß du herkommst.«

»Ach, du liebes bißchen. Das hättest du mir ja ruhig vorher sagen können. Ich kann doch nicht ohne ihre Erlaubnis über Occles Hall schreiben.«

»Deswegen brauchen Sie sich auch keine Sorgen zu machen«, sagte Ben Goodman mit einem beruhigenden Lächeln. »Lady Valeria ist hoch erfreut, daß ihr Haus endlich die Anerkennung erfährt, die es verdient.«

»Aber was ist dann ...?«

»Bobbie hat es vermasselt.« Sebastian zog eine ironische Grimasse. »Sie hat Sie eingeladen, ohne vorher Mummy um Erlaubnis zu fragen. Eine wahre Todsünde.«

»Dein Brief kam, als Mummy und Sebastian noch in Antibes waren«, entschuldigte sich Bobbie übertrieben schuldbewußt. »Überzeugende Briefe zu schreiben, ist wirklich nicht eine meiner besonderen Fähigkeiten, und Ben wollte ich nicht darum bitten, weil es ihm damals unglaublich schlecht ging. Es war damals schon so schrecklich kalt, erinnern Sie sich, Ben? Sie haben sich ja förmlich die Lunge aus dem Leib gehustet.«

Mr. Goodman wurde rot. »Senfgas«, erklärte er. »Nicht, daß Sie glauben, Sie sind in ein Haus mit einem Schwindsüchtigen geraten.«

Daisy nickte und legte soviel Mitleid in ihren Blick, wie sie nur konnte. Darauf konnte man nichts erwidern. Seit dem Weltkrieg gab es in ganz England junge Männer, deren Lungen völlig zerfressen waren. Ob sie wirklich mehr Glück gehabt hatten als jene, die nun in Flandern begraben lagen, wie Gervaise und Michael – die Frage war sinnlos.

»Mummy wollte Ben Goodman nicht an die Riviera mitnehmen«, sagte Sebastian. Er kniff die Lippen zusammen, als machte ihn diese Erinnerung immer noch wütend, doch dann zuckte er mit den Achseln. »Es hat kaum Sinn, sich mit ihr anzulegen, wenn sie sich einmal entschieden hat.«

»Vollkommen sinnlos«, stimmte Bobbie ihm zu. »Deswegen hab ich auch erst mal Daddy gefragt, ob wir Daisy einladen können, bevor ich ein definitives Nein von Mummy riskiere. Und Daddy fand, es ist eine großartige Idee. Wo steckt er eigentlich?«

»Sir Reginald ist noch nicht von der Molkerei zurück«, sagte Mr. Goodman.

»Armer Daddy. Vermutlich steht ihm der nächste Streit bevor, wo Daisy jetzt angekommen ist.«

»Ich möchte um gar keinen Preis der Stein des Anstoßes sein.« Daisy war das alles fürchterlich peinlich, und sie überlegte, ob sie nicht vielleicht auf die Schnelle einen anderen

Landsitz finden würde, über den sie schreiben könnte. Wenn alle Stricke reißen sollten, dann konnte sie immer noch Vetter Edgar und seine Frau Geraldine fragen. Ihr altes Zuhause Fairacres war bei weitem nicht so pittoresk wie Occles Hall, doch in der Not frißt der Teufel bekanntlich Fliegen. Sie ließ also alle Professionalität sausen und schlug hastig vor: »Vielleicht sollte ich lieber morgen früh wieder abreisen.«

»Nein!«, erscholl es aus drei Kehlen mit gleicher Vehemenz.

»Bitte bleib da«, bat Bobbie sie inständig. »Jetzt freut Mummy sich schon darauf, das Haus in *Town and Country* zu sehen, und sie wird unausstehlich sein, wenn die Sache nun doch nicht klappt. Ehrlich gesagt, das einzige ernsthafte Problem ist, daß sie mißbilligt, wenn Mädchen arbeiten – Mädchen aus unseren Kreisen, meine ich. Sie glaubt, daß du mir Flausen in den Kopf setzen wirst. Aber wenn sie erst sieht, daß man eine Dame bleiben kann, obwohl man arbeitet, gibt sie vielleicht nach und erlaubt mir, etwas Sinnvolles mit meinem Leben anzufangen. Schließlich bist du wesentlich damenhafter, als ich es je war oder sein werde. Reich mir doch bitte die Kekse, Bastie.«

Ihr Bruder gab ihr den Teller. »Bitte, bleiben Sie, Miss Dalrymple«, drängte auch er. »Wir haben viel zu selten Besuch.«

Mit einem gewissen Unwohlsein erinnerte Daisy sich an Tommy Pearsons These über Lady Valerias Sorge, ihr Sohn könne durch eine Eheschließung ihren Fittichen entkommen. War das ein weiterer, unausgesprochener Grund, warum sie etwas gegen Daisys Besuch auf Occles Hall hatte?

Nicht, daß Sebastian auf irgendeine Weise gezeigt hätte, daß er sie besonders nett fand. Und außerdem hatte sie bestimmt nicht vor, ihn zu ermutigen, sollte dem tatsächlich so sein. Obwohl er wirklich noch besser aussah als Rudolph Valentino, das neue Filmidol aus Amerika. Die Frau eines solchen Adonis, so vermutete sie, würde kein einfaches Leben führen, vor allen Dingen, wenn sie seine Mutter zur erklärten Feindin hatte. »Nun ja ...«

»Ich hoffe wirklich, Sie können bleiben«, sagte Mr. Goodman mit seinem sympathischen Lächeln. »Ich hab mich schließlich nur um Ihretwillen in die Geschichte von Occles Hall gestürzt.«

»Und das ist ein wirklicher Freundschaftsdienst«, vermeldete Sebastian. »Ben ist eigentlich Archäologe und Altphilologe. Die englische Geschichte bezeichnet er gemeinhin als ein völlig wirres Durcheinander.«

»Ganz so ist es nicht!« Er lachte. »Aber ich hätte das bestimmt nicht auf mich genommen, wenn Lady Valeria nicht deutlich zum Ausdruck gebracht hätte, daß sie es für einen Teil meiner Pflichten erachtet, Sie über alles Wissenswerte aufzuklären.«

Daisy schmunzelte. »Ich kann ja wohl unmöglich die Verantwortung auf mich nehmen, daß Sie Ihre Zeit mit Quatsch vergeudet haben, und dann auch noch umsonst. Außerdem muß ich zugeben, daß ich so spät nur sehr schwer ein anderes Thema für meinen Februar-Artikel finden würde. Ich bleibe also gern.«

»Na, bestens«, sagte Bobbie. »Nimm doch noch einen Keks.«

»Nein, danke. Mr. Goodman, könnten Sie mir wohl vorab eine Kurzversion der Gutsgeschichte erzählen, damit ich meinen Artikel in groben Zügen entwerfen kann?«

»Aber gerne doch. Allerdings kann man leider nicht behaupten, daß sie besonders spannend ausfällt. Occles Hall wurde nach den Rosenkriegen gebaut, also ist dem Haus dieser ganze Aufruhr immerhin erspart geblieben. Die Herren des Hauses waren immer ruhige, häusliche, gesetzestreue Grundbesitzer, die die Interessen ihrer Pächter und Nachbarn gerade ausreichend achteten, um vor Ort keine revolutionären Tendenzen zu wecken. Sie waren weit genug von London entfernt, um nicht bei irgendwelchen politischen Streitereien mitmachen zu müssen, weit genug von der Grenze entfernt, um den Plünderungen durch die Schotten zu entgehen, und sogar weit genug von den Industriegebieten entfernt, um den Angriffen der Ludditischen Maschinenstürmer zu entgehen.«

»Ein ziemlich langweiliges Schicksal«, bemerkte Sebastian.

»Meistenteils wohl«, stimmte Mr. Goodman dem zu. »Einen Augenblick der Glorie, wenn man das so nennen will, gab es immerhin im Bürgerkrieg. Der Gutsbesitzer war Royalist. Cromwell hatte anderswo Wichtigeres zu tun, aber ein Trupp Parlamentsanhänger belagerte das Haus. Die einzigen Mittel zur Verteidigung des Hauses waren der Burggraben und ein paar Flinten. So hat eine kleine Kanone den Verteidigern des Hauses rasch die rechte Furcht vor dem Herrn gelehrt – oder wenigstens vor den Rundköpfen –, und zwar mit durchschlagendem Erfolg, im wörtlichen Sinn. Nach ungefähr einem halben Dutzend Treffer hat man sich klugerweise ergeben.«

»Damit hätten wir also mit Ihrem Vorfahren umgekehrt eine Art ritterlichen John Hampden, der sich ›tapfer mit trotz'ger Brust‹ wehrt«, sagte Daisy.

Sebastian lachte. »Na, sie waren wohl eher ›stumm und ruhmlos‹, meine Vorfahren.«

Bobbie schaute verwirrt drein. Wie hatte sie es nur geschafft, während ihrer Schulzeit um Grays »Elegie« herumzukommen, diesen Dauer-Lieblingstext aller Englischlehrer?

»Nicht lachen«, wandte sich Mr. Goodman an Sebastian. »Auch ein so kurzer Widerstand hat in der Restaurationszeit immerhin dazu gereicht, um den Titel eines Baronets verliehen zu bekommen. Wenn man damals noch ein bißchen länger ausgehalten hätte, dann wären Sie heute möglicherweise Erbe eines Barons. Noch etwas Tee, Bobbie?«

»Ja, bitte. Nur selber essen macht satt, Bastie! Bitte reich mir den Kuchen.«

Weder Lady Valeria noch Sir Reginald erschienen, während Bobbie ihren Hunger stillte. Mit einem tiefen Seufzer gesättigten Wohlbefindens wuchtete sie sich schließlich aus ihrem Sessel empor.

»Ich sollte mich lieber mal umziehen. Komm doch mit hinauf in mein Zimmer, Daisy, dann können wir endlich einmal wieder ausgiebig plaudern.«

Daisy war amüsiert, wenn auch nicht völlig überrascht, als sie feststellte, daß die Wanddekoration von Bobbies Schlafzimmer ausschließlich dem Sport gewidmet war. Olympiasiegerinnen wie Constance Jeans, Kitty McKane und Phyllis Johnson hingen unter Bildern von Bobbie zu Pferde und in irgendwelchen Sportmannschaften. Bobbie war zu Schulzeiten in jeder Mannschaft gewesen, ob Golf, Tennis, Cricket, Rudern oder Schwimmen, und in den meisten Teams war sie sogar Mannschaftskapitän gewesen. Daisy, die es im letzten Schuljahr gerade mal als Zwölfte in die B-Mannschaft des Cricket-Teams geschafft hatte, erinnerte sich an ihre damalige tiefe Bewunderung für ihre Freundin.

Als sie auf dem Nachttischchen die Ausgabe von *Town and Country* bemerkte, in der ihr Artikel über Wentwater Court erschienen war, hoffte sie, daß sich die Verhältnisse damit jetzt wenigstens etwas umkehrten.

Bobbie schickte das Zimmermädchen hinaus, und Daisy schlenderte im Zimmer umher, betrachtete die Bilder und entdeckte vertraute Gesichter wieder, während Bobbie im Badezimmer nebenan verschwand, wobei sie die Tür offenließ. Zwischen walartigem Prusten und Planschen hörte Daisy ihre hoffnungsfrohe Stimme.

»Daddy wird dir bestens gefallen. Er ist einfach ein prima Kerl. Er wird dir seine Mustermolkerei zeigen wollen, aber wenn du ablehnst, ist er auch nicht beleidigt.«

»Das klingt aber interessant für meinen Artikel. Sir Reginald kümmert sich wirklich persönlich um die Leitung der Molkerei?«

»Die Hälfte seiner Zeit verbringt er da unten. Drei Viertel, eher. Er hat das Ganze fürchterlich wissenschaftlich aufgezogen und experimentiert dauernd mit neuen Methoden herum. Und auf den Landwirtschaftsmessen gewinnen seine Cheshire-Käse alle möglichen Preise.«

»Dann muß ich doch auf jeden Fall darüber schreiben.« Der Ärmste – wahrscheinlich war er froh, mit seiner Molkerei ein Refugium vor seiner Frau zu haben. Nach allem, was Daisy gehört hatte, stand er genauso unter dem Pantoffel wie seine Kinder.

»Du mußt ja unglaublich schlau sein, daß du so schreiben kannst. Und Geld bekommst du auch dafür?« Bobbie klang fast eifersüchtig.

»Ist das nicht großartig? Eine Weile hab ich mich als Stenographin versucht. Das war gräßlich. Aber das Schreiben macht mir riesigen Spaß. Mit Artikeln wie diesem hier und ein paar kleineren Aufträgen hier und da komme ich ganz gut über die Runden. Zwischendrin helfe ich Lucy manchmal in ihrem Photostudio. Und dann hab ich noch ein bißchen Geld, das mir eine Tante vererbt hat, und das hilft mir natürlich auch weiter. Würdest du denn gerne arbeiten?«

»Schrecklich gern, aber ich bin ja für nichts zu gebrauchen außer für Pferde und Mannschaftsspiele. Und ich hab keinen einzigen Pfennig eigenes Einkommen.« Noch ein gurgelndes Planschen, und einen Moment später erschien Bobbie tropfend im Türrahmen, in ein riesengroßes rosa Handtuch gehüllt. »Und überhaupt: Wenn ich hier rauskomme und dann geht doch irgend etwas schief, dann könnte ich es einfach nicht ertragen, zurückgeschlichen zu kommen und betteln zu müssen, daß man mich wieder aufnimmt.«

»Das kann ich verstehen. Mutter würde mich das immer spüren lassen, wenn ich jetzt doch noch zu ihr ins Dower House ziehen würde.«

»Dein Bruder ist im Weltkrieg gefallen, nicht wahr?« fragte Bobbie unvermittelt, während sie sich wieder in das Badezimmer zurückzog.

»Ja, und Vater während der Grippeepidemie gestorben. Mein Vetter hat dann den Titel und Fairacres geerbt. Aber da muß ich gerecht bleiben: Er und Geraldine würden mir liebend gerne ein Zuhause geben, aber die beiden sind einfach schrecklich steif. Und bei meiner Schwester Violet und ihrem Mann könnte ich auch wohnen, die sind beide richtige Schätzchen. Da würde ich mich wohl als Tante nützlich machen. Aber lieber bin ich unabhängig, auch wenn das ein ziemlicher Kampf ist.«

Bobbie tauchte wieder auf, diesmal in rosa Flanellunterwäsche gekleidet, und ihr feuchtes Haar stakste in alle möglichen Richtungen, als wäre es ein Heuhaufen. Obwohl sie stark gebaut war, war sie überhaupt nicht dick. Tatsächlich hätte sie so mancher schmale Mann um ihre muskulöse Figur beneidet. Neben ihr kam sich Daisy zerbrechlich und äußerst feminin vor.

»Ich bin wahnsinnig froh, daß du hergekommen bist.« Während Bobbie sprach, zog sie sich einen Unterrock aus Crêpede-Chine-Seide über ihre etwas prosaische Unterwäsche. »Und Sebastian sieht das genauso, das weiß ich genau. Ich hab gleich gemerkt, daß er dich mag: er hat ja tatsächlich mit dir geredet. Das arme Herzchen ist Mädchen gegenüber normalerweise ganz schrecklich schüchtern.«

Seine Mutter mußte diesen so glänzend aussehenden Sebastian so nachhaltig vor den weiblichen Listen gewarnt haben, daß er schon im vorhinein das Feuer scheute, vermutete Daisy. »Wahrscheinlich wird dein Bruder von den Mädchen geradezu verfolgt«, sagte sie taktvoll.

»Er ist einigermaßen atemberaubend, nicht wahr? Ich wünschte, ich sähe nur halb so gut aus wie er.« Bobbie steckte ihren Kopf in die Stoffmassen eines scheußlichen olivgrünen Seidenkleides, das dicht mit Perlen bestickt war, und schüttelte sich leicht, bis es richtig saß. Es hing an ihr herunter wie ein Sack. »Ich vermute, er würde sicher verfolgt werden, wenn Mummy ihn endlich einmal alleine irgendwo hinlassen würde.«

»Ich hab gehört, daß er gelegentlich an der Riviera ist.«

»Aber immer schön an der Leine. Ich glaube, sie hat das Gefühl, sie müßte ihn gelegentlich doch an die frische Luft bringen, sonst denken die Leute noch, er wäre schwachsinnig oder so was. Wenn er da unten nicht schwimmen könnte, würde er sich genauso langweilen wie hier. Er schwimmt wie ein Fisch. Und außerdem gibt es da noch irgendwelche römische Ruinen, in denen sie ihn herumwandern läßt.«

»Mr. Parslow interessiert sich für Ruinen aus der Antike?« fragte Daisy erstaunt.

»Na ja, als er noch in der Schule war, hat er sich fürchterlich für irgendein Stückchen aus einem römischen Mosaik begeistert, das man in einer von Daddys besten Heuwiesen gefunden hat. Mummy hat darauf bestanden, daß er die ganze Wiese umgraben durfte. Ein paar Münzen hat er da gefunden, obwohl ich mich manchmal frage, ob sie die nicht gekauft und extra für ihn da hineingelegt hat. Sie waren nämlich in bemerkenswert gutem Zustand.«

»Würde sie so etwas wirklich tun?«

»O ja, alles, um ihn bei Laune zu halten – alles außer ihn

loszulassen«, sagte Bobbie bitter. »Ansonsten hat er nie was gefunden, aber sein Interesse an der Sache hat er nie verloren. Dann kam Ben, um für Daddy zu arbeiten, und der hat Bastie für die alten Griechen begeistern können.«

»Mr. Goodman ist also tatsächlich Archäologe und Gräzist?«

»Ja, in Oxford, und er wäre da sicherlich auch Professor geworden, wenn der Krieg nicht alles durcheinandergebracht hätte. Natürlich begeistert er sich mehr für Bücher und Philosophie und dieses ganze Zeugs. Aber er ist unglaublich nett und bringt Bastie alles mögliche über Keramik und solchen Kram bei. Mummy hat ihm eine schrecklich alte und teure Amphi… ich meine, eine Amphore gekauft, aber er meint, es wäre nicht dasselbe, als wenn man so was selber ausgräbt.«

»Wahrscheinlich kann man als Archäologe seinen Lebensunterhalt nicht wirklich verdienen«, sagte Daisy nachdenklich. »Die Leute, die damit anfangen, sind anscheinend alle wohlhabend, so wie Lord Carnarvon, der letztes Jahr das Grab von Tut-ench-Amun ausgegraben hat.«

»Ach, Sebastian hat durchaus was auf der hohen Kante, jedenfalls genug, um davon zu leben. Genau wie du hat er etwas von einer Tante geerbt – mir hat sie keinen Penny hinterlassen, Pech für mich.«

»Und er hat sich noch nicht nach Griechenland abgesetzt?« Vor lauter Überraschung vergaß Daisy ihr Taktgefühl.

Bobbie wurde rot. »Man kann ihm keinen Vorwurf daraus machen, daß er Mummy kein Kontra gibt«, sagte sie zu seiner Verteidigung. »Warte erst mal, bis du sie kennenlernst, dann verstehst du das besser.«

3

»Sie sind also Maud Dalrymples Tochter.« Lady Valerias Ton ließ ahnen, daß sie keinerlei Grund dazu sah, der verwitweten Gräfin zu ihrer Nachkommenschaft zu gratulieren.

Angesichts dieser kritischen Musterung wünschte Daisy,

sie hätte ihr graues Kleid mit dem hohen Ausschnitt angezogen und den Lippenstift und das Gesichtspuder weggelassen. Sie war sich gar nicht so sicher, ob der starre Basiliskenblick nicht doch geradewegs durch das Kleid hindurchsah und den etwas frivolen, halbseidenen Teddy erspähte, den sie anstelle ihrer sonst üblichen Baumwollwäsche angezogen hatte.

Wenigstens hätte sie zusehen sollen, daß sie sich nicht allein zu Lady Valeria in den Salon wagte.

Im stillen wies Daisy sich selbst streng zurecht: Sie war eine berufstätige Frau und niemandem Rechenschaft schuldig. Sie setzte sich auf einen der typisch viktorianischen Sessel mit Fransen, Troddeln und Deckchen. Es gab überhaupt keinen Grund, warum sie sich von diesem vernichtenden Blick auch wirklich vernichten lassen sollte. Eine bloße herrische Präsenz, die sich in majestätisches Lila gehüllt hatte, würde sie nicht einschüchtern, wenn sie das nicht zuließ. Und ebenso reichte eine Stimme nicht aus, mochte sie noch so sehr an ihre alte Schuldirektorin erinnern, um Daisy auf den Status eines erwischten Schulmädchens zu reduzieren. »Sie kennen meine Mutter, Lady Valeria?« fragte sie höflich.

»Wir wurden im selben Jahr bei Hof vorgestellt, aber vor langer Zeit schon haben wir uns aus den Augen verloren. Damals waren junge Damen noch anständig erzogen. Emanzipation! Das Wort kannten wir überhaupt nicht. Ich bin schockiert, daß Maud es ihrer Tochter erlaubt hat, sich eine Anstellung zu suchen.«

»Mutter beeinflußt meine Entscheidungen nicht.«

»Nun, das sollte sie aber. Aber besonderes Rückgrat hat Maud ja noch nie besessen.«

Daisy bewahrte nur mit Mühe die Fassung. Ihre Mutter mochte vielleicht eine querulantische Nörglerin sein, die permanent glaubte, man hätte sie beleidigt, aber Lady Valeria stand es wahrhaftig nicht zu, sie zu kritisieren.

Zwischen zusammengebissenen Zähnen preßte sie hervor: »Mutter geht es durchaus gut, wenn man ihre Lebensumstände bedenkt. Ich werde ihr sagen, daß Sie sich nach ihr erkundigt haben. Haben Sie vielen Dank für Ihre freundliche

Einladung, über Occles Hall zu schreiben.« Na, das war doch jetzt ordentlich pariert. »Das Haus und das Dorf sind ja entzückend.«

Selbstzufriedenheit verscheuchte die Mißbilligung aus Lady Valerias schweren, hochrot gefärbten Gesichtszügen. »Das Ganze war wirklich in einem entsetzlichen Zustand, als ich Sir Reginald heiratete. Aber ich bilde mir ein, daß man wohl kaum ein anderes Gut finden kann, das so liebevoll restauriert wurde und unterhalten wird.«

»Abgesehen von der Schmiede, natürlich«, konnte Daisy sich nicht verkneifen zu ergänzen

Lady Valeria runzelte die Stirn. »Über die Schmiede werden Sie nicht schreiben«, befahl sie streng.

»Nein, das ist wohl nichts für die Abonnenten von *Town and Country*«, sagte Daisy bedauernd. »Aber ich werde bestimmt noch haufenweise andere Dinge finden, die einer Erwähnung wert sind.«

»Ich habe Sir Reginalds Sekretär angewiesen, Sie in jeder Hinsicht zu unterstützen. Ich vermute, Sie werden nicht mehr als einen Tag oder höchstens zwei brauchen, um das nötige Material für Ihren Artikel zu sammeln. Selbstverständlich können Sie sich jederzeit telephonisch an Mr. Goodman wenden, sollten Sie noch weitere Fragen haben, wenn Sie in die Stadt zurückgekehrt sind.«

Gut ausgeteilt, mußte Daisy zugeben. Damit war sie äußerst elegant rausgeschmissen worden. Andererseits hatte sie wirklich nicht den Wunsch, Lady Valerias so widerwillige Gastfreundschaft länger als nötig zu beanspruchen. Sie lächelte ihre Gastgeberin also an und murmelte: »Zu freundlich, danke Ihnen.«

Lady Valeria schien aus der Fassung gebracht. Damit stand es wohl pari-pari, dachte Daisy, und wartete gespannt auf den nächsten Schlag.

Die Rettung vor diesem Duell, zumindest eine vorübergehende, nahte in Gestalt eines kleinen, pummeligen Herrn in einem altmodischen, scharlachroten Hausrock.

»Ach, da bist du ja, Reggie«, sagte Lady Valeria. »Warum in aller Welt trägst du denn keinen Smoking?«

Sir Reginald schaute in etwas benebelter Überraschung an sich herab. »Ach, Verzeihung, meine Liebe. Ich habe mir über den Klee Gedanken gemacht und dabei schlichtweg vergessen, daß wir Besuch haben.« Er lächelte Daisy an. »Würdest du uns ...«

»Wozu bezahle ich dir denn einen Diener?« donnerte seine Frau.

»Er hat sich fürchterlich erkältet«, sagte der Baron gelassen. »Ich hab ihn heute früh ins Bett geschickt und ihm gesagt, da soll er bleiben, bis es ihm wieder besser geht. Möchtest du uns nicht ...?«

»Reginald, ich hab dir doch immer gesagt, daß es zu nichts führt, wenn man die Dienerschaft verwöhnt.«

»Ich bin mir sicher, daß du recht hast, meine Liebe, aber ich wollte nicht von ihm angesteckt werden, um dann wohlmöglich noch dem armen Goodman die Erkältung weiterzugeben. Aber möchtest du mich nicht endlich mit unserem Gast bekannt machen?«

»Miss Dalrymple, mein Mann, Sir Reginald. Miss Dalrymple schreibt für eine Zeitschrift.«

»Willkommen auf Occles Hall, Miss Dalrymple. Darf ich Ihnen ein Glas Sherry anbieten?« Seine Augen, genauso blau wie die von Sebastian, zwinkerten schelmisch. »Ich fürchte, wir haben einfach nicht die Zutaten für diese amerikanischen Cocktails, die moderne junge Damen heutzutage vorziehen.«

»Danke sehr, Sir Reginald, mit einem Sherry bin ich voll und ganz zufrieden.«

»Das will ich aber auch hoffen«, schnaufte Lady Valeria etwas lauter, als sie es wohl beabsichtigt hatte.

Sir Reginald schenkte drei Gläser Sherry ein. Während er Daisy eines reichte, sagte er: »Sie sind also die Tochter von Edward Dalrymple? Ich kannte Ihren Herrn Vater leider nicht besonders gut, aber er hat mich einmal in bezug auf Holsteiner Rinder sehr gut beraten. Sehr gut sogar. Ein herber Verlust für die Landwirtschaft. Sie waren mit Bobbie zusammen in der Schule, nicht wahr?«

»Ja, aber sie ist zwei Jahre älter als ich und war damals schrecklich gut im Sport, gerade bei den Mannschaftsspielen.

Ich bin bei so etwas ein hoffnungsloser Versager und habe sie immer bewundert.«

»Oh, aber wie ich höre, hat sich das Verhältnis jetzt genau umgekehrt. Nun sind Sie eine unabhängige Frau und verdienen mit der Schriftstellerei Ihren eigenen Lebensunterhalt. Ich freue mich sehr, daß Sie sich Occles Hall für einen Artikel ausgesucht haben. Darf ich hoffen, daß Sie meine Molkerei mit ein oder zwei Sätzen erwähnen werden?«

»Was für ein Quatsch, Reggie. Miss Dalrymples Artikel befaßt sich mit dem Haus und dem Dorf.«

»Die Molkerei wegzulassen würde mir nicht im Traum einfallen, Sir Reginald. Schließlich ist es meine vaterländische Pflicht, die Landwirtschaft Englands zu unterstützen. Wären Sie wohl so freundlich, mir eine Führung zu gewähren?«

Lady Valeria wurde so lila wie ihr Kleid und erstickte förmlich an einem Schluck Sherry.

Bobbie und Ben Goodman traten gemeinsam ein. Mit offensichtlichem Mißfallen blickte Lady Valeria zwischen ihrer Tochter und Daisy hin und her. Daisy tat es schon wieder leid, das rosarote Charmeuse-Kleid angezogen zu haben: dadurch wirkte Bobbies olivenfarbener Sack noch trostloser und unvorteilhafter. Andererseits freute es sie, daß Mr. Goodman mit der Familie zu Abend speiste. Damit wäre sie nicht die einzige Außenseiterin unter den ganzen Parslows, und außerdem mochte sie ihn schon jetzt sehr gerne, obwohl sie ihn gerade erst kennengelernt hatte.

»Mr. Goodman!« Lady Valeria rief den Sekretär zu sich und fing sofort an, sich über irgendeinen Brief zu beschweren, den er vorhin für sie geschrieben hatte.

Bobbie kam zu Daisy und Sir Reginald hinüber. Sie küßte ihren Vater mit offensichtlicher Zuneigung und wandte sich dann Daisy zu. »Hat Mummy dich schon fürchterlich rangenommen?«

»Ach, aber gar nicht«, log Daisy edelmütig und überlegte verzweifelt, was sie denn Freundliches über die Unterhaltung zu berichten hätte. »Anscheinend hat sie im selben Jahr wie meine Mutter bei Königin Victoria einen Knicks gemacht. Sie hat netterweise dafür gesorgt, daß Mr. Goodman mir die

Geschichte von Occles Hall erzählt, und sie hat sogar erlaubt, daß ich ihn anläute, sollte ich noch weitere Fragen haben, wenn ich wieder zurück in der Stadt bin.«

»Ich hoffe doch, daß Sie so lange bei uns bleiben werden, bis alle Ihre Fragen beantwortet sind«, sagte Sir Reginald mit ruhiger Festigkeit. »Bobbie, Miss Dalrymple hat freundlicherweise versprochen, ein paar Zeilen über die Molkerei in ihren Artikel einzubringen.«

»Großartig!«

Sie plauderten noch eine Weile über Daisys journalistische Arbeit, bis der Butler Moody eintrat.

Er blickte sich im Raum um, und sein trauriger Gesichtsausdruck verdüsterte sich noch mehr. »Das Dinner ist jetzt bereitet, Mylady«, tat er kund.

»Mr. Sebastian ist noch nicht heruntergekommen«, sagte Lady Valeria scharf. »Wir warten also noch.«

»Sehr wohl, Mylady.«

Fünf Minuten später rauschte Sebastian herein. Als sie ihn im Smoking sah, mußte Daisy tief Luft holen. In den Stunden seit ihrer ersten Begegnung hatte sie sich einreden können, daß er unmöglich so gut aussehen konnte, wie sie es in Erinnerung hatte. Aber er tat es eben doch.

»Tut mir leid, daß ich zu spät komme, liebe Mama«, sagte er. »Thomkins konnte einfach die richtigen Manschettenknöpfe nicht finden.«

In Lady Valerias Stimme lag eine Mischung aus Nachgiebigkeit und Gereiztheit: »Wenn du darauf bestehst, dann entlassen wir den Kerl trotz seiner Schusseligkeit nicht, mein lieber Junge.«

»Ach, Thomkins reicht mir schon. Tut mir leid, daß Sie meinetwegen auf Ihre Suppe warten mußten, Miss Dalrymple.« Als er Daisy anlächelte, konnte man leicht verstehen, warum seine Mutter ihn so verwöhnte – und Angst hatte, ihn unter die Frauen zu lassen.

Moody tauchte wieder auf, und sein Gang verriet, daß ihm die Füße wehtaten. »Das Dinner ist serviert, Mylady.«

Das Abendessen wurde gemeinsam vom Butler und einem Serviermädchen gereicht; seit dem Krieg konnten sich nur noch die allerwohlhabendsten Familien Bedienstete leisten. Daisy erkannte das Mädchen als dasjenige, das vorhin den Tee hereingetragen hatte – eine rundliche Brünette, die sich äußerst ungeschickt bewegte und häufig von Moody Anweisungen zugeflüstert bekam. Jede Schüssel, mit der sie umherging, schien ihr gleich aus den nervösen Händen gleiten zu wollen, aber bis zum Ende des Hauptganges ging alles gut. Dann jedoch zischte Lady Valeria sie an, weil sie die Teller von links abgeräumt hatte.

Mit einem lauten Klirren fiel dem Mädchen der Teller hin, Messer und Gabel hinterher. Mit einem verzweifelten Aufheulen rannte sie aus dem Zimmer.

»Also wirklich«, sagte Lady Valeria wütend, »wenn sie nach drei Wochen immer noch nicht imstande ist, ihre Arbeit anständig zu erledigen, dann muß sie eben wieder gehen. Moody, ich verstehe wirklich nicht, wieso Sie und Twitchell es nicht schaffen, ein vernünftiges Mädchen anzustellen und auszubilden. Sie müssen sich schon ein bißchen mehr Mühe geben.«

»Ja, Mylady«, sagte Moody düster. »Sehr wohl, Mylady.«

Der Nachtisch wurde in peinlichem Schweigen eingenommen. Daisy und Sir Reginald gaben sich immerhin Mühe, eine Unterhaltung zu führen. Sie konnte ihm ehrlich zum Cheshire-Käse gratulieren, der das Abendessen beschloß.

Lady Valeria stand auf, um die Damen aus dem Speisezimmer zu führen. »Der Pastor und Mrs. Lake erwarten uns im Salon«, tat sie kund und fügte in einem Ton überraschter Mißbilligung hinzu: »Er war nicht zu Hause, als ich vorhin im Pfarrhaus vorbeischaute, um ihn wegen seiner Predigt zu tadeln. Alle Menschen vor Gottes Augen gleich, so was! Anarchistischer Quatsch.«

»Bolschewistischer Quatsch, liebstes Mütterlein«, korrigierte sie Sebastian gelassen. »Die Anarchisten sind schon vorbei – verpufft, kann man sagen.«

Daisy, Sir Reginald und Ben Goodman lachten. Bobbie sah so verwirrt aus, daß Daisy sich fragte, ob sie überhaupt jemals von den Bolschewiken oder Anarchisten gehört hatte.

»Sehr witzig, Sebastian«, sagte seine Mutter mit einem

krampfhaften Lächeln. »Jetzt trödle aber nicht beim Portwein, Reggie.«

»Selbstverständlich nicht, Valeria«, murmelte der Baronet. Der Reverend und Mrs. Lake warteten bereits im Salon. Sie sahen sich sehr ähnlich: beide waren sie dünn, trugen eine Brille und wirkten etwas verängstigt. Allerdings lag in dem Blick, den Mrs. Lake auf Lady Valeria richtete, als diese dem Pastor die angekündigte Strafpredigt hielt, nichts als blanke Abscheu. Daisy hörte überrascht, wie der Pfarrer seine Meinung in dieser Sache verteidigte. Also waren die Lakes doch nicht ganz die verschüchterten Häschen, als die sie sich gaben.

Bobbie erklärte Daisy die Zusammenhänge, als die Herren eintraten und die beiden von der Pflicht entbanden, Mrs. Lake zu unterhalten. »Das Ehepaar Lake will unbedingt St. Dunstan verlassen. Deswegen hält Mr. Lake sogar oft Predigten, von denen er genau weiß, daß Mummy sie bestimmt schrecklich finden wird: Er hofft, daß sie den Bischof herumkriegt, ihn zu versetzen. Das wird auch bestimmt klappen. Hier hat es noch kein Pfarrer länger als zwei Jahre ausgehalten, seit dem alten Mr. Peascod nicht, der praktisch um Erlaubnis gebeten hat, überhaupt Luft holen zu dürfen.«

»Es klingt auch nicht gerade so, als ob eure Serviermädchen auf Dauer hierbleiben.«

»In den letzten zwei Monaten haben wir drei verschlissen«, sagte Bobbie mit einer Grimasse. »Die werden als Hausmädchen eingestellt und später zum Serviermädchen befördert, und wenn Mummy ihre Inkompetenz leid ist, müssen sie sich wieder in die Ränge der Fußsoldatinnen einreihen. Wir haben noch zwei Hausmädchen, mit denen man diesen Ablauf ausprobieren kann, und dann sind vermutlich die Küchenmägde an der Reihe.«

»Aber entlassen wird niemand?«

»Liebe Zeit, nein. Es ist doch viel zu schwierig, jemanden zu finden, der hier im Haus arbeiten würde.«

»Seit dem Krieg scheint man wirklich nur noch Ärger mit dem Personal zu haben«, sagte Daisy, die sich ein Dienstmädchen nicht leisten könnte, selbst wenn sie eines fände. Zu

Lucy und ihr kam täglich eine wahre Perle von Haushälterin, das mußte reichen. »Die Mädchen sind heutzutage größere Freiheiten gewöhnt und besseren Lohn, als sie als Dienstboten bekommen würden.«

»Und das ist auch verflixt noch mal richtig so, würde ich sagen.«

Moody kam mit dem Mokka hereingeschlurft. Daisy nahm eine Tasse, trank jedoch nur die Hälfte daraus, ehe sie sich verabschiedete und sich in ihr Schlafzimmer zurückzog. Nach ihrer Reise war sie müde, und was noch wichtiger war: Sie hatte noch eine Menge Arbeit zu erledigen. Wenn sich Sir Reginald nicht durch irgendein Wunder durchsetzte, dann hatte sie ganze zwei Tage, um sie zu schaffen.

Daisy wachte am Morgen von dem Sonnenlicht auf, das durch die leichten, rosa karierten Baumwollvorhänge flutete. Einen Moment lang wußte sie nicht mehr, wo sie überhaupt war. Dann kehrte die Erinnerung zurück. Mit einem Satz sprang sie aus dem Bett.

Das Haus war nach Osten ausgerichtet. Jetzt war die ideale Tageszeit, um es zu photographieren, und heute spielte sogar das Wetter mit. Aber jeden Moment konnten die Wolken wieder heranrollen. Sie zog rasch Pullover und Rock an, warf sich den Mantel über, griff die Kamera und das Stativ und machte sich auf den Weg.

Nur zweimal verirrte sie sich. Beim ersten Mal zeigte ihr ein mit einem Ascheneimer bewehrtes Hausmädchen die Richtung. Beim zweiten Mal kam sie durch eine Tür in den von einer Art Kreuzgang umgebenen Hof vor dem Haus und gelangte auf diesem Weg hinaus. In der Hoffnung, daß die Sonne später noch hoch genug steigen würde, um im Hof selbst photographieren zu können, eilte sie zum Durchgang, der unter dem östlichen Flügel hindurchführte. Einen Moment später stand sie am Burggraben und kniff in der hellen Sonne die Augen zusammen.

Ausgezeichnete Bedingungen zum Photographieren. Die Februarsonne stand schon hoch genug am Himmel, um interessante Schatten zu werfen. Die eisige Luft war glasklar, und es war so windstill, daß das Wasser jedes Detail der reich geschmückten schwarz-weißen Fassade widerspiegelte. Daisy verknipste eine ganze Rolle Film, ehe sie beschloß, daß der nächste wichtige Punkt auf ihrer Tagesordnung das Frühstück sei. Bobbie und Ben Goodman saßen beide schon im Frühstücksraum und begrüßten sie mit einem fröhlichen »Guten Morgen«.

»Bedien dich«, sagte Bobbie und wies zur Anrichte. Die *Times* lag jungfräulich zusammengefaltet neben ihrem Teller. »Ist das heute nicht ein prachtvoller Tag?«

»Wunderschön.« Daisy hob die Deckel von den Schüsseln. Die Eier würde sie sich sparen, von denen ernährte sie sich zu Hause praktisch ausschließlich. Statt dessen genehmigte sie sich geräucherten Schellfisch, warme Brötchen und Tee. »Ich war eben schon draußen und hab ein paar Aufnahmen gemacht«, sagte sie, als sie sich an den Tisch setzte.

»Großartig. Spielst du eigentlich Golf? Ich muß Ranee zuerst noch zum Schmied bringen, aber ich dachte, dann könnten wir vielleicht kurz zum Golfplatz rüber und ein paar Bälle umherschlagen.«

»Das geht leider nicht«, sagte Daisy und war froh wegen der Ausrede. »Ich muß mich gleich an die Arbeit machen. Deine Mutter hat mir ziemlich deutlich zu verstehen gegeben, daß ich hier nicht länger als zwei Tage willkommen bin.«

»Zwei Tage? So ein Unsinn. Ich kann gar nicht glauben, daß sie das ernst gemeint hat. Ben, was meinen Sie dazu?«

»Ich glaube, da sollte ich mir lieber keine Meinung erlauben«, erwiderte er mit jenem Lächeln, das sein unschönes Gesicht förmlich verzauberte. »Ich stehe jederzeit zu ihren Diensten, Miss Dalrymple.«

»Ich würde gerne die Gärten besichtigen, solange noch so schönes Wetter ist.«

»Selbstverständlich, obwohl es zu dieser Jahreszeit noch nicht sehr viel zu sehen gibt, außer natürlich im Wintergarten.«

»Es gibt hier einen Wintergarten? Großartig.« Gerade wollte sie ihn bitten, ihr zu erklären, wie man dort hingelangte – schließlich wollte sie nicht, daß er sie mit seinem schlechten Bein dorthin begleiten mußte – als Sebastian eintrat. Er wirkte noch unausgeschlafen. Seine Schwester stellte erstaunt fest: »Du bist heute ja ganz schön früh dran, Bastie«, als er sich eine Tasse Kaffee einschenkte und sich setzte.

»Schließlich ist es ein wunderschöner Tag, und wir haben einen wunderschönen Gast.« Er grinste Daisy an, und ihr Herz blieb fast stehen. »Reiten Sie eigentlich, Miss Dalrymple? Ich zeige Ihnen gern ein bißchen von der Umgebung.«

»Vielen Dank, aber ...«

Bobbie unterbrach: »Bastie, Daisy hat erzählt, Mummy hätte ihr nur zwei Tage bei uns erlaubt.«

»Ganz so hat sie es nicht formuliert«, warf Daisy hastig ein.

»Glaubst du, sie hat das ernst gemeint?«

Sebastian rührte in seinem Kaffee und dachte nach. »Wer weiß? Bleiben Sie doch einfach länger hier, dann werden wir schon sehen.«

»Jetzt sei doch nicht so ein hoffnungsloser Idiot. Daddy hat sie eingeladen, so lange hierzubleiben, wie sie möchte.«

»Was allerdings nicht sehr viel zu sagen hat«, warf Sebastian zynisch ein.

»Und Mummy kennt Daisys Mutter schließlich noch aus uralten Zeiten.«

»Na ja, dann würde ich doch denken, daß Sie bleiben können, Miss Dalrymple. Es sei denn, daß die beiden sich damals ganz fürchterlich gestritten haben.«

»Davon hat Lady Valeria nichts erwähnt.«

»Das hätte sie dann aber bestimmt. Also, reiten Sie mit mir aus?«

»Danke, aber ich glaube wirklich, daß ich mir lieber die Gärten anschauen sollte, solange sich das Wetter noch hält. Vielleicht gibt es ja morgen wieder Schneeregen.«

Er nickte und nötigte sie nicht weiter. Er erbot sich auch nicht, ihr die Gärten zu zeigen.

»Ich kann mich bestimmt auch ohne Ihre Hilfe zurechtfinden, Mr. Goodman«, sagte Daisy. »Sie haben schließlich zu tun.«

»Ich freue mich über jede Ausrede, an einem so prachtvollen Tag an die frische Luft zu kommen«, versicherte er ihr.

»Draußen ist es verflucht kalt«, sagte Sebastian plötzlich,

stand auf und ging zur Anrichte. »Auf dem Rasen liegt Rauhreif. Erkältet euch um Himmels willen nicht.«

»Ich war schon draußen und hab ein paar Aufnahmen gemacht. Es ist tatsächlich ein bißchen frisch.«

Daisy hatte das Gefühl, daß Sebastians Mahnung mehr Ben Goodman galt als ihr selbst. Sie fand es sehr sympathisch, daß er sich wegen der Gesundheit des Sekretärs Sorgen machte.

»Wir ziehen uns warm an«, versprach Mr. Goodman.

Als sie losgingen, trug er unter seinem Hut eine Wollmütze, die nicht nur seine Ohren und den Hals, sondern auch den Mund und seine Nase bedeckte, und einen schweren Armee-Mantel ohne Schulterklappen.

»Eine wahre Vogelscheuche bin ich«, sagte er, und an seiner Stimme konnte man erkennen, daß er lächelte. »Ich hoffe, das macht Ihnen nichts aus.«

»Schließlich bin ich kein Vogel. Tut die kalte Luft Ihren Lungen weh?«

»Wenn ich zu tief Luft hole. Aber die Sonne fühlt sich schon warm an. In ein paar Minuten kann ich die Wollmütze wieder abnehmen.«

Er führte sie zunächst hinaus auf eine Terrasse vor dem Südflügel. Von dort aus ging eine breite Steintreppe hinunter in einen elisabethanischen Blumengarten. Inmitten der zierlichen Muster aus niedrigen, exakt geschnittenen Buchsbaumhecken waren die Beete noch kahl, doch wußte Daisy, daß sie hier später wunderbare Aufnahmen machen würde. Ihre Ausrüstung hatte sie noch nicht mitgebracht, um sie nicht unnötig von einem Ort an den nächsten schleppen zu müssen.

Sie gingen von dort einen kiesbestreuten Pfad entlang, an dessen einer Seite eine hohe Hecke aus Eiben stand, an der anderen eine efeubewachsene Mauer, und gelangten dann an eine Pforte. Mr. Goodman hielt inne, um sich die Wollmütze abzunehmen, und zeigte den Weg hinunter. »Hier geht es zu einem Pfad durch den Park, das ist eine Abkürzung ins Dorf. Vielleicht haben Sie ja Lust, mit mir zum *Cheshire Cheese* zu spazieren, um vor dem Mittagessen noch einen Schluck zu trinken?«

»Liebend gerne, aber dürfen Sie so lange Strecken gehen?«

»Etwas sportliche Betätigung tut meinem Bein sogar gut, ansonsten wird es steif. Sie haben einen Bruder im Krieg verloren, hab ich gehört?«

»Meinen einzigen Bruder ... und meinen Verlobten auch.«

»Das tut mir leid. Gräßliche Angelegenheit. Waren beide in der Armee?«

»Gervaise ja.« Meistens sprach sie nicht von Michael, doch spürte sie bei Goodman tiefes Mitgefühl, so daß sie trotzig fortfuhr: »Mein Verlobter war Fahrer in einer Ambulanzeinheit der Quäker.«

»Also ein Conchie, ein Kriegsdienstverweigerer?« Die Art, in der er dieses gräßliche Schimpfwort sagte, unterschied sich sehr von der, mit der Phillip – wie die meisten Menschen – seiner absoluten und rückhaltlosen Verachtung Ausdruck verlieh. »Eine von diesen Einheiten hat mich damals rausgeholt. Tapfere Männer, haben sich ohne eine einzige Waffe zu ihrer Verteidigung in die Hölle gewagt.«

Daisy spürte, wie die Tränen unter ihren Augenlidern pieksten. Dadurch, daß sie ihre Gefühle immer unterdrücken mußte, wenn sie Michael nicht gerade verteidigte, war die Wunde seines Verlustes immer frisch geblieben und schmerzte weiter. Ben Goodmans Verständnis beschleunigte den Heilungsprozeß, der jüngst durch eine andere mitfühlende Seele eingeleitet worden war. Er wandte sich ab, um die Tür zum Wintergarten zu öffnen. Während sie aufging, wurde das Geräusch von raschen Schritten, Stiefel auf dem Kies, hörbar, und sie wandten sich beide um. Ein dunkelhaariger, drahtiger junger Mann in Gärtnerkleidung kam auf sie zugeeilt.

»Mr. Goodman, Sir, ein Telephonanruf für Sie«, tat er im musikalischen Tonfall der Waliser kund. »Ein Ferngespräch.«

»Verflucht. Na, da kann man nichts machen. Miss Dalrymple, das ist Owen Morgan, der Ihnen ohne Zweifel viel besser den Wintergarten zeigen kann als ich. Aber ich komme so bald wie möglich wieder zurück.« Eilig humpelte er von dannen.

Daisy lächelte den errötenden Jüngling an. »Wie schön, da habe ich ja jetzt einen Experten zum Führer.«

»Aber die lateinischen Namen kenne ich noch nicht alle,

Miss«, platzte er heraus. »Mr. Bligh, der Hauptgärtner, der kennt jeden einzelnen.«

»Ehrlich gesagt möchte ich viel lieber die volkstümlichen Namen wissen. Kommen Sie, Owen.« Sie ging ihm durch die Tür voraus und fand sich plötzlich im Frühling wieder.

Der Garten war durch die umgebende Mauer an allen vier Seiten vor den kalten Winden geschützt. In der Mitte stand auf einem gepflasterten Platz eine klassizistische Statue, die geflügelte Figur eines beleibten, zersausten Mannes, der eine Schneckenmuschel an die Lippen hielt: Boreas, der Nordwind, stand auf dem Sockel. Um die Pflasterung herum und an den Wänden entlang ging ein breites Hochbeet, auf dem die Farben bunt durcheinanderleuchteten.

Da gab es immergrüne Pflanzen – Daisy erkannte Lorbeer und gefleckte Stechpalmen und Pflanzen mit grau-grünen Blättern. Blühende Ranken und Büsche verbargen die Wände, Kaskaden von gelbem Winter-Jasmin stürzten übereinander, weißes Geißblatt und Wintersweet dufteten, und die korallenfarbenen Blüten einer japanischen Quitte waren zu sehen. Scylla und Iris, Krokusse und Veilchen, Pfingstrosen in allen Schattierungen, blaue Anemonen, lilafarbenes Immergrün und Zyklamen leuchteten mit den vor ihnen stehenden Schneeglöckchen und dem Eisenhut um die Wette.

»Das ist ja wunderschön!« rief Daisy aus. »Warum kann nicht mal endlich jemand eine einfache Technik erfinden, mit der man auch Farben photographieren kann. Selbst wenn ich den Namen einer jeden Pflanze lernen würde, Worte können ihnen doch nie gerecht werden.«

Der junge Gärtner führte sie umher und zeigte ihr zarte Christrosen und Sonnenrosen, Seidelbast, orangene Winterkirschen und flaumige gelbe Haselkätzchen. Sein melodischer Tonfall war ihr im selben Maße ein Genuß wie die Namen der Blumen.

»Aus welchem Teil von Wales stammen Sie eigentlich?«, fragte sie.

»Glamorgan, Miss, Merthyr Tydfil.«

»Das liegt doch im Süden. Da sind Sie aber weit weg von zu Hause.«

»O, ja, Miss, und vermissen tu ich es auch ganz schrecklich.«

»Ihre Familie lebt noch dort?«

Seine Geschichte purzelte förmlich aus ihm heraus. »Mein Vater ist in der Grube umgekommen – also im Kohlebergwerk. Meine Mam hat uns Jungs nicht erlaubt, auch Kohlekumpel zu werden. Fünf Brüder sind wir, und leben überall im Land verstreut. Zwei sind bei der Marine; einer ist der Bursche von einem Gentleman in London. Rhys ist Lehrer«, sagte er voll schüchternem Stolz, »und eine von meinen Schwestern ist auch an der Schule. Die anderen beiden sind verheiratet und wohnen zu Hause in Merthyr.«

»Dann müssen Sie sich doch hier sehr einsam fühlen, wenn Sie so eine große Familie gewöhnt sind.«

»Ich war hier mal mit einem Mädchen befreundet.« Sein Gesicht verzog sich zu einer unglücklichen Grimasse. »Wir waren schon fast miteinander verlobt, wissen Sie, aber dann ist sie nach London weggelaufen.«

»Dann hat sie Sie auch nicht verdient«, sagte Daisy bestimmt, während sie um die letzte Ecke bogen und an das Beet rechts vom Eingang gelangten. Owen wirkte durch ihre Worte nicht besonders getröstet. »Sind das Osterblumen da drüben, die zwischen den Schneeglöckchen hochkommen?« fragte sie, um ihn abzulenken, obwohl sie die grünen Schößlinge sehr gut erkannte.

Er blinzelte, schniefte einmal auf und antwortete dann: »Ja, Miss, und Tulpen. Die sprießen hier früher als anderswo.«

»Und der Busch da drüben?« Sie zeigte auf einen etwas zerrupft aussehenden Strauch mitten auf einem leeren Fleckchen Erde. »Was ist das für einer?«

»Eine Azalee, Miss.« Er runzelte verwirrt die Stirn. »Die blühen hier drin auch früher, aber ...«

»Was ist denn damit?«

»Die sieht ja schrecklich aus. Und wo sind überhaupt die ganzen Iris drum herum geblieben? Die hab ich doch selbst gepflanzt, genau die Sorte, die jetzt blüht, und kaum eine ist zu sehen.« Er stieg über die niedrige Einfassung und ging vorsichtig hinüber zu dem kleinen Busch. Die meisten der wenigen noch verbliebenen Blätter des Strauches waren braun, nur ein einziger Ast war noch bronze-grün belaubt.

Daisy bemerkte, daß einige verstreute Iris-Schößlinge die dunkle Erde an dieser leeren Stelle durchbrochen hatten. »Vielleicht hat ein Hund die Iris ausgegraben und dann wieder verbuddelt, nur zu tief«, schlug sie vor. Doch gab es keinerlei Anzeichen der Verwüstung, die grabende Hunde normalerweise anrichteten.

»Diese Azalee stirbt ab.« Owen Morgan wandte sich voller Panik zu ihr. »Alle Knospen sind schon abgestorben. Was wird nur Ihre Ladyschaft dazu sagen? Bitte, Miss, ich muß sofort Mr. Bligh suchen.«

»Selbstverständlich, Owen. Ich warte einfach hier, bis Mr. Goodman wieder zurückkommt.«

Sie schlenderte umher und versuchte zu entscheiden, ob es sich überhaupt lohnen würde, hier Photos zu machen, wo doch all die prachtvollen Farben gar nicht zu sehen sein würden. Der strenge Ziergarten, so langweilig er in der Realität auch sein mochte, würde auf einer Schwarzweißaufnahme besser aussehen. Aber wenigstens Boreas verdiente es, aufgenommen zu werden.

Vermutlich sollte er einen heftigen Sturmwind aus seiner Schneckenmuschel entfachen, obwohl seine Haare, sein Bart und seine Tunika alle in die entgegengesetzte Richtung wehten, und obwohl er eigentlich nach Nordosten blickte. Sie ging von einer Seite zur anderen und versuchte, die beste Perspektive für eine Aufnahme zu finden. Gerade überlegte sie, ob sie schon losgehen und ihre Kamera holen oder doch lieber auf Mr. Goodman warten sollte, als Owen zurückkehrte.

Er hatte eine Schubkarre, einen Spaten und eine Forke mitgebracht, außerdem einen verbeulten Eimer. Mr. Bligh trug einen schlabberigen Jagdhut aus Tweed von unbestimmbarer Farbe. Seine Hose hatte er am Knie mit einem Stück Faden zusammengebunden, außerdem trug er wollene Kniestrümpfe, die allerdings zu Daisys Überraschung rosa und blau gestreift waren. Er zog vor Daisy den Hut und offenbarte darunter einen haarlosen Schädel, der genauso wettergegerbt war wie sein Gesicht. Aus seinen braunen Augen schaute er sie so klug und wissend an wie ein Spatz.

»Schöner Morgen heute, Miss«, bemerkte er, und schritt dann sogleich zur Untersuchung des Patienten.

Owen folgte ihm mit sorgenvoller Miene. Daisy hoffte, man würde nicht ihm die Schuld geben, welch Unglück auch immer die Azalee und die Irisse befallen haben mochte. Der arme Junge war ohnehin schon deprimiert genug.

»Die ist tot«, sagte Mr. Bligh. »Grab sie mal aus, mein Junge. Wir suchen uns gleich was anderes, was wir da reinsetzen, ehe Ihre Ladyschaft es sich einfallen läßt, hier vorbeizuschauen. Ich wäre Ihnen sehr verbunden, Miss«, unerwartet wandte er sich dabei Daisy zu, »wenn Sie das Ihrer Ladyschaft nicht sagen würden. Sie versteht nicht ganz, daß man den Pflanzen nicht auf dieselbe Weise Vorschriften machen kann, wie man das bei Menschen tut.«

»Kein Sterbenswörtchen sag ich ihr«, versprach Daisy. Owen nahm den Spaten und grub los, während der alte Mann sich gegen die Schubkarre lehnte und ihn dabei beobachtete. Sie ging zur Statue zurück und erkannte, daß die Sonne jetzt gerade richtig stand für die Aufnahme, die sie sich vorgestellt hatte. »Ich geh mal los und hol meinen Photoapparat«, sagte sie dem Hauptgärtner. »Wenn Mr. Goodman kommt, sagen Sie ihm bitte, daß ich gleich wieder zurück bin.«

»In Ordnung, Miss. Was ist denn, mein Junge?«

»Da ist irgendwas im Weg, Mr. Bligh. Ungefähr einen Meter tief. Fühlt sich an wie ein Wurzelballen.«

»Versuch es mit der Forke, aber vorsichtig. Wir wollen nicht noch mehr Schaden anrichten.«

Daisy überließ den beiden die Lösung dieses neuen Rätsels und eilte ins Haus zurück. Eine neue Rolle Film war schon in die Kamera eingelegt. Während sie mit ihrer Ausrüstung beladen durch die lange Halle ging, traf sie Ben Goodman, der ebenfalls auf dem Weg zurück zum Wintergarten war.

»Haben Sie etwas dagegen, wenn ich schon mal lossause?« sagte sie. »Ich muß mich beeilen, damit ich noch genug Licht habe.«

Er nickte. »Ich komme Ihnen nach.«

Als sie am Wintergarten ankam, stellte sie überrascht fest, daß Owen quer über den leeren Flecken Erde einen Graben ausgehoben hatte. Mit Mr. Bligh stand er an dessen einem Ende und schaute fasziniert und gleichzeitig angewidert hinunter.

»Mach schon, schau es dir mal an«, ermunterte ihn gerade Mr. Bligh.

Owen kniete auf der Erde nieder. Mit der Hand griff er hinunter in den Graben und bewegte dort etwas.

»O Gott! O Gott!« Er sprang auf, die Hände vor das Gesicht geworfen. »Sie ist's. Meine Grace.«

4

Der sonnenüberflutete Garten war vom erschütterten Schluchzen des jungen Walisers erfüllt. Daisy blieb wie angenagelt in der Tür stehen.

»Was ist denn los?« Ben Goodman war hinter ihr herangekommen.

»Ich glaube ...« Ihre Stimme zitterte. Sie befeuchtete sich die Lippen. »Ich glaube, die beiden haben eine Leiche gefunden.«

»Wie bitte?«

Er konnte es einfach nicht fassen. Daisy jedoch hatte das entsetzliche Gefühl, das alles schon einmal erlebt zu haben. Sie wandte sich zu ihm, und eine tiefe Trauer hatte sich über sie gesenkt.

»Sie kann doch unmöglich noch am Leben gewesen sein, als sie vergraben wurde, oder?«

»Meine liebe Miss Dalrymple, wovon in aller Welt reden Sie überhaupt?«

»Grace. Owen sagt, es wäre Grace.«

»Großer Gott!« Er legte ihr eine Hand auf den Arm und schob sie sanft zur Seite, humpelte an ihr vorüber und hielt dann doch wieder inne und starrte in den Garten hinein. »Die haben Grace Moss im Blumenbeet verscharrt gefunden? Das arme Mädchen.«

Irgend etwas an seinem Tonfall ließ Daisy aufmerken. War

durch das aufrichtige Mitleid hindurch etwa eine Spur von Erleichterung zu hören? Nein, das hatte sie sich wohl nur eingebildet. Sein Gesicht war ernst. Tiefes Mitleid lag in seiner Miene, als er Owen Morgans Leid sah und hörte.

Mittlerweile war ihr auch wieder eingefallen, wer Grace Moss war. Die tote Liebste des Gärtners war gleichzeitig die vermißte Tochter des Schmieds, das hübsche, auf Amüsement erpichte Serviermädchen, von dem ihr Ted Roper erzählt hatte. Wie lang war sie vermißt gewesen? Daisys Hirn kam wieder in Gang. Wann war sie vergraben worden? Von wem? Warum?

Ermordet?

Ben Goodman hatte sich von seinem Schock erholt und ergriff nun die Initiative. Beschwerlichen Schrittes ging er um den Rand des Blumenbeetes herum und rief aus: »Bligh, stimmt das? Sie haben eine Leiche gefunden?«

Der alte Mann schrak zusammen. Wie hypnotisiert hatte er auf die Aushebung zu seinen Füßen gestarrt, und er wirkte kleiner als vorhin. »Jawohl, Sir. Eine Leiche ist das ganz eindeutig, so wahr ich hier stehe. Mausetot, das arme Ding.«

Der Sekretär biß sich auf die Unterlippe. »Miss Dalrymple, gehen Sie doch bitte hinein ins Haus und läuten Sie bei der Polizei an. Das Telephon befindet sich in einem kleinem Kabuff an der langen Halle. Und kein Wort zu Lady Valeria, ehe die Polizei informiert ist. Am besten sagen Sie niemandem etwas, wenn das irgend geht. Es sei denn, daß Sie Sir Reginald irgendwo entdecken.«

Daisy sah durchaus ein, daß man Lady Valeria erst dann aufklären sollte, wenn es absolut nicht mehr zu vermeiden war. »In Ordnung, aber vielleicht sollte ich doch ein paar Photographien machen. Ich bin neulich erst in eine polizeiliche Untersuchung geraten, und damals hat man sich über meine Bilder sehr gefreut.«

Mittlerweile stand Mr. Goodman an dem ausgehobenen Loch. Er blickte hinab. Seine ohnehin blassen Wangen wurden weiß, und er schüttelte den Kopf. »Nein. Lassen Sie die Kamera hier. Die Aufnahmen mache lieber ich.«

Sie protestierte nicht. Der Fall neulich war nicht gerade ein

Vergnügen gewesen, und ein junges Mädchen, das in einem Loch verscharrt worden war und möglicherweise schon seit Wochen dort lag, mußte einfach noch schlimmer aussehen. Sie setzte die Kamera und das Stativ auf dem Sockel der Boreas-Statue ab und eilte zurück ins Haus.

Die Versuchung, Alec anzurufen, war unwiderstehlich. Doch hatte sie schon genug Erfahrung mit dem üblichen polizeilichen Prozedere, um zu wissen, daß Scotland Yard erst eingreifen konnte, wenn der Chief Constable der Grafschaft deren Hilfe anforderte. Aber ganz unten anfangen und den Dorf-Bobby anrufen würde sie nicht, beschloß sie, mochte der nun ein Telephon haben oder nicht. Außerdem war er wahrscheinlich gerade mit seinem Fahrrad auf seiner Runde unterwegs. In Chester, dem nächstgelegenen größeren Städtchen, gab es wahrscheinlich eine einigermaßen große Polizei.

Sie fand ohne Schwierigkeiten zur langen Halle, und schon die vierte Tür war das Telephon-Kabuff. Im engen, stickigen Raum, wie alle anderen im Haus getäfelt, standen nur ein Windsor-Stuhl, ein kleiner Tisch und der Telephonapparat. Daisy fragte sich, wofür in aller Welt man diesen Raum genutzt hatte, ehe das Telephon erfunden worden war.

Als sie die Tür schloß, war sie plötzlich in eine grabesähnliche Dunkelheit eingesperrt. Rasch öffnete sie die Tür wieder. Grace war doch wirklich tot gewesen, als sie verscharrt wurde?

Sie zwang sich, an etwas anderes zu denken. Oben an der Wand war eine Gaslampe befestigt, und in der Schublade des Tisches lagen eine Streichholzschachtel, ein Notizblock, ein Bleistift und ein Telephonverzeichnis. Sie zündete den Docht der Lampe an, justierte die Flamme und schloß dann wieder die Tür. Entweder gab es irgendeine unsichtbare Belüftungstechnik, oder man würde hier drin über kurz oder lang einen Fernsprechteilnehmer erstickt vorfinden, der den Wunsch nach Privatsphäre gehabt hatte. Erstickt. Begraben. Dunkel und luftlos ... Heftig keuchte sie auf.

Abrupt bremste sie sich in ihrer unwillkürlichen Bewegung zur Türklinke. Sie hob den Hörer auf und klapperte mit der Gabel.

»Hallo, Fräulein! Bitte verbinden Sie mich mit der Dienststelle der Polizei in Chester.«

»Ja, Madam. Ich rufe Sie zurück, wenn Ihr Anruf durchgekommen ist.«

»Nein, es ist dringend. Ich warte.«

An dem plötzlichen Luftholen in der Leitung erkannte sie, daß das Mädchen ihr Gespräch bestimmt mithören würde. Die Telephonnummer der Parslows würde sie schon erkannt haben, und ein dringendes Gespräch zwischen Occles Hall und der Polizei konnte man sich unmöglich entgehen lassen. Nun denn, Graces Tod würde auch nicht lange geheimgehalten werden können. Neulich, auf Wentwater Court, waren die Umstände ganz anders gewesen.

Summ, klick, zisch, hmmm. »Hallo, das Amt von Chester? Den Polizeiabschnitt bitte.« Klick, klick, drring, es klingelte einmal, dann noch einmal.

Eine gelangweilte Stimme sagte schließlich: »Polizei von Chester.«

»Officer, ich rufe von Occleswich an.« Daisy wunderte sich, wie ruhig ihre Stimme war. »Ich möchte einen« – einen Mord? eine Leiche im Blumenbeet? – »einen Tod mit ungeklärter Ursache melden.«

»Tod mit ungeklärter Ursache?« Man merkte der Stimme förmlich an, daß sich der Polizist sogleich aufrecht hinsetzte und genauer zuhörte. »Ich stelle Sie zu Inspector Dunnett durch, Ma'am.«

Einen Augenblick später wiederholte sie ihren Bericht.

»Tod mit ungeklärter Ursache?« Inspector Dunnett fragte noch einmal, um dann mißtrauisch nachzuhaken. »Wer spricht da eigentlich?«

»Hier spricht Miss Dalrymple. Ich rufe von Occles Hall an. Ich bin hier Gast. Der Hausherr ist noch nicht in Kenntnis gesetzt worden.«

»Und was ist das für ein ›Tod mit ungeklärter Ursache‹, Miss?«

Daisy fing langsam an, diesen Ausdruck zu verabscheuen, und sie wünschte sich, sie hätte ihn nie verwandt. »Es handelt sich um eine Leiche, die im Wintergarten vergraben worden ist« sagte sie direkt. »Ich fand, es wäre wichtiger, Sie gleich anzurufen, als Zeit damit zu verschwenden, erst lange nach Sir Reginald oder Lady Valeria zu suchen.«

»Lady Valeria!« rief der Inspector voller Schreck aus. Offensichtlich erstreckte sich der Ruf Ihrer Ladyschaft bis nach Chester. »Sie meinen doch nicht etwa Lady Valeria Parslow? Sie werden entschuldigen, wenn ich mir kurz vom Amt bestätigen lasse, von wo aus Sie anrufen. Gelegentlich wollen uns die jungen Leute kleine Streiche spielen.«

Kochend vor Wut, wartete Daisy, während er sich vom Amt von Chester zu ihrem Telephonfräulein durchstellen ließ, um seine Nachfrage loszuwerden. Als er sich wieder bei ihr meldete, war er geradezu servil.

»Bitte um Entschuldigung, Miss, aber heutzutage kann man nicht vorsichtig genug sein. Es empfiehlt sich nicht, Lady ... den Adel umsonst aufzuscheuchen. Dalrymple – Sie sind auch adelig, Miss?«

Sie buchstabierte ihm ihren Namen.

»Und Sie haben das Lady ... Sir Reginald noch nicht gesagt?«

»Ich war mit seinem Sekretär im Garten, als die Gärtner die Leiche gefunden haben. Ich bin geradewegs ins Haus gegangen, um Sie anzurufen.« Und wie sie sich doch jetzt wünschte, sie hätte Ben Goodman gebeten, das Telephonat zu übernehmen, um selbst die Photographien zu machen! »Mehr kann ich Ihnen eigentlich nicht sagen. Werden Sie jetzt herkommen, um die Angelegenheit zu untersuchen, oder nicht?«

»Ja, wir kommen, Miss.« Inspector Dunnett klang mittlerweile beleidigt. »Wir sind in der nächsten Stunde da. Ich ... ähm ... es wäre eine gute Idee, wenn Lady Valeria schon von der Sache wüßte, ehe wir ankommen. Und natürlich Sir Reginald.«

»Ich werde zusehen, daß er davon informiert wird«, zischte Daisy und legte auf. Dieser Feigling, von ihr zu erwarten, daß sie seine Drecksarbeit erledigte! Einen Besen würde sie fressen, ehe sie Lady Valeria diese Nachricht überbringen würde.

Die sarggleichen Wände des Kabuffs schlossen sich wieder um sie. Vor lauter Ärger über den Polizisten hatte sie fast schon den Schrecken vergessen, den das arme Mädchen ihr eingejagt hatte, das da draußen verscharrt lag. Schaudernd öffnete sie die Tür, und blieb dann weiter in Gedanken versunken sitzen.

Sir Reginald war vermutlich in seiner Molkerei, wo auch immer die sein mochte. Sie hatte schon mitbekommen, daß er zum Melken in der Frühe dort war, dann zum Frühstück ins Haus zurückkehrte und sich schließlich wieder für den Rest des Tages in sein Refugium zurückzog. Sie nahm den Notizblock und den Bleistift aus der Schublade und schrieb ihm eine kleine Nachricht, in der nicht mehr stand als das, was sie gerade Inspector Dunnett gesagt hatte.

Während sie den Zettel zusammenfaltete, spürte sie, daß jemand sie beobachtete. Sie schaute auf. Moody stand da und betrachtete sie mit deprimiertem und gleichzeitig tadelndem Blick.

»In der Bibliothek gibt es Schreibpapier und einen Schreibtisch. Und im Roten Salon auch, und im …«

»Danke, ich hab schon alles, was ich brauche. Ist Sir Reginald in der Molkerei? Würden Sie wohl jemanden bitten, ihm das zu bringen, bitte?«

Er nahm das Stück Papier so vorsichtig aus ihrer Hand, als wäre es ein kleines Lebewesen mit unbekannten, aber sicherlich beunruhigenden Angewohnheiten. »Mit Ihrer Erlaubnis, Miss, werde ich Ihre Notiz lieber in einen Umschlag tun. Leider haben die niederen Dienstboten heutzutage alle lesen gelernt.«

»Machen Sie, was Sie wollen«, sagte Daisy ungeduldig, »aber sehen Sie zu, daß Sir Reginald diese Nachricht innerhalb der nächsten zwanzig Minuten erhält. Wenn er nach mir fragt: Ich bin im Garten.« Sie wollte unbedingt aus dem Haus sein, ehe sie Lady Valeria über den Weg lief.

Aber in den Wintergarten sollte sie vielleicht doch gehen, um Mr. Goodman zu sagen, daß die Polizei auf dem Weg war. Und außerdem hatte sie Lucys kostbare Photoausrüstung dagelassen.

Ben Goodman war allein im Wintergarten. Er hatte sich zu Boreas' Füßen hingekauert, stieg aber jetzt von seinem unbe-

52

quemen Platz am Sockel herunter und kam auf sie zu, das Stativ in der Hand, die Kamera um den Hals.

Sie blickte kurz zum Loch, das genauso aussah wie vorhin. »Sie haben nicht zugelassen, daß die beiden weitergraben?«

Er warf ihr ein ironisches Lächeln zu. »Ich hab schon genug Kriminalromane gelesen, um zu wissen, daß man nichts bewegen oder gar anrühren darf. Der arme Owen war ohnehin ziemlich durcheinander und jedenfalls nicht mehr in der Lage, zu graben. Und so hartherzig bin ich dann auch nicht, daß ich jemanden dazu zwinge, seine tote Freundin da herauszuholen.«

»Es ist also wirklich Grace Moss?«

»O ja, das ist sie ganz eindeutig. Sie ist in ein Leintuch eingewickelt. Das Ganze hat dem alten Bligh auch einen Schock versetzt, für einen Mann seines Alters eigentlich erstaunlich. Ich hab die beiden zu ihm ins Cottage geschickt, damit sie sich da erst einmal etwas stärken.«

»Ich hoffe, er hat auch etwas stärkeres da als Bier.«

»Whisky – selbstverständlich nur für medizinische Zwecke.«

Daisy quälte sich ein Lächeln ab. »Hoffentlich werden die beiden nicht gleich knülle. Ich fürchte nämlich, die Polizei wird darauf bestehen, mit ihnen zu sprechen.«

»Die Polizei kommt also her?«

»Ein Inspector Dunnett aus Chester. Ich fand es besser, mich am Dorf-Constable vorbeizuschlängeln, aber ich muß sagen, der Inspector klang am Telephon wie eine ziemliche Nervensäge. Und er hat riesige Angst vor Lady Valeria.«

»Ein Gemütszustand, der hier in der Gegend häufiger anzutreffen ist«, sagte Mr. Goodman trocken. »Und das nicht ganz ohne Grund. Ihre Ladyschaft wird von dieser Sache nicht besonders angetan sein. Ich vermute, Sie haben ihr das noch nicht erzählt. Sonst wäre sie ja auch schon längst hier unten.«

»Nein. Ich habe Sir Reginald eine kleine Notiz geschickt.«

»Und Sebastian?«

Sie bemerkte, daß er etwas nervös war, sich dann aber wieder beruhigte, als sie sagte: »Ich habe weder ihn noch Bobby gesehen.« »Das ist auch gut so«, sagte er und reichte ihr die

Kamera. »Hier. Ich hab ein halbes Dutzend Aufnahmen von dem ... von dem Loch in der Erde gemacht. Ich wußte nicht, was sie vorhin so gerne noch photographieren wollten, als das Licht noch gut war.«

»Boreas.« Sie runzelte die Stirn, als sie die Statue betrachtete. »Jetzt ist es zu spät, das Licht ist nicht mehr das beste, aber ich mach trotzdem noch ein paar Aufnahmen. Man kann ja nie wissen, ob es nicht morgen regnet. Hoffentlich finden Sie mich nicht schrecklich gefühlskalt.«

»Wir, die wir unseren Lebensunterhalt selbst verdienen müssen, können uns Zimperlichkeiten nicht leisten.«

»Dann sause ich mal los und nehm den Ziergarten auf, wenn es Ihnen nichts ausmacht, daß ich Sie alleine hier zurücklasse?«

»Nein. Aber eins kann ich Ihnen sagen: in solcher Situation könnte ich für eine Zigarette einen Mord begehen – aber genau die eine Zigarette würde mich ja selber umbringen.«

»Ziemliches Pech«, sagte sie mitleidsvoll, obwohl Rauchen, wie kurzgeschnittene Haare auch, eine Facette der Emanzipation war, die sie noch nicht ausprobiert hatte. Sie mochte den Geruch von Zigarettenrauch nicht, und Zigarren waren noch schlimmer.

Alecs Pfeife hingegen war nicht schlecht, überlegte sie, während sie zum Blumengarten zurückkehrte. Wie sie sich doch wünschte, daß er auf dem Weg nach Occles Hall wäre und nicht diese Nervensäge von Dunnett.

Sie verbannte Graces Tod in den hintersten Winkel ihrer Gedanken, während sie sich im Ziergarten mit den komplizierteren Aspekten der Photographie auseinandersetzte. Um die Fläche aus angemessener Höhe zu photographieren, mußte sie auf die steinerne Balustrade der Terrasse klettern. Dort baute sie das Stativ auf einer der riesigen Steinurnen auf, die an beiden Seiten der Treppe standen. Um jedoch durch den Sucher sehen zu können, mußte sie ebenfalls dort hinaufsteigen und sich daneben stellen. Da stand sie nun, balancierte auf dem Rand der Schale und vermied es, auf die Erde darin zu treten – man wußte ja nicht, ob nicht knapp unter der Oberfläche ein bislang unsichtbares Pflänzlein emporwuchs. Sie machte mehrere Aufnahmen, von denen sie hoffte, daß sie ihr einigermaßen gelingen würden. Als sie wieder hinuntersteigen wollte, fiel ihr wieder eine Erfahrung aus ihrer Bäume erklimmenden Jugend ein: runterzukommen war schwieriger als rauf. Von da oben sah der Boden ziemlich schrecklich weit weg aus.

»Darf ich Ihnen behilflich sein, Miss Dalrymple?«

Vorsichtig wandte sie den Kopf. Da stand Sir Reginald, in Knickerbockern aus Tweed und einen unmöglich geschnittenen Jagdrock gekleidet, und betrachtete sie mit ernster Freundlichkeit. Hinter ihm stand Moody und starrte sie entsetzt an.

»Danke sehr, Sir Reginald.« Sie warf ihm ein dankbares Lächeln zu. »Wenn ich Ihnen meine Ausrüstung reichen darf, dann bekomme ich es bestimmt hin.«

Einen Augenblick später war sie sicher auf dem mit bunten Steinen gepflasterten Boden der Terrasse gelandet.

»Ich muß schon zugeben«, sagte er, »daß ich nicht bedacht hatte, über welchen Mut die junge Frau von heute verfügt. Ich hatte erwartet, Sie irgendwo auf einem Sofa hingestreckt vorzufinden, jedenfalls nicht kletternderweise in meinem Garten.«

»Sie haben meinen Zettel bekommen? Liebe Zeit, Sie halten mich gewiß für sehr abgebrüht!«

»Miss Dalrymple!« Lady Valeria stürzte aus dem Haus auf sie zu. »Ich hab Sie von einem Fenster aus gesehen. Ich wollte meinen Augen nicht trauen! Wie soll ich das denn Ihrer Mutter erklären, wenn Sie sich bei Ihren infantilen Kletterübungen das Genick brechen, während Sie hier auf Occles Hall zu Besuch sind?«

»Meine Liebe, ich fürchte, wir haben noch viel schlimmeren Ärger, über den wir uns Sorgen machen müssen. Vielleicht solltest du dich erst mal setzen ...«

»Mich setzen? So ein Unsinn, Reggie. Wovon in aller Welt redest du überhaupt?«

»Miss Dalrymple hat mich davon in Kenntnis gesetzt ...«

»Dann sollte sie schleunigst auch mich davon in Kenntnis setzen.«

Daisy seufzte. Dahin waren alle ihre Hoffnungen, die Rolle des Unglücksboten zu vermeiden. Doch obwohl sie keine besonders hohe Meinung von Lady Valerias Sensibilität hatte, konnte sie unmöglich geradewegs mit dem Schlimmsten herausplatzen.

»Einer Ihrer Gärtner hat mir den Wintergarten gezeigt«, fing sie an. »Mir ist ein abgestorbener Busch aufgefallen ...«

»Unmöglich, darüber werde ich mit Bligh noch ein Wörtchen zu reden haben. Aber dergleichen ist doch eine solche Aufregung nicht wert, Reginald.«

»Lady Valeria, hören Sie mir doch bitte erst mal zu. Mr. Bligh hat seinem Hilfsgärtner gesagt, er soll den Strauch ausgraben, und da haben sie eine Leiche darunter gefunden. Die Leiche von Grace Moss.«

»Grace Moss!« Lady Valerias cholerisches Gesicht wurde blaß. Und dann geschah genau das, was Daisy erwartet hatte: Ihre Wut richtete sich gegen die Überbringerin der Nachricht. »Das ist alles Ihre Schuld. Sie kommen einfach her, obwohl kein Mensch Sie hergebeten hat, stecken Ihre Nase überall hinein und schauen sich alles an, mischen sich ein ...«

»Meine Liebe!« Unerwarteterweise unterbrach Sir Reginald seine Frau. »Du kannst doch nicht die Schuld ...«

»Ich werde die Schuld geben, wem ich will. Das kommt eben davon, wenn du Einladungen aussprichst, ohne mich vorher zu fragen!«

»Inspector Dunnett, Mylady!« ertönte plötzlich Moodys Stimme, und sein Ton verhieß nichts Gutes.

Lady Valeria wirbelte herum. »Die Polizei! Das ist mir völlig klar, wem ich das zu verdanken habe«, fügte sie mit einem giftigen Blick auf Daisy hinzu.

Neben dem befrackten Moody stand der Officer in seiner blauen Polizeiuniform, die Mütze in der Hand. Die beiden hätten Brüder sein können. In Inspector Dunnetts langem, kantigen Gesicht lag exakt derselbe betrübte Ausdruck ob der Schlechtigkeit dieser Welt, und seine Schultern hingen auf dieselbe niedergeschlagene Art hinab. Er wirkte etwa zehn Jahre jünger, ungefähr fünfzig. Der größte Unterschied jedoch, so fand Daisy, war die Tatsache, daß Moody offenbar schon seit langem nicht mehr seinen allgemeinen Pessimismus durch Lady Valerias Ausbrüche verschlimmern ließ.

Inspector Dunnett allerdings schien Ihre Ladyschaft mit einer Vorsicht zu betrachten, die an Schrecken grenzte.

Sie blickte ihn wütend an. »Diese Angelegenheit hat nichts mit mir zu tun, Doublet«, tat sie kund, ohne den richtigen Namen zu benutzen, »und auch nichts mit meiner Familie. Miss Dalrymple hingegen scheint ja bestens darüber Bescheid zu wissen. Also setzen Sie sich bitte mit ihr auseinander. Komm schon, Reginald.«

Sie wartete keine Antwort ab, sondern rauschte an dem Polizisten vorbei ins Haus. Zu Daisys Erleichterung folgte Sir Reginald ihr jedoch nicht. Er würde als Stütze wohl eher einem Schilfrohr als einem eichenen Stab gleichen, doch sie war trotzdem froh, daß er ihr zur Seite stand.

»Ich komme in einer Minute nach, Valeria«, rief er seiner Frau hinterher. Er tätschelte Daisys Arm. »Ich werde Sie nicht im Stich lassen, meine Liebe. Inspector, ich bin Sir Reginald Parslow. Ich bedaure sehr, daß eine derart unangenehme Angelegenheit Sie nach Occles Hall führt.«

»Ich tue nur meine Pflicht, Sir«, erwiderte der Polizist phlegmatisch. »Mit Ihrer Erlaubnis, Sir, werde ich die Verstorbene ärztlich untersuchen lassen und meine Leute anweisen, den Fundort nach Spuren zu untersuchen. Die Männer warten schon vor dem Haus.«

»Ja, selbstverständlich. Aber ich weiß gar nicht ...« Er warf Daisy einen hilfesuchenden Blick zu, und sie erinnerte sich, daß sie auf ihrem Zettel den Ort nicht genannt hatte.

»Der Wintergarten. Ich bin Daisy Dalrymple, Inspector.«

»Ach so, Miss Dalrymple. Sie haben die Verstorbene gefunden.« Sein Tonfall war eine einzige Anklage.

»Ich habe den Fund gemeldet«, berichtigte sie ihn. »Die Gärtner haben sie gefunden.«

»Ja, Miss. Trotzdem brauche ich von Ihnen eine Aussage.«

»Ich führ Sie mal dorthin und erzähl Ihnen auf dem Weg, was geschehen ist.«

»Ich sollte vielleicht auch besser mitkommen, meine Liebe«,

sagte Sir Reginald besorgt. »Moody, führen Sie die Leute des Inspectors bitte zum Wintergarten.«

»Und bitte verstauen sie meinen Photoapparat irgendwo an einem sicheren Ort.«

»Sehr wohl, Sir.« Der Butler nahm die Anweisung seines Dienstherrn mit seiner üblichen düsteren Stimmung entgegen. Eine Leiche im Wintergarten schien ihn auch nicht mehr aus der Fassung bringen zu können. »Sehr wohl, Miss.«

Während sie die Stufen zur Terrasse hinuntergingen, fing Daisy an: »Einer der Hilfsgärtner hat mir den Wintergarten gezeigt.«

»Einen Moment mal bitte, Miss. Ein Hilfsgärtner? Und Sie sind hier Gast?«

»Ich schreibe einen Artikel über Occles Hall.«

»Eine Journalistin!« Inspector Dunnett betrachtete Journalisten offensichtlich als eine der niedrigsten Formen von Broterwerb.

»Ein Gast des Hauses«, sagte Sir Reginald. »Und ein sehr willkommener Gast.«

»Ich schreibe für Zeitschriften«, ergänzte Daisy.

»Für Zeitschriften? Als Adelige?« fragte der Polizist skeptisch. »Das haben Sie doch behauptet, nicht wahr?«

Und wieder eilte Sir Reginald ihr zur Rettung. »Es handelt sich um die Tochter des verstorbenen Viscount Dalrymple auf Fairacres.«

»Wenn Sie das sagen, Sir. Fahren Sie fort, Miss. Bitte.«

Ihre Tätigkeit hatte offensichtlich in Dunnetts Augen all das zunichte gemacht, was ihr Titel ihr zuvor an Status verliehen hatte. Sie erinnerte sich umgekehrt daran, wie Alec zunächst ihre Ansichten abgetan hatte, als er sie noch für einen bloßen gesellschaftlichen Schmetterling hielt; aber als er dann erfuhr, daß sie sich selbst mit ihrer Arbeit ernährte, hatte er sie prompt ernst genommen. Sie seufzte.

»Ich hab einen abgestorbenen Busch bemerkt«, sagte sie knapp. »Der Hauptgärtner hat Owen angewiesen, ihn auszugraben. Ich bin schnell zurück ins Haus gegangen, um meine Kamera zu holen, und als ich zurückkkam, waren die beiden schon auf die Leiche gestoßen.«

»Und dann haben Sie den Gärtnern gesagt, sie sollten die Verstorbene bewachen, und sind ins Haus zurückgegangen, um zu telephonieren?«

»Nein, da war Mr. Goodman schon dazugekommen, der Sekretär von Sir Reginald. Er hat mich gebeten, Sie anzurufen. Die Gärtner standen natürlich unter Schock, als sie Grace Moss tot aufgefunden haben, also hat er sie fortgeschickt und ist selbst dageblieben.«

Inspector Dunnett schlug zu: »Grace Moss? Sie kannten die Verstorbene also?«

»Ich hab noch nicht einmal ihre Leiche gesehen«, zischte Daisy. »Ich bin noch nie hier gewesen und wußte vor wenigen Stunden noch nicht einmal, daß es sie gab.«

Er warf ihr einen mißtrauischen Blick zu, als vermute er, daß sie sich über ihn lustig mache. »Wer hat die Tote also identifiziert? Und wer war Grace Moss überhaupt?«

»Grace war unser Serviermädchen«, sagte Sir Reginald traurig. »Ein hübsches, fröhliches Mädchen.«

»Mr. Goodman, Mr. Bligh und Owen Morgan kannten sie auch alle, haben sie mir gesagt.«

»Alles, was Sie wissen, wissen Sie also nur vom Hörensagen«, sagte Dunnett vorwurfsvoll. »Da brauche ich Sie im Moment nicht weiter. Mein Sergeant wird Ihre Aussage später aufnehmen, Miss. Ah, da sind ja Dr. Sedgwick und meine Leute.«

Er schritt von dannen, um eine herankommende Truppe von uniformierten Polizisten zu begrüßen, die von einem rundlichen Zivilisten mit einer schwarzen Tasche angeführt wurde. Nachdem sie derart beiläufig entlassen worden war und nun ignoriert wurde, stapfte Daisy niedergeschlagen zurück ins Haus.

Sir Reginald und Ben Goodman folgten ihr bald nach. Sir Reginald erkundigte sich nach seiner Frau. Erleichtert atmete er auf, als Moody ihm mitteilte, sie sei im Daimler fortgefahren, um an einer Sitzung des Regionalkomitees der Mothers' Meetings teilzunehmen, dessen erste Vorsitzende sie war.

»Wenn Sie mich entschuldigen würden, meine Liebe«, wandte er sich zu Daisy, »ich muß wieder zurück in meine Molkerei.«

Mr. Goodman bot ihr eine historische Führung durch das Haus an. »Für die arme Grace können wir ohnehin nichts mehr tun. Da können wir uns genauso gut das Gebäude von außen anschauen, solange das Wetter noch schön ist. Übrigens kann man immer noch die Einschußlöcher von den Kanonenkugeln der Rundköpfe sehen.«

Also holte Daisy ihr Notizbuch. Wenig später kritzelte sie wie wild ihre eigene merkwürdige Version einer Kurzschrift hinein. Sie waren gerade an den Stallungen angekommen, die mittlerweile zum Teil in Garagen umgewandelt worden waren, als Sebastian hineingeritten kam. Sofern das überhaupt möglich war, sah er auf dem Rücken seines Rotschimmel-Wallachs noch umwerfender aus als sonst. Hoch zu Roß wirkte er stark und strahlte eine natürliche Macht aus, die seinem gewöhnlichen Verhalten fehlte und von der Unterwürfigkeit gegenüber seiner Mutter vollkommen überdeckt wurde. Er lächelte zu Daisy und Ben Goodman hinunter, und Daisy strahlte zurück.

»Lassen Sie mich es ihm sagen«, sagte der Sekretär leise, und mit einem Schreck erinnerte sie sich wieder an Grace Moss.

»In Ordnung. Ich geh mal los und fang an, meine Notizen abzuschreiben. Vielen Dank für die schöne Führung.«

Er nickte und lächelte ihr schwach zu, doch in seinem Ausdruck lag tiefste Sorge, als er sich Sebastian zuwandte.

Leicht verwirrt machte Daisy sich zu ihrem Zimmer und ihrer Reiseschreibmaschine auf. Ob Ben befürchtete, Sebastian könnte zusammenklappen, wenn er die Nachricht von der entdeckten Leiche hörte? Versuchte er zu vermeiden, daß eine Fremde Zeugin einer solchen Offenbarung von Schwäche würde? Er war zwar mit Sebastian nicht verwandt, doch hatte Daisy selbst mittlerweile allen Grund, ihm für seine mitfühlende Art dankbar zu sein.

Bobbie hatte ihren Bruder verteidigt, als Daisy nur leichte Kritik angedeutet hatte, daß er es nicht schaffte, seiner Mutter zu entkommen. Und Lady Valeria schützte ihn vor den männerjagenden Harpyien. Sebastian schien den Beschützerinstinkt der Leute zu wecken, und das legte eine grundsätzliche

Charakterschwäche nahe. Die Nachricht von Graces Ableben könnte also durchaus dazu führen, daß er vor Schock einen unschicklichen Gefühlsausbruch erlitt.

Nein, das war eigentlich nicht fair, schalt Daisy sich selbst. Ben Goodman, der alle Schrecken des Krieges miterlebt hatte, war von dem Tod des unschuldigen jungen Mädchens auch zutiefst erschüttert. Sebastian war zu jung, um im Krieg mitgekämpft zu haben – es wäre nur verständlich, wenn der Mord an einem ihm bekannten Mädchen ihn völlig aus der Fassung bringen würde.

Und da war es schon wieder, das Wort, das sie hatte vermeiden wollen. Mord. Diejenigen, die eines natürlichen Todes starben, die etwa Opfer eines Unfalls wurden, landeten nicht unter einem Meter Erde in einem Blumenbeet.

Grace Moss war ermordet worden.

5

Daisy entzifferte den letzten Schnörkel ihrer Kurzschrift, tippte das letzte Wort und schichtete dann ihre Papiere zu einem ordentlichen Haufen. Die Belagerung von Occles Hall im siebzehnten Jahrhundert war eher enttäuschend verlaufen, auch wenn sie es den Besitzern des Herrensitzes nicht verübeln konnte, daß sie sich Cromwells Leuten so rasch ergeben hatten. Der Burggraben, der damals das Haus umgeben hatte, bot eben vor Kanonenkugeln keinen wirksamen Schutz; hätte man damals weitergekämpft, gäbe es heute wahrscheinlich nichts mehr, worüber sie schreiben könnte. Dennoch brauchte sie noch viel mehr Material, um ihren Artikel interessant zu gestalten.

Leider war *Town and Country* nicht die Art von Veröffentlichung, die ermordete Serviermädchen goutierte.

Sie ging hinunter. Doch dort war noch niemand. Von ihrem Fenster aus hatte sie beobachtet, wie die unter einer Decke verborgene Bahre von einer ernsten Prozession von ernsten Polizisten zum großen Wagen gebracht wurde, und wie dann alle abfuhren. Vermutlich hatte der Sergeant bleiben müssen, um die Aussagen aufzunehmen, doch er war nirgends zu entdecken.

Sie ging hinaus auf die Terrasse, und von dort wandten sich ihre Schritte wie von selbst zum Wintergarten. Nicht, daß sie erwartet hätte, dort irgendwelche Hinweise zu finden. Selbst die Polizei würde nach dieser langen Zeit nur mit viel Glück etwas finden.

Sie nahm an, daß Grace seit ihrem Verschwinden dort gelegen hatte. Jedenfalls war sie lang genug dort gewesen, daß der Busch deswegen eingegangen war. Daisy meinte sich an Ted Ropers Bericht zu erinnern, die Tochter des Schmieds sei vor zwei Monaten fortgelaufen, und Bobbie hatte doch neulich erwähnt, daß es in den letzten zwei Monaten drei nicht zufriedenstellende Serviermädchen gegeben hatte.

Der Mörder hatte also jede Menge Zeit gehabt, um festzustellen, daß ihm ein Handschuh oder Schal fehlte, und zurückzukehren, um ihn zu holen. In dieser Zeit hätten auch in diesem geschützten Flecken Regen und Schnee, Frost und Wind alle Zeichen eines Kampfes verwischen können, die Fußstapfen und auch das Blut ... Igitt!

Trotzdem war es merkwürdig, daß niemand vorher den abgestorbenen Busch und die fehlenden Irisse bemerkt hatte. Die Gärtner hatten vielleicht keinen Grund, den Wintergarten zu betreten, da ordentlich gejätete Blumenbeete im Januar keine nennenswerte Menge an Unkraut produzieren. Aber der Garten stand schließlich in voller Blüte. Hatte sich denn keiner von der Familie die Mühe gemacht, hinzugehen und ihn sich einmal anzuschauen?

Daisy gelangte zu der Tür in der Mauer, öffnete sie und blickte sich um. Inmitten einer solchen wilden Farbenpracht, das mußte sie zugeben, würde eine Lücke in jener einen Ecke leicht übersehen werden, wenn man nicht gerade um den ganzen Garten herumging und sich die Pflanzen genau ansah. Sie selbst hatte es ja auch nicht bemerkt, ehe sie mit Owen an dieser Stelle angelangt war. Unfreundliches Wetter, alle irgendwo anders beschäftigt; nein, so überraschend war es eigentlich nicht. Also hatten zwei Monate lang alle gedacht, daß Grace weggelaufen war, obwohl sie doch schon die ganze

Zeit tot war, und die Beweismittel, die zu ihrem Mörder führten ...

Schwere Schritte knirschten hinter Daisy auf dem Kies.

Mit heftig klopfendem Herzen wirbelte sie herum. »Ach, Bobbie, du bist das.«

»Ja. Ich ... ähm ... ich bin durch das Dorf zurückgekommen.« Bobbie klang merkwürdig, als wiche sie ihr aus, und ihre sonstige gesunde Farbe war noch stärker als sonst. Sie trug ein Golfkostüm, doch Schläger hatte sie keine dabei. »Ist Ben nicht bei dir? Das hab ich nicht gewollt, einfach verschwinden und dich allein lassen.«

»Ich wünschte fast, ich wäre mit dir Golf spielen gegangen. Ich fürchte, etwas Schreckliches ist passiert.«

»Ben?« fragte Bobbie ängstlich. »Sebastian?«

»Nein. Die Gärtner haben im Wintergarten eine Leiche gefunden. Euer Serviermädchen Grace Moss.«

Bobbie wurde kreidebleich. »Grace Moss?« stotterte sie mit schwacher Stimme.

»Hier, komm und setz dich hin.« Daisy zog sie zu dem alten Hocker, der neben der Tür stand. »Leg den Kopf zwischen die Knie. So ist's gut. Bitte entschuldige, Bobbie. Es war einfach idiotisch von mir, dich so unvermittelt damit zu überfallen.«

»Nein, ist schon in Ordnung. Ehrlich. Ich ... es war einfach nur ein Schock. Also ist Grace doch noch zurückgekommen.«

»Sie hat da nicht nur gelegen, sie war da vergraben. Mir scheint, daß sie nie weggegangen ist. Aber ich weiß natürlich nicht, was die Polizei feststellen wird.«

»Polizei! Oh, zum Teufel! Ich muß sofort mit Bastie sprechen.« Bobbie sprang auf, anscheinend schon wieder ganz erholt. Trotzdem ging Daisy mit ihr, wobei sie fast laufen mußte, um mit Bobbies Riesenschritten mitzuhalten. »Deswegen also das Polizeiaufgebot an der Schmiede, als ich da eben vorbeikam – sie haben es ihrem Vater gesagt. So, wie der Rabatz gemacht hat, dachte ich schon, Mummy hätte die mal wieder bei ihm vorbeigeschickt. Ich muß sagen, daß er eher total wütend klang als traurig. Aber so reagiert Stan Moss schließlich auf alles.«

Als sie am Ende des Pfads angekommen waren und nach rechts in den Blumengarten abbiegen wollten, erschien an der linken Ecke des Wintergartens ein Polizist.

Alle drei blieben sie stehen. Bobbie griff Daisy am Arm.

Der Polizist salutierte und blickte fragend von der einen zur anderen. »Miss Dalrymple?«

»Ich bin Miss Dalrymple. Das ist Miss Parslow, die hier wohnt. Sie müssen der Sergeant sein, von dem Inspector Dunnett gesagt hat, daß er meine Aussage aufnehmen würde.«

»So ist es, Miss. Sergeant Shaw. Ich hab gerade die Aussagen der Gärtner aufgenommen. Wenn ich jetzt mit Ihnen sprechen dürfte, Miss, und dann muß ich auch noch den Herrn Sekretär bitten.«

»Ich suche ihn schon mal für Sie. Daisy, sag Moody, er soll euch zum Roten Salon führen.«

Mit diesen Worten eilte Bobbie auf das Haus zu.

Daisy und der Sergeant folgten ihr langsameren Schrittes. Er war ein kräftig gebauter Mann, wenn auch nicht ganz so rund wie Alecs Sergeant Tring. Doch Tom Tring ging mit den weichen Schritten einer Katze, während Sergeant Shaw an Daisys Seite eher wie ein Nilpferd trampelte. Andererseits war Shaws Uniform im Vergleich zu Trings bedauerlicher Vorliebe für kreischende Karos eine entschiedene Verbesserung.

Daisy mochte Tom Tring, und sie war durchaus gewillt, auch Sergeant Shaw trotz seines äußerst uncharmanten Vorgesetzten zu mögen. Wenigstens begann er die Unterhaltung mit ihr auf eine wesentlich freundlichere Art als Inspector Dunnett.

»Unangenehme Sache, Miss. Ein Mord ist schon schlimm genug, aber junge Mädchen zu ermorden – das ist wirklich kaum zu überbieten.«

»Dann war es also ein Mord?«

»Sieht ganz so aus, Miss. Dr. Sedgwick sagt, man hätte ihr mit einem stumpfen Gegenstand auf den Kopf gehauen. Dabei hat man sie fest genug von hinten getroffen, um ihr den Schädel richtig einzuschlagen.«

Daisy schauderte, und ihr wurde schlecht. »Ist sie denn gleich gestorben?«

»Noch in der Sekunde des Schlags, Miss. Hat nichts gespürt.«

»Da bin ich aber froh.« Wenigstens war sie nicht bei lebendigem Leibe begraben worden, Gott sei Dank. Dieser Alptraum konnte jetzt weichen.

»Nur für diesen armen Ausländer tut es mir leid, Miss.«

»Ausländer?«

»Der Gärtner, Owen Morgan. Das hat ihn so richtig umgehauen. Anscheinend war das Mädchen seine Freundin.« Sergeant Shaw geriet auf der Treppe zur Terrasse hinauf richtig ins Keuchen. »Natürlich kann es auch so sein, daß die beiden sich gestritten haben, und dann hat er ihr eins über die Rübe gegeben.«

»Das glaube ich nicht!« entfuhr es ihr. Von Anfang an hatte sie großes Mitgefühl für den unglücklichen Waliser empfunden. »Er war doch so schrecklich aufgewühlt, als er sie gefunden hat.«

»Na ja, das ist ja auch nur zu verständlich, Miss, nachdem er sie hat ausgraben müssen und all das. Ist ja auch nur normal. Aus Liebe werden mehr Morde verübt als wegen Geld, das kann ich Ihnen sagen, Miss.«

Moody wartete bereits auf sie und führte sie mit solch übertriebener Verzweiflung in den Roten Salon, daß Daisy fast Schuldgefühle bekam. Mittlerweile wußten die Bediensteten wahrscheinlich längst, was geschehen war. Wie Lady Valeria schien auch Moody sie dafür verantwortlich machen zu wollen. Sie hoffte, der Rest der Angestellten wäre etwas vernünftiger.

Im Gegensatz zu den anderen holzgetäfelten Sälen des Hauses war der kleine Raum mit dunkelroten Tapeten ausgekleidet, deren dünne Goldstreifen nicht gerade dazu beitrugen, die bedrückende Atmosphäre zu beleben. Über dem Kaminsims hing ein gruseliges viktorianisches Gemälde mit einer Schlachtenszene, in der das Blut nur so spritzte. Rasch wandte Daisy ihm den Rücken zu.

Bobbie mußte diesen Salon ausgewählt haben, weil darin ein eleganter antiker Schreibtisch am Fenster stand, den der Polizist benutzen konnte – wenn sie tatsächlich vorhin so weit bei Sinnen gewesen war, um eine derart vernünftige Entscheidung zu fällen. Daisy war sich da mitnichten sicher.

Plötzlich fühlte sie sich erschöpft, und so ließ sie sich in den Sessel sinken, den Sergeant Shaw für sie vor den Schreibtisch gestellt hatte.

»Ich hoffe, Sie haben nichts dagegen, wenn ich mich auch setze, Miss? Das Schreiben geht dann leichter von der Hand.« Sie nickte, und er nahm mit einem erleichterten Seufzen Platz. Er holte sein Notizbuch aus der Tasche seines Jacketts. In väterlichem Ton sagte er: »Also jetzt machen Sie sich mal keine Sorgen, Miss. Das ist alles nur Routinesache. Erzählen Sie mir einfach alles, was Sie dem Inspector gesagt haben. Ich schreib das alles auf; im Polizeirevier wird es dann abgetippt, und anschließend werden Sie gebeten, zu unterschreiben, daß wir Sie auch richtig verstanden haben. Wenn Sie mir bitte als erstes Ihren Namen buchstabieren würden, Miss.«

Mit großer Anstrengung schrieb er ihn auf. Daisy wiederholte ihre kurze Geschichte, wobei sie zwischen den einzelnen Satzteilen lange Pausen machte, während der Bleistift des Sergeants unglaublich langsam über das Papier glitt. Mr. Goodman hatte Owen gesagt, er solle ihr den Garten zeigen; ihr war ein abgestorbener Strauch aufgefallen; Bligh hatte Owen angewiesen, ihn auszugraben; sie war genau in dem Moment vom Haus zurückgekehrt, als Owen das Gesicht des Mädchens aufgedeckt und Grace Moss erkannt hatte.

»Und er war durcheinander, sagen Sie, dieser Owen Morgan?«

»Fürchterlich.« Sie erinnerte sich nur ungern an die schreckliche Trauer des jungen Gärtners. »Dann kam Mr. Goodman und hat mich gebeten, die Polizei zu rufen, also bin ich von dort weggegangen. Nachdem ich mit Inspector Dunnett gesprochen hatte, habe ich rasch eine Notiz an Sir Reginald geschickt ...«

»Mr. Dunnett sagt, es gibt keinen Grund, die Familie damit zu belästigen«, unterbrach sie Sergeant Shaw eilig. »Dieser Mr. Goodman kann uns ja alles sagen, was wir über die Verstorbene wissen müssen. Danke, Miss, jetzt haben wir doch schon alles.«

»Werde ich bei der gerichtlichen Untersuchung aussagen müssen?«

»Wahrscheinlich nicht, Miss, nachdem Sie die Verstorbene ja gar nicht gekannt haben. Außerdem gibt es andere Zeugen, die dasselbe gesehen haben wie Sie. Und da kommt ja auch schon der letzte Zeuge«, fügte er hinzu, als Ben Goodman die Tür öffnete und hineinschaute. »Kommen Sie ruhig herein, Sir. Danke sehr, Miss. Das wär's dann fürs erste.«

Nach dieser Verabschiedung ging Daisy. Mr. Goodman hielt ihr die Tür auf, doch wirkte sein Gesicht vor Müdigkeit aschfahl. Sie hoffte, daß er nicht von ihrem gemeinsamen Rundgang durch den Park so geschwächt war.

Draußen vor der Tür zögerte sie und war sich nicht sicher, was sie als nächstes tun sollte. Obwohl sie sich scheute, über den grausigen Mord nachzudenken, nagte dennoch die Neugier an ihr. Sie konnte einfach nicht glauben, daß Owen Morgan ausgerechnet das Mädchen umgebracht haben sollte, das er liebte.

Geld ergab als Motiv überhaupt keinen Sinn. Serviermädchen waren nicht gerade dafür bekannt, daß sie über besondere Reichtümer verfügten. Grace klang auch nicht wie die Art von Mädchen, das die Leute von vornherein verabscheuten. Ted Roper, der ganz bestimmt niemandem auf dieser Welt Böses wollte, hatte Grace als lebensfroh beschrieben, und Sir Reginald hatte sie ein fröhliches Mädchen genannt. Daisy fragte sich, was wohl die anderen Diener von ihr gehalten hatten.

Vielleicht war einer von ihnen Owens Rivale um Graces Gunst gewesen.

Wenn Daisy diese Untersuchung leiten würde, dann würde sie als allererstes mit den Bediensteten reden. Inspector Dunnett schien das allerdings nicht vorzuhaben. Ohne Zweifel hatte er Angst davor, Lady Valerias Zorn zu erregen.

Wenn Daisy diese Untersuchung leiten würde ... In ihrem Hirn hallte Alecs Stimme wider: »Halten Sie sich heraus, Daisy.«

Die warnende Stimme ging im Knurren ihres Magens unter. Sie hatte den Morgenkaffee verpaßt. Mittlerweile starb sie geradezu vor Hunger. Es mußte doch gleich Mittagessenszeit sein? Sie würde schon mal hinauf in ihr Zimmer gehen, um sich die Hände zu waschen. Und wenn sie zufällig der Kammerzofe Gregg über den Weg laufen sollte – nun denn, es wäre ja geradezu unhöflich, nicht mit ihr ein paar Worte über das traurige Ende der Grace Moss zu wechseln.

Wenige Minuten später saß sie in ihrem Schlafzimmer am Frisiertisch und bürstete sich die Haare, um sie dann neu zu einem Strang zu zwirbeln und hochzustecken. Sie hatte vorhin gespürt, wie ihre Frisur sich löste, als sie von der Urne auf die Terrasse hinuntergesprungen war, doch dann hatte sie es wieder vergessen. Seitdem war sie wohl völlig zerzaust umhergelaufen; kein Wunder, daß Inspector Dunnett sie so merkwürdig angeschaut hatte. Vielleicht sollte sie es wirklich abschneiden lassen, wenn sie zurück in die Stadt kam. Kurze Haare waren einfach viel praktischer. Vor allem für eine Photographin.

Sie hatte sich an diesem Morgen nicht die Mühe gemacht, sich zu pudern oder Lippenstift anzulegen, und sie beschloß, das auch jetzt nicht zu tun. Bobbie hatte sich schließlich am vorherigen Abend noch nicht einmal zum Dinner geschminkt. Sehr wahrscheinlich besaß sie weder Lippenstift noch Puder. Der Ärger war nur, dachte Daisy, während sie vor ihrem Spiegelbild die Nase rümpfte, daß diese Sommersprossen sie so fürchterlich jung aussehen ließen. Und dann war da noch dieser winzige Leberfleck an ihrem Mund, aber den verdeckte Puder sowieso nie richtig.

»Miss?« Gregg trat ein. »Gibt es irgend etwas, was ich für Sie tun kann?« Die Zofe hatte gerötete Augen, hektische Flekken bedeckten ihr Gesicht.

»Im Moment nicht, danke sehr. Sie haben wohl schon von Grace Moss gehört? Es tut mir so leid. Sie haben sie bestimmt sehr gut gekannt.«

»Ja, Miss, sie war mit meiner Schwester auf der Schule, und danach hat sie hier auf Occles Hall gearbeitet. Ein fröhliches Wesen hatte sie, wirklich, hat immer das Gute in allem gesehen. Gracie hätte keiner Fliege etwas zuleide tun können, und wenn Mr. Moody noch so oft sagen will, daß sie ein Flittchen war und daß es ihn überhaupt nicht überrascht hat, daß sie weggelaufen ist.«

»Flittchen? Ich weiß, daß sie mit Owen Morgan ausging, aber sie ist ja dann doch nicht fortgelaufen.«

»Gar nicht auszudenken, daß sie die ganze Zeit hier tot gelegen hat.« Gregg schniefte und wischte sich die Augen.

»Also kann man sie wohl kaum ein Flittchen nennen.«

»Na ja, es stimmt wohl schon, daß sie auf den jungen Herrn ein Auge geworfen hatte. Ich will aber nicht sagen, daß da wirklich etwas war.«

»Man müßte ja auch blind sein, um kein Auge auf Mr. Sebastian zu werfen«, sagte Daisy, aber ihr war plötzlich sehr unwohl. Hatte Owen einen Rivalen gehabt? War Sebastian bloß passives Objekt dieser Verehrung gewesen oder hatte er etwa eine aktivere Rolle gespielt?

»Er sieht ja auch besser aus als jeder Filmschauspieler, finden Sie nicht auch, Miss? Und eines Tages wird er sogar Sir Sebastian sein. Kein Wunder, wenn das der armen Gracie den Kopf verdreht hat. Ah, der Gong zum Mittagessen, Miss. Soll ich Sie begleiten?«

»Ich glaube, ich finde mittlerweile selbst hin, danke sehr, Gregg.« Während weit entfernt im Haus die Geräusche immer leiser wurden, strich Daisy sich noch einmal abschließend über das Haar, glättete sich den Rock und machte sich dann auf zum Speisezimmer. Sie verspürte ein inneres Gefühl der Leere, das nicht ausschließlich auf ihren Hunger zurückzuführen war.

Lady Valeria war zurückgekehrt. Ihr Ehemann, ihre Kinder, der Sekretär ihres Mannes, und ihr unerwünschter Gast – alle waren sie wegen der Tragödie bedrückt. Lady Valeria hingegen war wütend.

»Ich habe eben einen Journalisten am Tor getroffen«, tat sie kund, während Moody Gemüsesuppe austeilte und das Serviermädchen auf Zehenspitzen die Teller reichte. »Ein Kerl von der lokalen Zeitung. Ich hab zugesehen, wie er sich mit eingeklemmtem Schwanz wieder davonschleicht, aber zweifellos werden ihm weitere folgen.«

»Meine Liebe«, sagte Sir Reginald mild, »wäre es nicht sinnvoller, der Presse eine kurze Mitteilung zu machen? Wenn die Journalisten nicht die Wahrheit erfahren, erfinden die vielleicht Geschichten, um die Öffentlichkeit damit bei Laune zu halten.«

»Wahrheit! Diese Unruhestifter kennen die Bedeutung des Wortes doch überhaupt nicht. Was man ihnen auch sagt, sie verdrehen es nur. Ich habe Moody schon avisiert, daß jeder Diener, der mit ihnen spricht, auf der Stelle entlassen wird. Selbstverständlich wird keiner von uns hier deren Neugier Vorschub leisten, außer ...« Sie blickte Daisy finster an. »Natürlich kann ich Sie nicht davon abhalten, mit Ihren Kollegen zu tratschen, Miss Dalrymple.«

»Das sind nicht meine Kollegen, Lady Valeria«, sagte Daisy kalt. »Ich schreibe für eine Zeitschrift, eine höchst angesehene Zeitschrift, und nicht für eine Tageszeitung oder ein Skandalblättchen. Und im übrigen gehört es nicht zu meinen Angewohnheiten, Dinge herumzutratschen. Sie können sicher sein, daß ich als Gast auf Occles Hall Ihre Angelegenheiten nicht mit der Presse besprechen werde.«

Lady Valerias verdrießlicher Blick zeigte Daisy deutlich, daß ihre Worte ins Schwarze getroffen hatten. Als Gast würde sie sich von der Presse fernhalten – damit würde ihre Gastgeberin sie sehr wahrscheinlich nicht mehr drängen können, ihren Besuch abzukürzen.

Sie hatte aber schon etwas anderes gefunden, über das sie sich ereifern konnte. – »Unsere Angelegenheiten? Die Tatsache, daß das alberne Mädchen auf unserem Grundstück gestorben ist, macht die Sache noch lange nicht zu unserer Angelegenheit.«

Daisy glaubte aus einem Augenwinkel zu erkennen, wie Sebastian eine Geste des Protests machte, doch als sie sich ihm zuwandte, löffelte er gleichgültig seine Suppe. Er wirkte apathisch, als hätte er gerade einen wahren Ansturm von Gefühlen durchlitten. Unmöglich zu erforschen, ob dem tatsächlich so war.

Was für eine Beziehung hatte er zu dem toten Mädchen gehabt?

»Ich habe mit diesem kleinen Mann von der Polizei gesprochen«, fuhr Lady Valeria fort, »Inspector Rennet, oder wie der heißt. Er hat begriffen, daß die Familie zu seiner Untersuchung nichts beizutragen hat. Ich sehe jedenfalls keine Notwendigkeit, daß einer von uns bei der gerichtlichen Untersuchung des Todesfalls zugegen ist. Obwohl Mr. Goodman und zwei Gärtner leider als Zeugen aussagen müssen.«

»Mir wurde gesagt, daß ich auch geladen werden könnte«, sagte Daisy und legte die Worte des Sergeants »wahrscheinlich eher nicht« nach Gutdünken aus.

»Für eine Dame wäre das natürlich eine unangenehme Aussicht.« Von diesem Seitenhieb wieder aufgeheitert, brachte Lady Valeria das Thema auf andere Dinge. Die Pastete aus Fleisch und Nierchen und die das Mahl beschließende Apfel-Charlotte wurden von einem detailgetreuen Bericht von ihrem Triumph über ihre inkompetenten Vorstandskollegen im Komitee begleitet.

Der Rest der Gesellschaft sagte kaum ein Wort.

Nach dem Mittagessen bot Ben Goodman an, Daisy das Haus von innen zu zeigen. Sie fand, er sah immer noch müde aus, und da die Sonne weiterhin schien, wollte sie lieber den Hof und die Rückseite des Hauses photographieren. Daher lehnte sie dankend ab.

»Morgen früh?« schlug sie vor.

Nur mit Mühe schien er ein Grinsen zu unterdrücken. »Das hat ja keine Eile, nachdem Sie Lady Valeria so diplomatisch überredet haben, noch länger bleiben zu dürfen.«

Daisy schaffte es, ihre Bilder zu machen, ohne auf weitere Urnen klettern zu müssen. Ganz zum Schluß, als die Sonne schon unterging, kehrte sie in den Wintergarten zurück und machte noch einige weitere Aufnahmen von Boreas. Die Bedingungen waren zwar nicht ideal, aber auch nicht gar zu schlecht, so hoffte sie. Selbst die angesehenste Zeitschrift dieser Welt wäre vielleicht doch froh, das Bild einer höchst anständigen Statue abzudrucken, die rein zufällig in einem Garten stand, der Schauplatz eines brutalen Mordes geworden war.

Doch stets wandte sie dem Loch in der Erde den Rücken zu.

Als sie zum Nachmittagstee wieder ins Haus ging, fand sie im Salon nur Bobbie vor. Sie unterhielten sich über das Photographieren, doch hatte Daisy den Eindruck, daß Bobbie wie auf glühenden Kohlen saß. Ein- oder zweimal schien sie kurz davor zu stehen, Daisy das anzuvertrauen, was sie beschäftigte, doch machte sie immer wieder im letzten Moment einen Rückzieher. Daisy vermutete, daß sie selbst auch diesen Eindruck erweckte. Sie wollte unbedingt über Grace reden, doch galt ihr Interesse vorrangig Sebastians Verhältnis zu dem toten Mädchen. Aber das war nicht gerade ein Thema, über das man so leicht mit einer beschützerischen Schwester sprechen konnte.

Nach dem Tee sagte Bobbie, sie müsse noch einige Briefe schreiben. Daisy beschloß, ihrer Mutter, ihrer Schwester und Lucy zu schreiben. Die würden sich sicherlich wegen der Berichte Sorgen machten die sehr wahrscheinlich am nächsten Tag in den Zeitungen erscheinen würden. Gerade rechtzeitig, um sich zum Abendessen umzuziehen, war sie damit fertig.

Unten im Salon stand einsam und alleine Ben Goodman. »Man hat mir gesagt, daß morgen nachmittag die gerichtliche Untersuchung stattfindet«, sagte er. »Im Bürgermeisteramt.«

»Mir hat man das nicht gesagt. Also vermute ich, daß Inspector Dunnett meine Zeugenaussage nicht hören will. Aber ich werde trotzdem hingehen.«

»Ich begleite Sie gerne dorthin, Miss Dalrymple.«

»Nennen Sie mich doch Daisy! Danke jedenfalls, das Angebot nehme ich gerne an. Ich bin noch nie bei der gerichtlichen Untersuchung eines Todesfalls gewesen. Das wird bestimmt interessant. Obwohl ich wirklich sagen muß, daß ich auch gerne eine Aussage gemacht hätte.«

»Was für eine bemerkenswerte junge Dame Sie doch sind, Daisy!«

»Bezeichnen Sie mich lieber als ›junge Frau‹! Schließlich ist mir soeben von der höchsten Instanz für derartige Fragen mitgeteilt worden, daß ›Damen‹ von so etwas nicht begeistert wären.«

Ben lächelte. »Wie schön, endlich einmal jemanden zu erleben, der sich von Lady Valeria nicht einschüchtern läßt.«

»Ich muß ja auch nicht mit ihr unter einem Dach wohnen«, sagte Daisy diplomatisch.

Nachdem sie einander nun beim Vornamen nannten, überlegte sie sich, ob sie Ben wohl wegen Sebastian und Grace fragen könnte. Schließlich war er hier angestellt und kein Mitglied der Familie. Aber genau in dem Moment trat Lady Valeria ein, und die Gelegenheit war verpaßt.

Was Lady Valeria anging, war das Thema Grace Moss abgeschlossen. Sie erwähnte sie mit keiner Silbe.

Am nächsten Morgen hatte Daisy ihre Meinung geändert, was die Befragung von Ben anging. Von ihm zu verlangen, seine Loyalitätspflicht gegenüber der Familie seines Arbeitgebers zu verletzen, wäre einfach unfair. Außerdem legte seine Sorge wegen Sebastians Reaktion auf Graces Tod nahe, daß er sich in gleichem Maße wie Bobbie Sorgen um ihn machte und ihn genau wie sie beschützen wollte – und das wiederum bedeutete, daß es auch einen Grund gab, ihn zu beschützen.

Irgendwie würde sie das noch herausfinden, schwor sich Daisy, nachdem Inspector Dunnett seine Pflicht, eine Untersuchung zu führen, so feige aufgegeben hatte. Nicht, daß sie Sebastian des Mordes verdächtigte, aber ein so brutales Verbrechen durfte nicht ungestraft bleiben, und man durfte nicht einfach in aller Seelenruhe Hinweise vernachlässigen.

An diesem Morgen jedoch ließ sie selber auch die ganze Angelegenheit völlig außer acht. Ben hatte so viele Anekdoten zu erzählen, die die eher dröge Geschichte des Hauses unterhaltsam machten, daß sie Blatt um Blatt mit ihren Notizen füllte. Nach dem Mittagessen brachen sie beide auf, um zur gerichtlichen Untersuchung ins Dorf zu gehen.

Als sie an der Schmiede vorbeikamen, machten zwei mit Photoausrüstungen schwer bepackte Männer Aufnahmen von dem davorliegenden Haufen Schrottmetall. Also war die Presse schon da. Als Daisy die Menge sah, die sich um den Eingang zur Village Hall scharte, war sie sehr erleichtert, daß

Ben sie begleitete, obwohl niemand von ihr besondere Notiz nahm. Im Mittelpunkt der Aufmerksamkeit stand vielmehr ein schwerer Mann, nicht groß gewachsen, aber muskulös, der die ölbefleckte Arbeitskleidung eines Automechanikers trug. Er wedelte mit den Armen in der Luft herum und brüllte irgend etwas über adlige Blutsauger, die den Leuten nicht nur den Lebensunterhalt, sondern auch noch die eigenen Kinder raubten.

»Das ist Stan Moss«, murmelte Ben.

Der Schmied war von eifrig kritzelnden Reportern umgeben. Die Dorfbewohner standen herum, beobachteten die Szene und hörten zu. Manche schauten entsetzt drein, andere nickten zustimmend, und bei wieder anderen schienen die Gefühle gemischt zu sein. In einer Gruppe sah Daisy ihren Kutscher Ted Roper stehen.

Ben und Daisy schlichen sich an allen vorbei und traten in das scheunenartige Holzgebäude ein, an dessen rückwärtigem Ende sich eine Empore befand. Constable Rudge, der Dorfpolizist, führte Ben in die vorderste Reihe und verwies Daisy auf die öffentlichen Sitzplätze. Sie begleitete Ben trotzdem bis ganz nach vorne und setzte sich neben ihn auf einen harten Stuhl, den ganz offensichtlich jemand entworfen hatte, der nichts von der menschlichen Anatomie verstand. Bligh und Owen Morgan waren schon da und saßen am anderen Ende der Stuhlreihe. Der alte Mann sah tief betrübt aus, Owen verlassen und hilflos, sein Gesicht angespannt und unglücklich. Daisy spürte, wie eine Woge des Mitleids sie erfüllte. Sie wäre hingegangen, um sich kurz mit ihm zu unterhalten, hätte Sergeant Shaw nicht mitten in der Reihe gesessen und ihr mit seiner massigen Gestalt den Weg versperrt.

An einem Tisch auf der linken Seite der Tribüne vorne saß ein kleiner grauer Mann in einem grauen Anzug, vermutlich der Coroner. Er unterhielt sich mit Inspector Dunnett und einem rundlichen Herrn, den Daisy als Dr. Sedgwick wiedererkannte. Auf der rechten Seite füllten sich die Bänke der Geschworenen langsam mit einer Schar von ernst dreinblickenden Dorfbewohnern, Bauern und Handwerkern.

Die Menge war langsam in den düsteren, zugigen Saal hineingeströmt. Daisy blickte sich um und sah die »Herren« der Presse hineineilen und sich in die hinteren beiden Reihen quetschen, die für sie reserviert worden waren. Stan Moss kam gerade den Gang hinunter, als der Doktor und Inspector Dunnett die Tribüne verließen, und alle drei nahmen vorn Platz. Der Coroner klopfte mit seinem Hämmerchen auf den Tisch, und Stille senkte sich über den Raum.

Als erster Zeuge wurde Stan Moss gerufen. Er identifizierte die Verstorbene als seine Tochter Grace und sagte, er habe sie seit der zweiten Dezemberwoche nicht mehr gesehen. Nein, er habe sie nicht als vermißt gemeldet.

»Dachte, sie wäre abgehauen, um ihr Glück in London zu suchen«, rechtfertigte er sich. »Nie zufrieden, die jungen Dinger heutzutage, immer mäkeln sie rum. Viel Glück soll sie haben, hab ich mir gesagt. Sieh zu, daß du Land gewinnst vor diesen Leuten, die glauben, nur weil sie sich Adel schimpfen, könnten sie ...«

»Danke sehr, Mr. Moss. Das reicht«, sagte der Coroner scharf. Der Schmied setzte sich wieder, und sein ohnehin mürrisches Gesicht wirkte jetzt geradezu haßerfüllt. Daisy konnte es dem Coroner nicht verübeln, daß er die abzusehende Tirade unterbunden hatte, doch fragte sie sich, ob er wie die Polizei darum bemüht war, die Parslows aus der Sache herauszuhalten. Schließlich war es durchaus möglich, daß er auch der Rechtskonsulent der Familie war.

»Arthur Bligh.« Er nahm ein Stück Papier auf. »Ich habe hier Ihre Zeugenaussage«, sagte er, während sich der alte Mann erhob, die Schultern gebeugt, den Hut fest in die rheumatischen Hände gekrallt. »Sie sind der Hauptgärtner von Occles Hall? Haben Sie Ihrem Assistenten Owen Morgan Anweisung gegeben, im Wintergarten ein Beet aufzugraben? Und waren sie dabei, als er gegraben hat und die Verstorbene zum Vorschein kam?«

»Ja, das war ich wohl, Euer Ehren, Mr. Coroner, Sir. Aber wenn Euer Ehren gestatten, dann möchte ich doch noch sagen ...«

»Danke sehr, Mr. Bligh.« Der Coroner war freundlich, aber bestimmt. »Wenn Sie keine spezifischen und bislang noch nicht vorgebrachten Indizien haben, die Sie dem Gericht zur Kenntnis bringen möchten, oder eine Inkonsistenz in Ihrer Zeugenaussage korrigieren möchten, wäre das jetzt alles.«

Bligh zögerte, doch hatten ihn die vielen unverständlichen Fremdworte verwirrt. Er machte eine hilflose Geste und setzte sich wieder.

»Owen Morgan.«

Durch die Zuschauerreihen ging ein Raunen, als Owen aufstand. Daisy hörte, wie jemand hinter ihr murmelte: »Ausländer«, und woanders zischelte es »Scheiß-Waliser«. Als einsamer Außenseiter in dieser so eng verbundenen Gemeinde in Cheshire hatte Owen allen Grund, seine Heimat und seine Familie zu vermissen.

»Mr. Morgan, Sie hatten von Ihrem Vorgesetztem Arthur Bligh Anweisung, das Blumenbeet im Wintergarten aufzugraben?«

»Ja, Sir«, erwiderte Owen mit tonloser Stimme.

»Sie haben die Verstorbene sofort als Grace Moss erkannt?«

»Ja, Sir.«

»Ich habe gehört, daß sie mit der Verstorbenen, ähm ... bekannt waren, ehe sie verschwand?«

»Ja, Sir.« Owens Stimme war fast nicht mehr zu hören.

»Wie haben Sie sich denn ihr plötzliches Verschwinden erklärt?«

»Ich dachte, sie wäre nach London fortgelaufen, verstehen Sie doch!« preßte er sichtlich bewegt hervor. »Langweilig hat sie es hier gefunden, und die hellen Lichter der Großstadt hat sie sehen wollen. Das waren ihre eigenen ...«

»Danke sehr, Mr. Morgan.« Der Coroner war unerbittlich. Owen ließ sich in seinen Stuhl zurückfallen und bedeckte das Gesicht mit den Händen.

Irgend etwas nagte an Daisy. War es etwas, das Ted Roper gesagt hatte? Es verschwamm jedoch, als der Coroner Ben aufrief.

Mit versteinerter Miene, so unscheinbar wie eh und je, machte er seine kurze Aussage. Grace Moss war nach ihrem üblichen freien Abend am Mittwoch, dem dreizehnten Dezember, nicht wieder zurückgekehrt. Lady Valeria hatte ihm Anweisung gegeben, Grace den noch ausstehenden Lohn auszuzahlen und sie zu entlassen, sofern sie noch einmal erschiene. Er hatte sie nicht wieder gesehen, erst gestern im Wintergarten, als die Leiche identifiziert wurde. Nachdem er dafür gesorgt hatte, daß die Polizei gerufen wurde, war er bis zu deren Ankunft dort geblieben, um die Leiche zu bewachen. Ben setzte sich wieder.

Inspector Dunnetts kühl und sachlich vorgebrachter Bericht fügte dem allem nichts Neues hinzu. Daisys Name wurde nicht erwähnt – eine taktvolle Aufmerksamkeit, die sie nicht besonders erfreute. Ihre Zeugenaussage war genauso gut wie die eines Mannes, wenn nicht sogar besser.

»Dr. Sedgwick.«

Der rundliche Arzt genoß es sichtlich, besonders obskure medizinische Begriffe zu verwenden, doch hatte Daisy nicht umsonst während des Krieges in einem Krankenhausbüro gearbeitet. Die Verstorbene hatte schon mehrere Wochen dort gelegen, eine genauere Angabe war nach dieser langen Zeit unmöglich. Auf Grund des kalten Winterwetters und des Tuches, in das man sie gewickelt hatte, war die Leiche jedoch außerordentlich gut erhalten.

Wie Sergeant Shaw schon Daisy erzählt hatte, war Grace mit einem stumpfen Gegenstand von hinten erschlagen worden. Ein einfacher Sturz war eindeutig nicht die Todesursache gewesen: Es fehlten andere Verletzungen, die normalerweise mit solch einem Unfall einhergingen. Tatsächlich legten die Abrasionen und Kontusionen – Abschürfungen und Blutergüsse, so dolmetschte Daisy im stillen für sich selbst – am Gesicht, an den Knien und am ganzen Körper nahe, daß das Opfer auf den Bauch gefallen war, entweder kurz vor oder kurz nach Eintreten des Todes.

Dr. Sedgwick machte eine Pause, und der Coroner nutzte die Gelegenheit, um die Aussage für die Geschworenen in einfachen Worten zusammenzufassen.

»Habe ich das korrekt wiedergegeben, Doktor? Dann fahren Sie bitte fort.«

»Die Verstorbene«, sagte Dr. Sedgwick und machte eine

dramatische Pause, »die Verstorbene war im dritten Monat schwanger.«

Wutentbrannt sprang Stan Moss auf und fuchtelte mit seiner riesigen, zur Faust geballten Pranke in die Richtung des Arztes. Ein aufgeregtes Gebrabbel erhob sich auf der kleinen Empore und auf den Bänken der Presse. Der Coroner klopfte mehrmals mit seinem Hämmerchen auf seinen Tisch, aber die Unruhe wollte sich nicht legen. Schließlich stand er auf und ging quer über die Tribüne, um mit den Geschworenen zu sprechen.

Als das Stimmengewirr langsam wieder nachließ, kehrte er auf seinen Platz zurück und schlug dreimal knapp auf den Tisch. Ein erwartungsvolles Schweigen legte sich über den Raum.

»Meine Herren Geschworenen, haben Sie Ihr Urteil wohl überlegt?«

Der Sprecher der Geschworenen stand auf. »Das haben wir wohl, Sir. Wir gehen von einem Mord aus, durch eine oder mehrere unbekannte Personen.«

»Das Verfahren wird in zwei Wochen fortgesetzt. Die Polizei hat Gelegenheit, mit ihrer Untersuchung fortzufahren.«

Anscheinend war Daisy nicht die einzige, die vom Ausgang der Verhandlung enttäuscht war. Unterdrücktes Gemurmel war zu hören, während alles aus der Halle strömte. Inspector Dunnett und Sergeant Shaw stiegen die Stufen zu dem Podest hinauf, um sich mit dem Coroner zu unterhalten. Ben und Daisy folgten der Menge den Gang hinunter zur Tür.

Draußen standen die Leute noch herum, offenbar unwillig, an ihre alltäglichen Beschäftigungen zurückzukehren. Ein paar Pressephotographen machten nebenbei einige Aufnahmen. Als Daisy in das Tageslicht hinaustrat, löste sich eine großgewachsene, schlaksige Gestalt aus der Menge.

»Phillip! Was in aller Welt machst du denn hier?«

»Sei gegrüßt, meine Liebe. Heute morgen hab ich von dieser abscheulichen Angelegenheit in der Zeitung gelesen, und da dachte ich, ich sollte mal lieber herschnurren und nach dir sehen. Hoppsa, was geht denn hier vor?«

Daisy wandte sich um. Hinter ihr waren die beiden Polizisten plötzlich links und rechts von Owen aufgetaucht.

»Mr. Morgan«, sagte der Inspector, »ich möchte Sie bitten, mit uns zum Revier zu kommen. Wir brauchen Ihre Hilfe bei unserer Untersuchung.«

»Mörder!« Stan Moss kam mit erhobenen Fäusten heran. Während Sergeant Shaw rasch seine kräftige Gestalt zwischen die beiden schob, wurden die Photographen plötzlich aktiv.

»Dafür wirst du noch in der Hölle schmoren, du mieser Drecks-Waliser«, brüllte der Schmied.

Owen, Dunnetts Hand auf dem Arm, bewegte sich durch die sich teilende Menge wie ein Schlafwandler, verwirrt und apathisch.

»Nun denn«, sagte Phillip, »wenn sie ihren Tatverdächtigen jetzt dingfest gemacht haben, hätte ich mir ja gar keine Sorgen machen müssen.«

»Die haben ihn doch überhaupt nicht festgenommen«, protestierte Daisy.

»Läuft doch aber auf dasselbe hinaus, nicht wahr? Schau doch nur, wie diese Pressekerle hinterherwetzen. Die wissen auch genau, was hier gespielt wird.«

»Dann haben die aber den falschen Mann«, sagte Daisy aufgebracht. »Owen hat es nicht getan. Die haben ihn zum Sündenbock gemacht.«

»Hör mal, meine Liebe, du mußt einem ja nicht gleich den Kopf abreißen.«

»Stimmt«, gab Daisy zu. »Entschuldige bitte, Phillip. Ich bin nur auf diesen gräßlichen Dunnett wütend, und auch auf mich selbst. Er hat sich nicht die Bohne für das interessiert, was ich zu sagen hatte, also bin ich brav daneben stehengeblieben und hab zugelassen, daß er die Schlußfolgerung gezogen hat, die ihm am besten in den Kram paßte.«

»Warum sollte ihm denn irgend etwas besser passen – von welchem Schnüffler reden wir eigentlich gerade?«

»Inspector Dunnett«, sagte sie voller Abneigung.

»Warum sollte es ihm denn besser passen, ausgerechnet dieses Freundchen einzubuchten?«

»Weil so die Parslows mit schneeweißer Weste aus der Affäre heraus sind. Und weil er sich so bestens vor dieser Nemesis gerettet hat.«

»Nemesis?« fragte Phillip verwirrt. »Ist das nicht diese schreckliche griechische Dame, die die Leute versteinert hat?«

»Du meinst Medusa. Das wäre eher Lady Valeria.«

»Ein wahrer Drache, nicht wahr? Also, Daisy, ich glaube, du erzählst mir mal lieber, was hier eigentlich vor sich geht.«

»Gerne, Phil. Das würde mir in jedem Fall dabei helfen, die Dinge etwas auseinanderzuklamüsern.«

»Gibt es ein Café im Dorf?«

»Ich glaub nicht, daß sich Occleswich derartige Frivolitäten leistet. Ich werd mal fragen ... Ach, wo ist denn Ben? Den muß ich dir noch vorstellen.«

»Ben?«

»Der Sekretär von Sir Reginald, Ben Goodman. Er mußte eine Zeugenaussage machen, also bin ich mit ihm hergekommen.«

»Du nennst den Sekretär von Sir Reginald beim Vornamen?«

»Jetzt guck mich mal nicht so entsetzt an. Er ist durch und durch ein prima Kerl, und ich mag ihn sehr, und ich darf ihn sehr wohl Ben nennen, wenn ich dazu Lust habe. Ach, da ist er ja und redet mit dem Coroner. Du liebe Zeit, er sieht wirklich vollkommen erledigt aus. Er hat übrigens eine Kriegsverletzung.«

»Tatsächlich? Armer Kerl! Ich sollte ihn wohl in meinem alten Gefährt nach Hause fahren.«

»Würdest du das tun? Obendrein hat er nämlich ein schlimmes Bein. Ich quetsche mich dann hinten auf den Notsitz, und anschließend können wir nach Whitbury fahren und da Tee trinken.« Dieser Plan wurde dann auch in die Tat umgesetzt, wobei Ben allerdings darauf bestand, selbst auf dem Rücksitz zu sitzen. Nachdem sie ihn am Gutshaus abgesetzt hatten, hielten Phillip und Daisy noch kurz am *Cheshire Cheese*, um ein Zimmer für ihn zu buchen. »Prima. Diese ganzen Reporter machen sich alle schon wieder in Richtung Stadt auf«, sagte er, als er zu seinem Swift zurückkehrte. »Als ich vorhin gefragt habe, war kein einziges Zimmer zu bekommen, nicht für Geld und gute Worte.«

»Die sind schon wieder weg?« Daisy verzog ironisch das Gesicht. »Die halten den Fall also wirklich für abgeschlossen.«

»Ja, und es hat noch nicht einmal etwas gegeben, was den ganzen Aufwand irgendwie wert gewesen wäre. Die Schlagzeilen heute morgen lauteten etwa ›Bedienstete im Blumenbeet des Baronet begraben‹. Nach so einem Auftakt kann ›Gärtner bringt seine Liebste, ein Serviermädchen, um die Ecke‹ einfach nicht mehr mithalten.«

»Wenn die so was drucken, dann ist es eine Verleumdung. Er hat es nicht getan.«

»Woher weißt du das denn so genau, mein Mädchen?« rief Phillip über den Lärm des Autos, denn er hatte jetzt, wo sie aus dem Dorf heraus waren, Gas gegeben.

Daisy hielt ihren Hut fest. »Das sage ich dir, wenn wir angekommen sind«, brüllte sie.

6

Das kleine Whitbury hatte sogar einen richtigen Cadena-Teesalon. Bei einer Kanne Tee und köstlichen, vor Butter tropfenden Tee-Küchlein sammelte Daisy sich und faßte zum ersten Mal ihr Unbehagen in Worte.

»Also zum einen hat Owen Grace geliebt und wollte sie heiraten. Er war am Boden zerstört, weil er dachte, sie wäre weggelaufen.«

»Wie zum Teufel hast du das denn schon wieder herausbekommen?« fragte Phillip.

»Das hat er mir erzählt, als er mir den Wintergarten zeigte. Da haben wir über seine Familie gesprochen, darüber, wie einsam er sich fühlt, so weit weg von zu Hause.«

Phillip schüttelte ungläubig seinen ordentlich gekämmten, blonden Schopf. »Dieser Hilfsgärtner, ein dir völlig fremder Mensch, schüttet dir sein treues Herz aus, und das nur ein paar Minuten, nachdem er dich überhaupt kennengelernt hat?«

»Na ja, was ist denn schon dabei«, verteidigt sich Daisy. »Aber wahrscheinlich hätte Dunnett die Sache genauso skeptisch beurteilt wie du. Und außerdem wollte ich es ihm erst gar nicht erzählen – es wäre nicht fair gewesen, Owens geheimste Gefühle so breitzutreten. Aber was noch schlimmer ist: Ich hab nicht erklärt, wieso dieser vermaledeite Strauch überhaupt ausgegraben wurde. Warst du schon von Anfang an dabei?«

»Ich glaube, ich habe nur die erste Zeugenaussage verpaßt. Der Hauptgärtner hat doch deinen walisischen Freund angewiesen, den Busch auszugraben.«

»Ja, aber erst, nachdem Owen ihn überhaupt geholt hatte. Er hatte sich die Azalee genauer angeschaut und festgestellt, daß die Pflanze am Absterben ist. Mir hätte er sie genausogut als einen Spätblüher unterjubeln können, oder so was. Und dann hat er auch noch Bligh gesagt, daß er mit dem Spaten gegen irgend was anstößt. Er hätte den Busch ganz bestimmt auch ausgraben können, ohne ein Sterbenswörtchen darüber zu verlieren. Und überhaupt, welcher Gärtner wäre auch so doof, eine Leiche genau da zu begraben, wo eine Pflanze eingeht und damit alle Aufmerksamkeit genau auf die Stelle lenkt?«

»Da hast du recht«, gab Phillip zu.

»Nichts davon ist bei der gerichtlichen Untersuchung erwähnt worden. Ich frage mich auch, was der alte Bligh gerade erklären wollte, als ihn der Coroner unterbrochen hat? Das muß ich ihn unbedingt noch fragen.«

»Verflixt noch eins, Daisy, du willst dich doch nicht etwa in diese Sache einmischen!«

»Irgend jemand muß sich doch für Owen einsetzen. Und es wird niemand sonst tun, weil alle vor Lady Valeria Angst haben. Und je mehr ich darüber nachdenke, desto sicherer bin ich mir, daß Sebastian Parslow in die Sache verstrickt ist.« Energisch biß Daisy in ein Tee-Küchlein.

»Sebastian? Der göttergleiche Sohn? Meine Güte, du willst doch nicht etwa ihn des Mordes bezichtigen?«

»Im Gegensatz zu diesem abscheulichen Dunnett halte ich nicht gleich die erstbeste Schlußfolgerung für die Wahrheit. Ich hab keine Beweise, aber jede Menge Hinweise, daß es eine Verbindung zwischen Sebastian und Grace gab. Owen muß ja nicht unbedingt der Vater ihres Kindes gewesen sein.«

»Womit er aber auch wieder ein großartiges Motiv für die Tat hätte.«

»Eifersucht. Gut, da hast du natürlich recht. Aber es gibt dann auch noch andere Verdächtige. Lady Valeria und Bobbie haben Sebastian gegenüber einen geradezu furchterregenden Beschützerinstinkt. Jede der beiden ... Phillip, jetzt fällt es mir überhaupt wieder ein. Ted Roper hat mir damals nicht gesagt, Grace wäre nach London weggelaufen, er hat mir erzählt, sie wäre mit einem Handlungsreisenden durchgebrannt.«

»Wer ist denn Ted Roper? Noch ein Verehrer? Verflixt noch eins, das Mädchen muß ja eine regelrechte Athene gewesen sein.«

»Ich glaube, du meinst Aphrodite«, sagte Daisy abwesend. »Ted Roper ist aber nur der Alte, der die Bahnhofsdroschke kutschiert.«

»Vermutlich hat der dir auch seine ganze Familiengeschichte erzählt«, grummelte Phillip.

»Ja, und von der Fehde zwischen dem Schmied und Lady Valeria auch. Und er hat eben auch erwähnt, Grace wäre mit einem Handlungsreisenden durchgebrannt. Aber warum sollte er so was behaupten, wenn man sie nicht ungefähr zu der Zeit, in der sie verschwunden ist, mit einem Vertreter gesehen hätte?«

»Keine Ahnung. Soll ich noch etwas Tee bestellen? Du hast die Kanne ja schon allein geschafft.«

»Ja. Nein. Phillip, der naheliegendste Ort, an dem Grace einen Handlungsreisenden kennenlernen könnte, wäre doch das *Cheshire Cheese*, nicht wahr? Jede Menge Leute müssen sie da gesehen haben, und jezt müssen sich die Dorfbewohner doch richtig die Mäuler zerreißen, wo es diese Untersuchung gegeben hat. Wenn du den heutigen Abend in der Bar verbringst, dann könntest du alles mögliche herausbekommen.«

»Also hör mal, ich muß doch sehr bitten!«

»Und ich muß unbedingt noch vor dem Abendessen mit Mr. Bligh sprechen. Komm schon, laß uns gehen.«

Eine halbe Stunde später und nach einem langen, sinnlosen Protest hielt Phillip am Tor zum Park von Occles Hall am oberen Ende der Dorfstraße und ließ Daisy aussteigen. In der

Dämmerung ging sie den Pfad durch den Park entlang. Ihre Schritte wurden unwillkürlich rascher, als sie an der Tür zum Wintergarten vorüberkam. Sie sagte sich, es sei nur die Luft, die langsam wieder kühl wurde. Ben hatte beide Gärtner zu Bligh ins Cottage geschickt, so erinnerte sie sich. Und Sergeant Shaw war, nachdem er deren Aussage aufgenommen hatte, um die rückwärtige Mauer des Wintergartens gekommen. Als sie sich links durch eine Lücke in der Hecke aus Lorbeerbäumen gezwängt hatte, fand sich Daisy zwischen Kohl- und Blumenkohlköpfen und glasgedeckten Pflanzenkästen wieder. Es roch nach Kompost. An der gegenüberliegenden Seite des Gemüsegartens war in der immer dunkler werdenden Dämmerung ein weiß gestrichenes Gatter zu sehen. Vorsichtig und hoffnungsvoll stakste sie durch Reihen von Rosenkohlpflänzchen darauf zu.

»Miss.«

Daisy blieb vor Schreck fast das Herz stehen. Sie wirbelte herum. Der alte Bligh kam aus der Richtung eines kleinen Schuppens auf sie zu, der ihr gar nicht aufgefallen war.

»Mr. Bligh, gerade wollte ich zu Ihnen. Ich möchte mit Ihnen über Owen Morgan sprechen.«

Sie war sich bewußt, daß er sie mit sehr festem Blick unter seinem scheußlichen Hut hervor betrachtete. Dann sagte er: »In Ordnung, Miss. Ich bin sowieso gerade auf dem Weg nach Hause, zu meinem Tee. Kommen Sie doch einfach mit, wenn Sie mögen.«

Sie folgte ihm durch das Gatter, das in eine Weißdornhecke eingepaßt war. Vor ihr lag ein niedriges Cottage, aus dessen Schornstein sich ein dünner Rauchfaden in den immer dunkler werdenden blauen Himmel erhob. Das Licht reichte gerade noch, um zu erkennen, daß der winzige Vorgarten über und über mit Rosensträuchern bedeckt war, die schon kleine rote Knospen trugen. Im Sommer waren die Wände des Cottage bestimmt ein einziges Paradies aus Kletterrosen.

Der Gärtner ging mit ihr zur anderen Seite des Häuschens. Im hinteren Garten gab es eine Wasserpumpe und ein Gehege, in dem ein halbes Dutzend Hühner im Boden kratzte und gelangweilt auf dem Boden herumpickte. Eine rötlichgelbe Katze sprang von einem Fenstersims herab und strich miauend um Blighs Beine. Er öffnete die Hintertür, bat Daisy einzutreten und zündete eine Öllampe an. In einem einzigen Zimmer, das von einem schwarzen, gußeisernen Ofen beherrscht wurde, waren Küche, Eßzimmer und Wohnzimmer vereint. Alles war blitzblank sauber, vom Schieferfußboden mit seinen Binsenmatten bis hoch an die weiß getünchte Decke.

»Setzen Sie sich doch, Miss. Ich will nur noch schnell meine Hühner füttern, ehe ich mir die Stiefel ausziehe, wenn Sie nichts dagegen haben.«

»Aber gar nicht, Mr. Bligh. Ich will Sie unter keinen Umständen von irgend etwas abhalten. Wie wäre es, wenn ich Ihnen einen Tee koche?«

»Das wäre sehr freundlich, Miss. Im Kessel da drüben ist Wasser.«

Daisy nahm die Abdeckung von der heißen Seite des Ofens und setzte den Wasserkessel auf. Eine braune Teekanne aus Ton stand zum Anwärmen auf dem hinteren Teil des Herdes. In der Speisekammer fand sie eine Dose mit Tee. Der Anblick eines großen Stückes Pie mit Schweinefleisch erinnerte sie daran, daß diese Mahlzeit für die Landbevölkerung die Hauptmahlzeit des Tages war. Sie nahm daher einen Teller vom wunderschönen Küchenschrank und deckte den Tisch für eine Person. Dann stellte sie die Fleischpastete, eingelegte Zwiebeln und rote Beete, Brot und Butter und Käse hinaus. In der Speisekammer stand noch eine Schüssel mit Suppe, und sie schöpfte daraus eine Portion in einen Topf, den sie dann neben dem Kessel auf den Herd stellte.

Bligh trat ein, die Katze auf den Fersen. Er hielt an der Schwelle inne und starrte ungläubig hinein.

»Ich hoffe, ich habe die richtigen Sachen hingestellt«, sagte Daisy. »Sie müssen doch hungrig sein.«

»Ich dank Ihnen auch schön, Missy, aber wollen Sie nicht auch etwas essen?«

»Ich fürchte, ich hab mich gerade an Teegebäck überfressen, und man erwartet mich ja später zum Abendessen im Haus. Aber eine Tasse Tee nehme ich gerne.«

Sie goß den Tee auf und servierte ihm schon Suppe, während er seine schlammverkrusteten Stiefel auszog und sie ordentlich auf eine alte Zeitung neben der Tür stellte. Ehe er sich auf seinen binsenbespannten Stuhl an den Tisch setzte, bekam die Katze noch ein Schälchen Milch.

»Wie sauber und ordentlich Sie Ihr Haus halten«, sagte Daisy und dachte an so manch andere Junggesellenbude, die sie kannte.

»Meine Tochter kommt einmal die Woche vom Dorf hoch, um nach mir zu schauen, und Owen und ich machen auch nicht mehr Unordnung als meine alte Tibby.« Er wies auf die Milch schleckende Katze.

»Owen?«

»Er wohnt bei mir. Wußten Sie das nicht? Die anderen Jungs haben alle ihr Zuhause im Dorf. Aber Owen wohnt eben hier. Ein guter Junge, richtig anständig erzogen. Protestant ist er, aber deswegen ist er noch lange kein schlechterer Mensch.« Blighs Ton wurde geradezu kampflustig, als er fortfuhr: »Das Baby war jedenfalls nicht von ihm. Dafür leg ich meine Hand ins Feuer, und er ist auch nicht der Mörder von diesem armen Ding. Sein Augapfel, das war sie. Da mochte kommen, was wollte, Owen hat noch nicht mal Maulwurffallen aufstellen wollen, und wenn der Rasen ausgesehen hat wie ein umgepflügtes Feld.«

»Ich glaube auch nicht, daß er Grace umgebracht hat. Genau darüber wollte ich mit Ihnen sprechen. Über das Kind kann ich nichts sagen, aber wenn es nicht seins war, wer war dann der Vater?«

Sie mußte eine Weile warten, während er seine Suppe löffelte und seine Antwort wohl bedachte. »Ich kann's nicht sicher sagen, Miss, und es steht mir auch nicht zu, irgendwelche Namen zu nennen.«

»Aber Sie haben einen starken Verdacht?«

»Ja, das hab ich wohl.« Die hellen, klugen Augen des alten Mannes betrachteten sie forschend. Dann nickte er langsam – anscheinend hatte er beschlossen, ihr zu vertrauen. »Das war wohl im letzten Sommer, Missy. So zwei-, dreimal, vielleicht auch viermal hab ich Grace mit dem jungen Herrn gesehen, wie sie mit ihm in den Gärten herumspaziert ist, wo ein Serviermädchen nun weiß Gott nichts zu suchen hat. Owen hat sie auch gesehen, und er hat sich gewaltige Sorgen gemacht, das muß ich wohl schon zugeben. Aber ihm hat er die Schuld gegeben, daß er mit seinem schönen Gesicht und den lügnerischen Versprechungen einem jungen Mädchen den Kopf verdreht.«

»Versprechungen?«

»Ich kann da nichts beschwören, ganz bestimmt nicht. Owen hat nur erzählt, Grace hätte davon geredet, eines Tages eine Lady zu sein.«

»Mr. Parslow hat versprochen, sie zu heiraten?« fragte Daisy und war plötzlich zutiefst deprimiert.

»Ich weiß doch nichts, Miss, ich weiß doch nichts. Jedenfalls dachte Owen, daß sie irgendwann bestimmt wieder Vernunft annimmt und den heiratet, der sie lieb hat, am Ende. Jeden einzelnen Penny hat er darauf gespart.«

»Hat er gewußt, daß sie schwanger war?«

Blighs gebeugte Schultern hoben sich in machtloser Unsicherheit. »Irgendwas war da, glaube ich. In den letzten Tagen bevor sie verschwunden ist, da war er ruhiger als sonst, und er ist ja selbst zu seinen besten Zeiten kein großer Redner. Aber ich weiß noch genau, wie er gesagt hat, daß es nicht anständig wär, ein Mädel auf ewig zu verdammen, nur weil es einmal einen Fehler gemacht hat.«

»Ich verstehe. Obwohl, das könnte auch nur bedeuten, daß er Gewißheit hatte, daß sie ... sich den Avancen von Mr. Parslow hingegeben hat. Warum in aller Welt hat er sich eigentlich in sie verliebt?«

»Sie war freundlich zu ihm, Miss, wo die anderen ihn ausgelacht haben, wegen seinem Akzent und so.«

Wie einsam er doch gewesen sein mußte! Gedankenverloren biß Daisy auf ihrer Unterlippe herum. »Der Ärger ist nur, daß wir nichts Präzises haben, was wir Inspector Dunnett erzählen können. Das alles wird er wieder als Klatsch aus der Gerüchteküche abtun.«

»So ist es, Miss«, sagte Bligh traurig.

»Vielleicht kann ich doch etwas Zweifel bei ihm säen. Ich muß ihm jedenfalls klarmachen, daß die Leiche nur deswegen gefunden wurde, weil Owen meine Aufmerksamkeit auf die abgestorbene Azalee gelenkt hat.«

»Das war es doch, was ich diesem Coroner hab sagen wollen. Der tat doch so, als wäre es meine Idee gewesen, da zu graben.«

»Genau den Eindruck hatte ich auch. Jedenfalls werde ich tun, was ich kann. Vielen Dank für Ihre Hilfe, Mr. Bligh, und natürlich für den Tee.« Sie stand auf.

»Hier, Sie werden eine Laterne brauchen, damit sie auf dem Weg Licht haben.« Er nahm eine Sturmlampe vom Haken an der Tür, zündete sie an und richtete die Flamme. »Sie sagen es mir doch, wenn ich irgend etwas für den Jungen tun kann, Missy?«

»Mach ich, versprochen.«

Mit der Lampe in der Hand ging Daisy rasch auf das große Haus zu. In der Abendluft kündigte sich Frost an, und das wahrscheinlich noch vor dem Morgen, aber ihr Schaudern rührte nicht nur von der Kälte her. Sie fürchtete Lady Valeria, ihre Fähigkeit, jede genauere Betrachtung der Verwicklung ihrer Familie mit Grace abzuschmettern. Ihrer Ladyschaft wäre es egal, wenn ein einfacher Gärtner fälschlicherweise verurteilt würde, solange nur ihr liebster Sebastian verschont bliebe. Vielleicht hatte er ja wirklich nichts mit dem Mord zu tun, aber der gräßliche Dunnett wollte ja noch nicht einmal den Versuch unternehmen, das genau herauszufinden.

Die Dorfbewohner hatten für Owen, den »Ausländer«, auch nichts übrig. Jeder, der irgend etwas wußte, würde schön den Mund halten, ehe er einen Streit mit Lady Valeria riskierte.

Aber über den Handlungsreisenden würde man sich doch im Pub bestimmt unterhalten, wenn schon nicht über Sebastian. Möglicherweise würde sich herausstellen, daß diesem Handlungsreisenden wesentliche Bedeutung zukam, sofern Ted Roper ihn nicht erfunden hatte. Hatte Phillip ihre Bitte auch ernst genommen, sich heute abend in der Bar etwas umzuhören?

Die Versuchung war groß, nach dem Abendessen selbst zum *Cheshire Cheese* hinunterzugehen. Der Ärger war nur, daß trotz der neuen modernen Zeit eine Frau immer noch

scheel angesehen wurde, wenn sie alleine in einen Pub hinein-
marschierte. Außerdem wußte seit der gerichtlichen Untersuchung jeder von ihrer Verbindung mit Occles Hall, und
ihre Gegenwart würde alle nur noch vorsichtiger machen.
Nein, das war wahrhaftig keine Lösung.

Sie ging hinauf in ihr Zimmer und schrieb eine halbe Stunde
lang ihre Kurzschriftnotizen vom Vormittag ab, ehe sie sich
zum Abendessen umzog.

Als sie die Schreibmaschine wieder zudeckte und dabei
war, ihre Papiere zu ordnen, trat Bobbie ein. »Owen Morgan
ist festgenommen worden«, sagte sie einsilbig.

»Nein, er ist nur zur Befragung abgeführt worden.«

»Festgenommen und angeklagt. Der Inspector hat gerade
angerufen.« Sie ging hinüber zur Kommode und spielte mit
Daisys Bürste und Kamm. »Also haben die Beweise, daß er es
war, oder?«

»Ich kann das gar nicht fassen!« Daisy stand kurz davor,
geradeheraus zu fragen, was eigentlich zwischen Sebastian und
Grace vorgefallen war. Doch genau in dem Moment unterbrach Bobbie sie, und es war offensichtlich, daß sie das Thema
wechseln wollte.

»Ben sagt, ein Freund von dir hat sich in Occleswich ein-
quartiert?«

»Ja, Phillip Petrie.« Plötzlich spürte sie, wie unhöflich sie
gewesen war. »Du liebe Zeit, ich fürchte, ich hab heute nachmittag so getan, als wäre Occles Hall ein Hotel. Wie ungezogen, vor allen Dingen, weil deine Mutter es doch gar nicht ab-
warten kann, mich bald zu verabschieden.«

»Ist schon in Ordnung, Mummy hat das nicht mitbekommen. Es war doch klar, daß dich die gerichtliche Untersuchung von deiner Arbeit abhalten würde. Sie wird also nicht
erwarten, daß du morgen früh abreist. Und Daddy ist ja auch
noch erpicht darauf, dir die Molkerei zu zeigen. Ist Mr. Petrie
eigentlich ein besonderer Freund?«

Bis Daisy erklärt hatte, daß Phillip ein Freund aus Kinderzeiten sei und keineswegs ein »besonderer«, mußte sie sich
schon beeilen, um sich umzuziehen. Wieder hatte sie die
Chance verpaßt, Bobbie zu befragen.

Das Abendessen war wie üblich eine ungemütliche Angelegenheit. Lady Valeria hielt Vorträge darüber, wie wenig wünschenswert es doch sei, Dienstboten von auswärts einzustellen, und Daisy konnte sich nur mit Mühe zurückhalten. Sie wollte keinen Streit mit ihrer Gastgeberin anfangen, denn das hätte nur bedeutet, daß sie Occles Hall stante pede verlassen müßte.

Nach dem Abendessen ging sie in das Telephonkabuff und läutete bei Phillip an. »Hast du irgend etwas Brauchbares erfahren?« fragte sie voller Eifer.

»Verflixt, altes Haus, ich hab doch gerade erst aufgegessen. Unglaublich guten Käse macht dein Sir Reginald, wirklich.«

»Zum Teufel mit Sir Reginalds Käse!«

»Na, in Ordnung, ich hab tatsächlich vor dem Abendessen das eine oder andere Wort über deinen ...«

»Nicht am Telephon.« Daisy erinnerte sich, wie rasch die Presse erschienen war, kaum hatte sie die Polizei in Chester angerufen, und traute dem örtlichen Telephonamt nicht mehr. Dunnett konnte man unmöglich einfach anrufen, um ihm neue Informationen mitzuteilen. »Könntest du mich wohl morgen früh nach Chester fahren? Ich muß unbedingt ... ähm ... ein neues Farbband für meine Schreibmaschine besorgen.«

»Du und deine Schreiberei!« Phillip klang völlig verwirrt durch diesen sehr abrupten Themenwechsel. »Klar nehm ich dich mit.«

»Danke dir, mein Herz. Und heute abend hörst du dich auch schön weiter um?«

Widerwillig stimmte er dem zu, und Daisy kehrte zum Mokka in den Salon zurück. Lady Valeria fragte sie, wie sie denn mit ihrer Arbeit vorankäme.

»Ganz ordentlich«, log Daisy mit schlechtem Gewissen, und fuhr fort: »Leider hab ich gerade festgestellt, daß ich ein neues Farbband für meine Schreibmaschine brauche. Ein Freund von mir ist aber zufällig in der Gegend und hat angeboten, mich morgen früh nach Chester zu fahren, damit ich mir dort eines kaufe.«

Lady Valeria, mißtrauisch angesichts dieses so merkwürdig

gelegen kommenden Freundes, befragte Daisy mit einem Eifer, der eher Inspector Dunnett angestanden hätte. Ihr Mißtrauen schwand jedoch, als Daisy erklärte, daß Phillip keineswegs ein Journalist, sondern vielmehr einer der jüngeren Söhne des Baron Petrie auf Malvern war. »Sie können Mr. Petrie gerne morgen zum Abendessen zu uns einladen«, sagte sie herablassend. »Ich kenne seine Mutter.«

Phillip stöhnte auf, als Daisy ihm am nächsten Morgen diese Einladung weitergab. »Ich vermute, da kann ich unmöglich absagen. Sonst hält mich meine Mutter noch für einen Verräter.« Der Swift schnurrte die Auffahrt hinunter.

»Erzähl es ihr doch einfach nicht. Im übrigen besteht keine Notwendigkeit, so zu fahren, als wären die Erinnyen hinter dir her. Ich würde gerne noch lebend in Chester ankommen. Also, was hast du gestern abend alles in Erfahrung gebracht?«

»Ich wünschte wirklich, du würdest diesen verflixten Kram einfach lassen.« Er verlangsamte die Fahrt, als er aufs Tor zufuhr, bog in den kleinen Weg ein und gab dann wieder Gas.

»Wieso bringst du mich denn dann nach Chester?«

»Damit du ein Schreibma- ... damit du die Polizei aufsuchen kannst.« Phillip stöhnte schon wieder auf. »Zum Henker, das ist aber nicht nett, mich so hinters Licht zu führen.«

Nachdem sie ihn besänftigt hatte, konnte Daisy ihm endlich die in der Bar gesammelten Erkenntnisse entlocken. Grace hatte auf jeden Fall eine längere Unterhaltung mit einem Handlungsreisenden geführt. Er hatte sie entweder auf einen Shandy oder einen Portwein mit Zitrone eingeladen – dieses Thema war offenbar unter den Gästen des *Cheshire Cheese* Anlaß von erheblichen Kontroversen gewesen. Da er keiner der bekannten Lieferanten des Village Store war, hatte man ihn für einen Londoner gehalten.

»Und das war's«, sagte Phillip. »Der Teufel soll mich holen, wenn es mit mir noch soweit kommt, daß ich neugierige Fragen stelle, und wenn ich dir damit noch so sehr einen Gefallen tue.«

»Das reicht mir auch schon«, rief Daisy aus. »Tausend Dank, Phil. Selbst Dunnett wird sich da noch einmal hinsetzen und das berücksichtigen müssen.«

»Ich verstehe gar nicht, wieso du ihn nicht von Anfang an um den kleinen Finger gewickelt hast«, grunzte er.

»Das hätte ich vielleicht gekonnt, wenn er nicht so fürchterliche Angst vor Lady Valeria hätte.«

»A propos: Ihretwegen hat mich gestern abend einer in der Bar angesprochen. Einer von diesen langhaarigen Dichtertypen. Aber es stellte sich heraus, daß ich seinen Bruder in London geschäftlich kenne. Ganz schön gerissener Vogel, nicht wie dieser Junge hier. Der wirkte eher beunruhigt, als ich ihm Lady Valerias Charaktereigenschaften näher erläutert habe.«

»Wie merkwürdig. Würdest du mich wohl begleiten, wenn ich zum Inspector gehe? Dir wird er vielleicht mehr Aufmerksamkeit gönnen als mir.«

»In Ordnung«, stimmte Phillip wenig begeistert zu.

In Chester gab Daisy bei einem Photographen ihren Film zur Entwicklung ab.

»Da sind die Bilder drauf, die Ben im Wintergarten gemacht hat«, erklärte sie. »Ich will sehen, wie sie geworden sind, bevor ich versuche, Inspector Dunnett dafür zu interessieren. Den Rest entwickle ich dann bei Lucy in der Dunkelkammer, wenn ich wieder zu Hause bin.«

Sie gingen zum Polizeirevier. Der Beamte am Empfang verwies sie an Sergeant Shaw, der sie hinauf- und einen Korridor entlangführte. »Stimmt es, daß Owen Morgan festgenommen worden ist?« wollte Daisy wissen.

»Ganz genau, Miss. Sie haben also etwas Neues erfahren, stimmt's? Ich kann nicht sagen, daß das den Inspector besonders freuen wird. Man sieht es ihm nicht an, daß er ein impulsiver Mensch ist, aber gelegentlich prescht er schon ziemlich vor. Wir nennen ihn Inspector Dampf-in-allen-Gassen, weil er immer alles schon gemacht hat, ehe man überhaupt darüber nachdenken konnte.«

Phillip lachte. Daisy hingegen war nicht amüsiert. »Sehr passend. Diesmal hat er nur leider völlig daneben gehauen«, sagte sie.

»Sie sagen ihm doch nicht, daß ich Ihnen das mit dem Spitznamen erzählt habe, Miss?«

»Selbstverständlich nicht.« Sie lächelte ihn an. »Aber ich danke Ihnen, daß Sie mich gewarnt haben.«

Sergeant Shaw wurde ganz vertraulich: »Es heißt, der Superintendent sei stocksauer, und der Chief Constable ist auch nicht übermäßig glücklich. Ich meine, es sieht nicht besonders gut aus, wenn man durch die Lande zieht und einfach Leute festnimmt, ohne daß es genügend Beweise gäbe, und ein Motiv ist noch lange kein Beweis. Der Ärger ist nur, keiner von beiden hat Lust auf Streit mit Ihrer Ladyschaft, und das kann man ihnen auch nicht verübeln, nicht wahr? So, da wären wir schon.«

Er öffnete Daisy und Phillip die Tür zu einem kleinen Büro und verschwand. Hinter einem unordentlichen Schreibtisch erhob sich Inspector Dunnett, während er noch den Telephonhörer auflegte. Heute trug er Zivilkleidung, einen schwarzen Traueranzug mit dunkelblauer Krawatte. Daisy vermutete, daß er bei seinem Einsatz auf Occles Hall nur deswegen Uniform getragen hatte, weil sie ihm eine gewisse Autorität verlieh. Und die brauchte er wohl, wenn es um einen Besuch beim grundbesitzenden Adel ging.

»Sie möchten wohl Ihre Aussage ändern, Miss Dalrymple«, knurrte er.

»Ich möchte vielmehr etwas hinzufügen, Inspector.« Daisy versuchte, ihr Anliegen möglichst taktvoll vorzubringen. »Möglicherweise stand ich einfach unter Schock und habe Sie deswegen durch eine Auslassung in die Irre geführt. Außerdem habe ich seither das eine oder andere herausgefunden.«

Kurz huschte Entsetzen über sein Pferdegesicht, dann runzelte er die Stirn und zischte: »Immer schön der Reihe nach.« Mit einer knappen Geste lud er sie ein, sich zu setzen. »Was haben Sie meinem Sergeant also noch nicht berichtet?«

»Als erstes hat mir Owen erzählt, und zwar schon lange, bevor wir an dem abgestorbenen Busch angekommen waren, daß das Mädchen, das er heiraten wollte, weggelaufen wäre. Er war deswegen völlig verzweifelt.«

»Der hat doch nur seine Geschichte vorbereitet, ehe Sie selbst nach dem Busch fragen.«

Daisy ballte im Schoß die Hände zu Fäusten und bemühte

sich, sachlich weiterzusprechen. »Aber er hätte mir doch genausogut erzählen können, daß der Strauch noch blühen würde, nur eben später im Jahr. Er hat mich doch selbst darauf hingewiesen, daß er abgestorben ist, und er hat auch darauf bestanden, Mr. Bligh zu rufen. Und wenn er nicht gesagt hätte, daß er mit dem Spaten an etwas anstößt, dann wäre die Leiche gar nicht ausgegraben worden.«

»Ich fürchte, Miss, Sie verstehen die Gedankenwelt eines Mörders nicht«, sagte Dunnett mit einem kalten, höhnischen Grinsen. »Nicht selten fühlen die sich einfach unwiderstehlich angezogen und müssen an den Ort des Verbrechens zurückkehren und sich da noch einmal umtun. Und im übrigen wäre Morgan ja nur froh über jeden Zeugen, der ihm genau die Ausrede gibt, die Sie hier gerade vorgestellt haben.«

»Aber er war fürchterlich durcheinander, als er sie gefunden hat!«

»Es kann einem fürchterlich leid tun, daß jemand weg ist, auch wenn man ihn gerade um die Ecke gebracht hat.«

Daisy schauderte. Phillip lehnte sich wütend vor. »Hören Sie mir mal gut zu, verehrter Freund«, sagte er, »Miss Dalrymple ist hierhergekommen, um der Polizei zu helfen. Das mindeste, was Sie tun können, ist, sie höflich zu behandeln und ihre Aussage aufzunehmen.«

»Ja, Sir.« Der Inspector richtete sich stocksteif auf. »Ich lasse eine neue Zeugenaussage schreiben, und Miss Dalrymple kann sie dann unterschreiben. Wenn Sie so freundlich wären, in ungefähr einer Stunde wiederzukommen.« Er stand langsam auf.

»Aber ich bin doch noch gar nicht fertig!« Daisy wollte sich nicht noch einmal so abwimmeln lassen. »Ich bin mir ziemlich sicher, daß Grace Moss eine Affäre mit Sebastian Parslow hatte und daß das Baby seines war und nicht das von Owen Morgan.«

Dunnett wurde blaß. Sarkastisch hakte er nach: »›Ziemlich sicher‹, Miss?«

»Sie werden wohl kaum von mir erwarten, daß ich dafür Beweise liefere. Das müssen Sie schon selber untersuchen.«

»Ich wäre Ihnen dankbar, wenn Sie nicht versuchen würden, der Polizei vorzuschreiben, wie sie ihre Arbeit tun soll,

Miss. Das sind doch alles nur Gerüchte und keine zulässigen Beweise. Allerdings hat Morgan das, was Sie mir da erzählen, vielleicht geglaubt, womit er schon wieder ein ausgezeichnetes Motiv hätte: Eifersucht. Wenn das jetzt alles ist ...«

»Ist es aber nicht.« Sie spie die Worte förmlich hinaus. »Eine Menge Leute hat gesehen, wie Grace sich im Dorfgasthaus mit einem Fremden unterhalten hat, einem Handlungsreisenden, und zwar genau an dem Tag, an dem sie verschwunden ist. Alle dachten, mit dem wäre sie durchgebrannt. Dafür werden Sie eine Menge Zeugen finden, wenn Sie sich einmal die Mühe machen würden, Leute zu befragen.«

»Ich habe selbst gehört, wie sie sich darüber unterhalten haben«, bestätigte Phillip loyal. »Das können Sie doch nicht einfach ignorieren.«

»Selbstverständlich werden wir nach diesem Mann fahnden, Sir«, sagte Dunnett, der sich vor Ärger noch steifer aufgerichtet hatte, »wenn er denn tatsächlich existiert. Bisher hat ihn noch niemand erwähnt. Aber ich werde den Constable von Occleswich auf die Sache ansetzen.« Er streckte die Hand nach seinem Telephon aus und hielt dann inne. »Oder haben Sie noch weitere überraschende Offenbarungen, Miss?«

»Noch nicht, Inspector.« Daisy blickte ihn wütend an, während sie aufstand. »Aber Sie können sich über eines gewiß sein: ich werde nicht zulassen, daß irgend etwas von dem, was ich herausfinde, unter den Teppich gekehrt wird!«

In wütendem Schweigen marschierte sie den Korridor entlang und die Treppe hinunter, um dann mit Grandezza aus dem Polizeirevier hinauszufegen, auf den Fersen gefolgt von Phillip. Auf dem Bürgersteig blieb sie stehen und drehte sich zu ihm um.

»Ich brauche ein Telephon«, tat sie kund. »Jetzt rufe ich Alec an. Detective Chief Inspector Fletcher von Scotland Yard wird vor Lady Valeria Parslow bestimmt keinen Kotau machen!«

7

Aus dem Fenster von Alec Fletchers Büro am New Scotland Yard hatte man einen wunderbaren Blick auf die Themse. Er hatte nur selten Zeit, sich an dieser Aussicht zu erfreuen, doch heute gönnte er sich eine halbe Minute Ruhe, um den Fluß und die Boote darauf anzuschauen. Immerhin hatte er zum Mittagessen nur rasch ein Kantinen-Sandwich vertilgt. In den vorangangenen beiden Tagen hatte er zwei wichtige Fälle gelöst: nach wochenlanger Arbeit war endlich eine Gruppe von Räubern hinter Schloß und Riegel, die in den Lagerhäusern der Docks ihr Unwesen getrieben hatte, außerdem war ein widerlicher Mordversuch endlich aufgeklärt.

Natürlich war der Papierstapel auf seinem Schreibtisch in der Zwischenzeit immer weiter gewachsen, wie auch der auf Sergeant Trings Tisch, der im rechten Winkel zu seinem eigenen stand. Tom Tring, der in seinem blau und grün karierten Anzug gigantisch breit wirkte, betrachtete die ordentlich geschichteten Haufen Papier mit tiefem Abscheu. Seufzend wandte Alec sich wieder seinem überquellenden Eingangskorb zu. Er war sich bewußt, daß solcher Papierkram auch wichtig war, aber das hieß noch lange nicht, daß der ihm auch gefallen mußte.

Das Telephon auf Toms Schreibtisch klingelte, und der Sergeant hob ab. Während er lauschte, hoben sich die Augenbrauen auf der glänzenden Halbkugel seines Glatzkopfes hoch empor.

»Stellen Sie sie durch«, sagte er. »Hallo? Ja, Miss, Tom Tring hier. Was kann ich für Sie tun?«

Wieder lauschte er. Seine kleinen braunen Augen zwinkerten, und sein üppiger grauer Walroßschnurrbart zitterte.

Was in aller Welt amüsierte ihn bloß so? Die blechern ferne, weibliche Stimme klang in Alecs Ohren irgendwie vertraut, aber er konnte nicht verstehen, was sie sagte. Er seufzte wieder, setzte sein Kürzel auf das Blatt Papier vor ihm und nahm dann das nächste vom Stapel.

»Ja, Miss«, sagte Tom mit ernster Stimme. »Ich glaube wirklich, damit können Sie ihn ›belästigen‹. Eine Sekunde, ich stelle

Sie durch«, fügte er grinsend hinzu. Er legte seine fleischige Hand über die Sprechmuschel: »Miss Dalrymple, Chief. Hat wohl ein bißchen Arbeit für uns.«

Alec stöhnte auf. Das hatte er doch gleich geahnt, daß Daisy keinen Mord vor der Nase haben könnte, ohne sich einzumischen. Aber heute morgen hatte er doch gehört, daß der Mörder von Occles Hall verhaftet worden war. Was war denn jetzt schon wieder los?

Während er den Hörer aufhob, bemerkte er, wie Tom auf seinem Telephon einen Hausanschluß anwählte und gleich losredete. Dann hörte er Daisys Stimme an seinem Ohr.

»Alec? Hallo, Alec, sind Sie da?«

»Ja, Miss Dalrymple, Detective Chief Inspector Fletcher am Apparat.«

»Alec, jetzt kommen Sie mir nicht mit Miss Dalrymple. Ach so, Sergeant Tring ist gerade bei Ihnen im Büro? Das dürfte ihm doch ziemlich egal sein. Aber lassen wir das. Mein Vorrat an Sixpence-Stücken ist nicht so groß. Alec, Sie müssen unbedingt etwas tun. Die haben den falschen Mann verhaftet.«

»Im Fall von Occles Hall? Jetzt mal immer hübsch der Reihe nach. Mit der Angelegenheit befaßt sich die Polizei von Cheshire. Sie wissen ganz genau, daß ich mich nicht einmischen kann, wenn ich nicht vom dortigen Chief Constable angefordert werde.«

»Das weiß ich doch alles. Bitte behandeln Sie mich nicht, als würde ich Sie einfach aus einer Laune heraus aufscheuchen. Ich wollte Sie schon vor einer Stunde anrufen, aber Phillip hat mich gezwungen, zu warten und es mir noch einmal zu überlegen, bis wir zu Mittag gegessen haben.«

»Phillip?«

»Phillip Petrie. Er hat in den Zeitungen vom Mord auf Occles Hall gelesen und ist hergekommen, weil er dachte, daß ich vielleicht seinen Schutz bräuchte.«

»Tapfer, der Mann«, sagte Alec. Eigentlich war er der Meinung, daß man Daisy eher vor sich selbst beschützten müßte als vor irgendeiner dritten Person.

»Na ja, Sie wissen ja selbst, was für ein reizender Kerl er ist. Er hat wohl noch nicht begriffen, daß ich durchaus auf mich selber aufpassen kann. Aber er teilt meine Meinung, daß Inspector Dunnett die Sache nicht ordentlich untersucht.«

»Tatsächlich, findet er das auch?« Man mußte allerdings schon ein starker Mann sein, um sich gegen Daisys überzeugende Art wehren zu können.

»Ja, das tut er. Und Dunnetts Sergeant hat uns erzählt, daß weder der Superintendent noch der Chief Constable diese Festnahme gutheißen«, sagte sie triumphierend.

»Ich kann mich da trotzdem nicht einmischen.«

»Und ich habe Dunnett überzeugt, daß er einen Handlungsreisenden suchen muß, der wahrscheinlich in London wohnt. Also müssen die ohnehin Ihre Hilfe anfordern.«

Mit einigem Mitgefühl für Inspector Dunnett sagte Alec: »Das klingt doch so, als würden die da oben in Cheshire alles tun, was nur geht.«

»O nein, mitnichten. Die Fragen, auf die es ankommt, stellen die nie, weil sie nämlich alle fürchterliche Angst vor Lady Valeria Parslow haben. Deswegen möchte ich ja, daß Sie herkommen. Sie lassen sich von der bestimmt nicht in Angst und Schrecken versetzen.«

»Verstehe.« Obwohl er durchaus spürte, daß er auf dem besten Weg war, Opfer von Daisys listigen Überredungskünsten zu werden drohte, freute sich Alec doch über ihr Vertrauen in seine Fähigkeit, den oberen Zehntausend unbeeindruckt gegenüberzustehen. Außerdem hatte sie damals tatsächlich die überaus überraschenden Hintergründe des Falles von Wentwater Court aufgeklärt.

»Alec, ein unschuldiger Mann sitzt im Gefängnis! Ach, so ein Ärger, jetzt hab ich gleich kein Kleingeld mehr.«

»Schon gut, Daisy, Sie haben gewonnen. Ich kann Ihnen nichts versprechen, aber ich sehe mal zu, was ich machen kann.«

»Sie sind ein Engel! Bis bald, Chief«, sagte sie und legte auf.

Er legte den Hörer auf die Gabel, und bei Toms fragendem Blick spürte er sein Gesicht heiß und rot werden. »Von Ihnen will ich jetzt nichts hören«, warnte er ihn.

»Die ist schwer in Ordnung«, sagte der Sergeant beruhigend und fügte dann bauernschlau hinzu: »Und überreden kann sie die Leute – man würde sich von ihr das letzte Hemd abschwatzen lassen. Nach der Sache auf Wentwater haben Sie sich wohl noch ein paarmal mit ihr getroffen, was, Chief?«

Alec versuchte, nonchalant zu wirken. »Ein- oder zweimal, nur um sicher zu sein, daß es ihr auch gutgeht. Das war eine unangenehme Angelegenheit, und hochwohlgeborene junge Damen sind so etwas nicht gewohnt.«

»Hochwohlgeboren, so was!« spottete Tom. »Diesmal steckt sie in einer viel scheußlicheren Angelegenheit. Ein schwangeres Serviermädchen wird von ihrem Freund um die Ecke gebracht, nur glaubt unsere Miss Dalrymple nicht, daß es der Freund war, stimmt's? Also läuft derjenige, der es getan hat, immer noch frei da draußen herum, und sie steckt mitten in der Sache drin. Chief, mir scheint, sie braucht da oben jemanden, der auf sie aufpaßt.«

»Ich kann doch nicht einfach so in Chester aufmarschieren«, sagte Alec irritiert und fragte sich im stillen, ob er etwa auf diesen Esel Petrie eifersüchtig war.

»Das kriegen wir doch hin. Ich hab gerade in der Telephonzentrale angerufen, und eben ist eine Anfrage aus Cheshire eingegangen, einen Handlungsreisenden mit dem Namen George Brown ausfindig zu machen. Kaum zu glauben, aber wahr! Und Sie sind derzeit doch der Lieblingsschüler vom Superintendent.«

»Schon gut, schon gut, ich hab ihr ja auch versprochen, es zu versuchen. Aber vorher muß ich hoch zum Assistant Commissioner, denn der Chief Constable von Cheshire muß erst um Erlaubnis gebeten werden, wenn wir in seinen Beritt eindringen wollen. Du liebes bißchen, worauf hab ich mich da schon wieder eingelassen?« Er stöhnte auf, streckte dann aber doch die Hand nach dem Telephon aus. »Immerhin behauptet Daisy – Miss Dalrymple –, daß der Chief Constable die Verhaftung nicht gutgeheißen hat.«

Der Assistant Commissioner for Crime der Londoner Metropolitan Police war einer der wenigen Menschen, die die ganze Geschichte von Daisys Mitwirken in der Angelegenheit auf Wentwater Court kannten. Alec war sicher, er hätte ihn nach Luft schnappen gehört, als er ihren Namen am

Telephon nannte. Allein schon der Gedanke, daß die Ehrenwerte Miss Dalrymple mal wieder in einen Mordfall verwikkelt war, ließ den A.C. schaudern – und wie erwartet, schickte er seinen Detective Chief Inspector Fletcher los, um das Schlimmste zu verhindern.

Der Chief Constable von Cheshire, der von Daisys Neigungen nichts wußte, der Glückliche!, war aus seinen eigenen, ganz persönlichen Gründen nur zu froh, daß Scotland Yard einen Fall übernahm, der sich zu einer Katastrophe auszuwachsen drohte.

Anderthalb Stunden nach Daisys Anruf legte Alec zum letzten Mal den Hörer auf, lehnte sich im Stuhl zurück und sagte mit etwas beunruhigter Stimme: »Tja, dann will ich mal los. Piper kann mich fahren, und ich werd versuchen, auf dem Weg etwas von diesem ganzen Zeugs abzuarbeiten.«

Er nahm einen Stapel Papiere auf, schob ihn in seine Aktentasche und tat so, als bemerkte er Toms erwartungsvollen Blick nicht. »Und Sie, Sergeant, sind mit der Aufgabe betraut, den mysteriösen George Brown ausfindig zu machen.«

»Geht in Ordnung, Chief«, sagte Tom, und seine Miene verdüsterte sich. »Kann ja auch nicht mehr als so etwa zehntausend George Browns in London geben, und wir wissen ja auch ganz genau, was er eigentlich verkauft.«

Alec gab nach. »Es muß doch irgendeine Art von Verzeichnis geben, in dem die Firmen aufgeführt sind, die Handlungsreisende beschäftigen. Versuchen Sie es doch mal mit diesen Arbeitsvermittlungsagenturen. Ich stelle drei Constables ab, die Ihnen am Telephon helfen. Und wenn Sie den Kerl dann ausfindig gemacht haben, setzen Sie sich in den nächsten Zug und kommen nach. Lassen Sie sich aber nicht zuviel Zeit damit, Tom. Der junge Ernie soll ja durchaus auch seine Chance haben, sich zu bewähren, aber wenn es um Serviermädchen geht, brauchen wir von der Dienerschaft Antworten, und darin sind Sie schließlich unübertroffen.«

Tom strich sich über den Schnurrbart. »Geht in Ordnung, Chief«, sagte er noch einmal, jetzt schon etwas aufgemuntert. »Beste Grüße an Miss Dalrymple.«

Nach dem Gespräch mit Alec war Daisy wesentlich leichter ums Herz. Sie kehrte zu Phillip zurück in den Gastraum des *Bear and Billet*, dem uralten Gasthaus von Chester, in dem sie gerade zu Mittag gegessen hatten. »Er kommt«, tat sie kund.

»Einfach so, nur weil du ihn darum gebeten hast?« fragte Phillip skeptisch.

»Na ja, er meinte, er würde zusehen, was sich machen läßt. Aber ich weiß genau, daß er das hinkriegt.«

»Zum Henker, Daisy, es gefällt mir nicht, daß du einen Schnüffler einlädst, sich in die privaten Angelegenheiten unserer Standesgenossen einzumischen.«

»Herr Gott noch mal, jetzt hör endlich auf, Mr. Fletcher einen Schnüffler zu nennen«, zischte sie. »Und ein Mord ist keine Privatangelegenheit, und was heißt schon ›unsere Standesgenossen‹.«

»Du weißt doch, wie ich das meine. Meinetwegen, sagen wir also, daß Fletcher ein ganz ordentlicher Typ ist, obwohl er Polizist ist, und daß Lady Valeria in einer ganz eigenen Liga spielt. Ich kann nicht sagen, daß ich mich besonders darauf freue, sie heute abend kennenzulernen.«

»Laß einfach deinen üblichen Charme spielen. Die Medusa wird dich schon nicht zu Stein verwandeln. Es sei denn, du erwähnst den Mordfall.« Dieser Hinweis war unnötig; Phillip war viel zu gut erzogen für einen derartigen Fauxpas. Er war absolut parkettsicher. »Ich bin riesig erleichtert, daß du dabei bist.«

»Was meinst du, sollten wir nicht mal langsam zurück?«

»Ich hab's nicht besonders eilig.« Daisy bemerkte, wie ungerne sie nach Occles Hall zurückkehrte. »Zuerst muß ich noch ein Farbband kaufen. Ach herrje, ich hab ja gar nicht nachgeguckt, welche Größe ich für meine Schreibmaschine brauche.«

»Was auch ziemlich unerheblich ist, da du gar kein neues Farbband brauchst«, bemerkte Phillip, und so begaben sie sich auf die Suche nach einem Papierwarenladen.

Daisy war von den Rows begeistert, jenen Geschäften, auf deren Dächern weitere Geschäfte gebaut waren, so daß man auf zweistöckigen Arkaden flanieren konnte. Bald hatte sie den Mordfall fast schon vergessen. Die beiden gingen um die Stadtmauer herum, an der Kathedrale vorbei, den Kanal entlang, zum Rennplatz, zur Burg, den Fluß entlang und dann wieder zurück. Mittlerweile zog sich der Himmel zu, und sie beschloß widerwillig, daß sie wohl doch zum Tee auf Occles Hall zurück sein müßte.

Während sie den Hügel von Occleswich hinauffuhren, entstanden durch die ersten Regentropfen dunkle Flecken im Staub auf der Motorhaube des Swift. Plötzlich sah Daisy eine ihr bekannte, gedrungene Figur aus dem *Cheshire Cheese* hervortreten.

»Da ist ja Bobbie Parslow«, sagte sie. »Wollen wir sie nicht mitnehmen? Gleich gibt es bestimmt einen fürchterlichen Regenguß.«

Phillip fuhr gehorsam an den Straßenrand und hielt an. Nachdem Daisy die beiden einander vorgestellt hatte, kletterte sie hinten auf den Notsitz und überredete Bobbie, vorne auf dem Beifahrersitz Platz zu nehmen. Bobbie wirkte merkwürdig aufgeregt, zugleich schuldbewußt und trotzig. Aber Phillip plauderte auf seine umgängliche Art über Gesellschaftsdinge, so daß sie sich bald entspannte. An der Auffahrt ließ er die beiden aussteigen und schloß das Verdeck des Swift, ehe er im Rückwärtsgang über die Brücke zurücksetzte und von dannen sauste.

»Der ist ja unglaublich nett«, sagte Bobbie, während sie hineingingen.

»Ja, Phillip ist ein prima Kerl. Ich kenne ihn praktisch schon seit meiner Geburt. Das Gut seiner Familie grenzt an Fairacres, und er war der beste Freund meines Bruders.«

»Aber ihr seid nicht ... Ich meine, er hat nicht ...?« Bobbie wurde knallrot.

»Ach, natürlich stellt er mir immer mal wieder einen Heiratsantrag. Wohl mehr aus dem Gefühl heraus, daß es seine Pflicht ist, sich um Gervaises kleine Schwester zu kümmern. Aber er hat keinen Penny, genausowenig wie ich, nur eine Apanage von seinem Vater. Er macht irgendwelche Geschäfte in London, und nachdem er genau wie Micawber ist ...«

»Wie wer?«

»Wie Micawber, diese Figur von Dickens, der sich immer sicher ist, daß sich die Dinge schon irgendwie regeln werden. Habt ihr *David Copperfield* nicht in der Schule gelesen? Na ja, jedenfalls, selbst wenn Phillip durch irgendein Wunder fürchterlich viel Geld an der Börse verdient, würde ich ihn immer noch nicht heiraten.«

»Ja, möchtest du denn gar nicht heiraten?«

Daisy dachte an Michael, den ihr der Tod unwiederbringlich entrissen hatte; an Alec, den Witwer aus der Mittelschicht mit einer neunjährigen Tochter, die sie noch nicht kennengelernt hatte. Alec, der gerade auf ihre Bitte hin von London nach Cheshire hochgeeilt kam. Sie seufzte, und dann lächelte sie: »Unter den richtigen Umständen hätte ich wahrscheinlich nichts dagegen«, sagte sie.

»Wirklich? Weil ich nämlich ...«

»Ach, da bist du ja, Roberta.« Lady Valeria hatte ihnen in der großen Halle schon aufgelauert. Sie nickte Daisy kurz zu und wandte sich sofort an ihre Tochter. »Ich hab dich überall gesucht. Wo in aller Welt hast du denn gesteckt?«

»Ich bin nur kurz hinunter zum Pfarrhaus gegangen, um Mrs. Lake das Kuchenrezept zu bringen, das du ihr empfohlen hast.« Bobbie warf Daisy einen flehenden Blick zu, die sich sofort fragte, was wohl wirklich im Gasthof geschehen war.

»Ein Rezept? Du hast dich doch noch nie für Rezepte interessiert, Gott sei's geklagt. Ich wollte mich mit dir über das Treffen der Pfadfinderinnen nächste Woche unterhalten.« Sie zog Bobbie fort, und Daisy ging nach oben, um Hut und Mantel abzulegen.

Das Farbband für die Schreibmaschine war doch die falsche Sorte. Sie hoffte, der Laden würde ihr das Geld zurückerstatten oder es wenigstens austauschen.

Als sie den Kamm aufnahm, um sich die Haare zu ordnen, blickte Daisy in den Spiegel, ohne sich wirklich zu sehen. Was hatte Bobbie im *Cheshire Cheese* gemacht? Und warum hatte sie es ihrer Mutter verschwiegen? Es war anzunehmen, daß Lady Valeria etwas gegen Besuche im Dorfgasthof hatte, egal aus welchem Grund. Aber wenn dem so war, wieso hatte Bobbie dann dem Verbot getrotzt?

Vielleicht für ein heimliches Gläschen Gin? Daisy grinste und schüttelte den Kopf. Doch nicht die gesunde, herzerfrischende Bobbie! Und außerdem war der Ausschank zu dieser Stunde noch gar nicht geöffnet.

Vielleicht hatte sie von den Nachforschungen des Constables nach dem Handlungsreisenden Wind bekommen. Möglicherweise hoffte sie, etwas in Erfahrung zu bringen, das ihren Bruder aus der Affäre ziehen könnte – obwohl, sie konnte ja gar nicht wissen, daß man ihn verdächtigte. Oder sie hatte ihn vielleicht selbst im Verdacht und wollte alle Hinweise zurückhalten, die ihn überführen könnten.

Oder sie hatte Grace selber umgebracht, um ihn vor ihr zu beschützen.

Daisy schauderte. Vielleicht hatte Phillip recht, und man sollte die Dinge einfach auf sich beruhen lassen. Doch damit war eben nicht alles in Ordnung, ermahnte sie sich streng. Ein Mädchen war brutal ermordet worden, und ein unschuldiger Mann saß im Gefängnis.

Sie reckte sich. Nur widerwillig ging sie zum Tee hinunter.

Alle außer Sir Reginald hatten sich im Gelben Salon versammelt. Kein zufälliger Besucher von außerhalb hätte erraten können, daß hier vor zwei Tagen eine Leiche im Garten ausgegraben worden war. Lady Valeria und Bobbie unterhielten sich weiterhin über die Pfadfinderinnen – Daisy entnahm der Unterhaltung, daß Bobbie die Anführerin eines Fähnleins war und daß Lady Valeria selbstverständlich irgendeinem wichtigen Komitee vorsaß. Sebastian und Ben waren bester Laune. Sie hatten gemeinsam etwas über die Ruinen auf einigen kleineren griechischen Inseln gelesen, deren archäologische Bedeutung noch nicht genauer untersucht worden war.

»Selbst auf Ithaka hat man noch kaum etwas angerührt«, erzählte Sebastian begeistert Daisy. »Schliemann hat nur ein oder zwei Gräben gesetzt. Stellen Sie sich doch nur vor, die Heimstatt von Odysseus!«

»Gar ungut ist, daß ein müß'ger König«, zitierte Daisy, die über Gräben jetzt wirklich nicht nachdenken wollte, »an jenem stillen Herd, unter diesen rauhen Felsen ... Es ist doch unglaublich, wie einem ein Gedicht, das man vor Jahren auswendig gelernt hat, auf ewig im Gedächtnis bleibt. Das hier hat mir schon immer besonders gut gefallen.«

»Tennysons Nachwort zur Homer-Ausgabe«, sagte Ben grinsend.

»Ach, soll Tennyson doch bleiben, wo der Pfeffer wächst.« Sebastian tat den verstorbenen Poeta laureatus mit einem nachlässigen Winken ab. »Ich vermute, die rauhen Felsen hat er nie wirklich gesehen, geschweige denn einen Fuß nach Griechenland gesetzt.«

»Wenn du gerne möchtest, Sebastian«, sagte seine Mutter nachsichtig, »dann können wir uns ja überlegen, nächsten Winter nach Korfu zu fahren anstatt an die Riviera. Angeblich ist es dort ja durchaus zivilisiert.«

»Das wäre wirklich eine nette Abwechslung, Mummy«, sagte Sebastian mit farbloser Stimme und warf dabei Ben einen Blick zu. Daisy vermutete, daß es wohl eher unwahrscheinlich war, daß Lady Valeria den Sekretär mitreisen lassen würde.

So blendend er auch aussehen mochte, Resolutheit oder einen starken Willen konnte man Sebastian nicht gerade zuschreiben. War es verrückt, zu glauben, daß er Grace hätte ermorden können? Man konnte es sich einfach nicht vorstellen, daß er eine so schreckliche Tat planen könnte. In einem Anfall von Wut jedoch – aus dem Gefühl des Augenblicks heraus – war alles möglich.

Nach dem Tee forderte er sie zu einem Spielchen Backgammon heraus. Sie hatte schon einige Zeit nicht mehr gespielt, und wenn sie sich einmal vertat, erinnerte er sie mit einem derart charmanten, freundlichen Humor an die Regeln, daß sie vor Schuldgefühlen fast verging, Alec auf ihn gehetzt zu haben.

Als ritterlicher Gentleman ließ er sie allerdings gewinnen, was sie so ärgerte, daß sie irritiert hinaufging, um sich zum Dinner umzuziehen.

Phillip war nicht als einziger Gast zum Abendessen geladen. Lady Valeria hatte auch Lord und Lady Bristow eingeladen, ein älteres Ehepaar, dessen Besitz an Occles Hall angrenzte, sowie dessen altjüngferliche Tochter. Mit keinem Wort erwähnten die Bristows, daß sie von den jüngsten schrecklichen Ereignissen gehört hatten. Da vier Gäste anwesend waren, hatten alle ihre gesellschaftlichen Masken aufgesetzt, und Daisy war zutiefst entsetzt: Man tat einfach so, als wäre nichts geschehen.

Miss Bristow zum Beispiel war nicht gerade wortkarg. Gute Werke zu tun war ihr Lebenselixier, und sie war genauso redselig, wie sie selbstgerecht war. Ben Goodman, ihr Tischherr, hörte mit bewundernswerter Höflichkeit und Geduld zu, doch konnte er seine Erleichterung nicht ganz verbergen, als Bobbie ihn ansprach. Miss Bristow wandte sich daraufhin Sir Reginald zu, der rechts von ihr saß, und Daisy sah seine Augen glasig werden, als sich ihr Wortschwall über ihn ergoß.

In der Zwischenzeit wurde der arme Phillip von Lady Valeria über seine Familie, seine Ausbildung und seine beruflichen Aussichten ausgefragt. An ihren Streit mit seiner Mutter schien sie sich nicht zu erinnern – so etwas war für sie nichts Außergewöhnliches. Sehr zu Daisys Überraschung wollte sie nicht wissen, warum er nach Occleswich gekommen war. Entweder nahm sie an, daß ihn ein geheimes Einverständnis mit Daisy verband, oder sie fürchtete, es könnte etwas mit dem Mord zu tun haben.

Sein gutes Benehmen und seine freundliche Gesinnung halfen Phillip, diese Unterhaltung durchzustehen, doch als er sich endlich wieder Daisy zuwandte, hatte sie deutlich den Eindruck, daß ihm nicht gerade wohl in seiner Haut war.

»Gab es je ein griechisches Monster, das seine Opfer zu einer kleinen Pfütze zusammenschmelzen ließ?« fragte er sie mit leiser Stimme.

»Frag Ben, der ist Experte in diesen Dingen. Der einzige, der mir einfällt, ist der Sonnengott Phöbus, der das Wachs in den Flügeln von Ikarus zum Schmelzen gebracht hat.«

»Ach, die Geschichte kenne ich auch«, sagte Phillip erfreut.

Nach dem Abendessen flüsterte Bobbie, die mit Daisy hinter Lady Valeria und den Damen Bristow in den Salon ging: »Möchtest du Mr. Petrie wirklich nicht heiraten? Ihr beide versteht euch doch einfach prachtvoll. An deiner Stelle würde ich ihn mir sofort schnappen.«

»Dann versuch du es doch mit ihm.«

»O nein, so hab ich das nicht gemeint. Ich habe bloß immer Angst, wie Miss Bristow zu enden.«

»Sie scheint doch ganz glücklich zu sein«, sagte Daisy zögerlich. Sie war überzeugt, daß sie selbst niemals zu einer Miss Bristow werden würde, auch wenn sie vielleicht nie heiratete. Würde sie allerdings bei ihrer Mutter wohnen müssen, dann hätte es durchaus auch so mit ihr ausgehen können. Und wäre sie auf Fairacres geblieben, als diese wohlmögenden und wohlmeinenden Fossilien Vetter Edgar und Geraldine einzogen, dann wäre es praktisch eine unausweichliche Konsequenz gewesen. Schrecklicher Gedanke!

Der Rest des Abends verging in gepflegter Langeweile. Phillip entdeckte, daß Ben und er gemeinsame Bekannte in der Army hatten, doch sie vertieften das Gespräch nicht weiter. Die Bristows blieben nicht allzu lange. Daisy wollte gerade den anderen eine gute Nacht wünschen und hinauf zu Bett gehen, als Moody hineinstapfte, um zu verkünden, daß Mr. Petrie sie am Telephon zu sprechen wünsche.

Rasch ging sie in die lange Halle. Hatte er etwa einen Hinweis gefunden? Vielleicht hatte er den Entschluß gefaßt, im Morgengrauen aus Occleswich zu fliehen, nachdem er Lady Valeria kennengelernt hatte, dachte sie, während sie die Tür des Telephon-Kabuffs hinter sich schloß. So sehr es ihr neulich mißfallen hatte, daß er gekommen war, jetzt wäre es ihr eigentlich lieber, wenn er noch bliebe.

»Phillip? Was gibt's denn?«

»Ein Freund von dir ist angekommen, altes Haus. Das wird bestimmt noch vor dem Morgen in der ganzen Nachbarschaft herumgetratscht, aber er hat gebeten, daß ich dich anrufe, damit die Eingeborenen nicht allzufrüh davon Wind bekommen. Hier ist er also.«

Daisy lächelte. Phillip mochte Alec gegenüber noch so skeptisch sein, er tat doch, worum der Detective ihn bat.

»Miss Dalrymple?« Der Klang dieser Stimme war unendlich beruhigend, wenn sie auch müde wirkte.

»Guten Abend, Mr. Fletcher. Nachdem Sie nun also da sind, scheint mir, ich habe recht getan, bei Ihnen um Hilfe zu jammern?«

»Wir werden sehen. Aber von Ihren Gründen weiß ich immer noch sehr wenig. Ich würde deswegen gerne noch mit Ihnen sprechen, ehe ich morgen den großen Chef aufsuche. Könnten Sie morgen früh in den Gasthof kommen?«

»Wie wäre es mit acht Uhr? Treffen wir uns doch zum Frühstück. Wie ich mich freue, daß Sie gekommen sind!« Sollte er das doch geschäftlich oder privat auslegen, wie es ihm gefiel.

Sie legte auf. War es ihre Schwester Vi gewesen, die ihr einmal gesagt hatte, keine Frau sollte ernsthaft überlegen, einen Mann zu heiraten, dessen Manieren am Frühstückstisch sie noch nie gesehen hatte? Normalerweise sorgte ein Hausfest mit Katerfrühstück für die Beantwortung derartiger Fragen, aber es war höchst unwahrscheinlich, daß Alec jemals auf ein Hausfest eingeladen würde.

Nicht, daß sie ernsthaft überlegte, ihn zu heiraten. Es war ganz und gar Bobbies Schuld, daß ihr dieser Gedanke überhaupt gekommen war. Sie verbannte ihn prompt aus ihrem Sinn und überlegte statt dessen, was sie Alec morgen früh erzählen wollte.

Dummerweise war es nur so, daß sie sich ausschließlich auf ihren Instinkt berufen konnte, um ihre Überzeugung zu erklären, daß Owen Morgan kein Mörder war.

8

Am nächsten Morgen ging Daisy unter einem knallroten Regenschirm hinunter zum *Cheshire Cheese*. Im Regen wirkte das Dorf bei weitem nicht so pittoresk. Durch einheitliche Architektur der Cottages sah es sogar eher steril aus, obwohl an diesem Tag trotz des schlechten Wetters mehr Menschen unterwegs waren, als wenige Tage zuvor am Markttag in Whitbury. Ein Ziegeldach oder ein Schilfdach anstatt des ewiggleichen Schiefers, eine Reihe Lauch im Vorgarten, selbst ein aufdringliches Backsteingebäude aus dem achtzehnten Jahrhundert wären eine willkommene Abwechslung gewesen. Wenigstens war das Fachwerk des Dorfgasthofes echt. Das Haus mußte aus derselben Zeit wie Occles Hall stammen, durch die schiefen Balken, die ungleichmäßige Dachtraufe und die Stufe hinunter in den Eingangsbereich sah es jedenfalls ganz so aus.

Daisy schloß ihren Regenschirm, während sie hinunterging. Die Kirchturmuhr schlug acht Uhr. Sie war pünktlich wie die Maurer. Ein professioneller Beginn eines Gesprächs, das sie lächerlicherweise nervös machte. Sie griff nach den Papieren in ihrer Manteltasche. Alec und Phillip, der eine mit gewelltem dunklen Haar und der andere mit glattem blonden, saßen schon im kleinen Speisesaal an einem Tisch. Dem armen Phillip sah man eindeutig an, wie unwohl er sich fühlte. Daisys Freundschaft mit Alec hatte ihn in die zweifelsohne unangenehme Situation gebracht, daß er den Detective nicht mehr wie eine entfernte und alles andere als erfreuliche Bekanntschaft behandeln konnte, wie er es sonst getan hätte.

Nur einer der anderen drei Tische war besetzt, und zwar von einem schmalen, leicht mitgenommen wirkenden Mann wie er in Chelsea häufig auftrat. Er sah ein bißchen wie ein Künstler aus: Wirres, ein wenig zu langes Haar, ein grünes Jackett aus Kordsamt und eine breite Krawatte, dazu der geistesabwesende Blick eines Mannes, der eine Eingebung kommen ahnt. Das mußte der Dichter sein, den Phillip erwähnt hatte.

Alec erhob sich, als er Daisy sah, und holte ihr einen Stuhl. Auch Phillip stand ungeschickt auf – offensichtlich fühlte er sich nicht nur unwohl, sondern war auch noch nicht ganz wach. Alec, zwar kleiner, aber mit breiteren Schultern, war hingegen schon ganz da, und seine klaren, aufmerksamen grauen Augen lächelten sie an, als er ihr einen guten Morgen wünschte.

Ihre Nervosität verschwand, und sie erwiderte sein Lächeln, als sie sich setzte. »Guten Morgen, die Herren.«

»Wegen des Regens wollte ich Sie mit dem Auto abholen«, sagte Alec, »aber Mr. Petrie meinte, ich würde Sie wahrscheinlich verpassen, weil Sie über eine Abkürzung ins Dorf kämen.«

»Stimmt. Zum Glück haben wir nicht diesen gräßlichen kalten Regen, der einem unter den Regenschirm weht. Nach diesem Spaziergang hab ich sogar richtig Appetit.«

»Hier gibt's ein ausgezeichnetes Frühstück«, versicherte ihr Phillip, »obwohl ich normalerweise erst eine Stunde später dazu komme.«

Rita, das blonde Mädchen, das sie in den Speisesaal geführt hatte, kam an den Tisch, um ihre Bestellung aufzunehmen. Als sie ging, sagte Daisy zu Alec: »Ist Mr. Tring gar nicht mitgekommen?« Sie unterdrückte ein Kichern, als sie sich Phillips Gesicht vorstellte, hätte er mit dem riesigen Sergeant frühstücken müssen.

»Tom wird später dazustoßen. Ernie Piper ist gerade in der Küche und ... ähm ... tratscht da wohl ein bißchen.« Mit einer leichten Kopfbewegung deutete Alec zum Dichter. »Aber jetzt erst mal nichts Geschäftliches; jetzt wird gefrühstückt«, sagte er energisch.

»Ganz meiner Meinung«, stimmte Phillip zu. »Übrigens, Daisy, sollte es dir lieber sein, daß ich mich verdünnisiere, dann seh ich zu, daß ich mir Arbeitskleidung organisiere und mir mal mein altes Gefährt anschaue. Gestern abend, als ich von Occles Hall weggefahren bin, hat es ein regelrecht bedrohliches Geräusch gemacht.«

»Das macht es doch immer.«

»Das hier ist aber ein neues Geräusch«, sagte er voller Würde.

»Sie führen die Reparaturen an Ihrem Automobil selber durch?« fragte Alec überrascht. Er hingegen mußte zugeben, daß sein Austin Seven von den Mechanikern des Polizei-Fuhrparks gewartet wurde, was auch gut so war, denn er hatte nicht das geringste mechanische Talent. Nicht, daß er irgendwelchen Ärger mit seinem Wagen gehabt hätte; er war erst ein paar Monate alt. Dennoch schien Alec hocherfreut, den Rest des Frühstücks damit zu verbringen, die Feinheiten der Verbrennungskraftmaschinen und des dazugehörigen technischen Beiwerks zu erörtern. Daisy langweilte sich zu Tode, doch merkte sie, daß Alecs eher geringe Meinung von Phillip sich ein wenig zum Positiven wendete.

Der Dichter ging, als Daisy die letzte Toastscheibe aus dem Toastständer nahm und den letzten Rest Marmelade darauf strich. »Ich bestelle noch etwas nach«, sagte sie schuldbewußt.

»Nicht für mich«, sagte Phillip. »Ich werd mal weitersausen, wenn ihr mich nicht braucht.«

Er hatte sich an Daisy gewandt, doch antwortete Alec: »Im Moment nicht, aber reisen Sie bitte nicht aus Occleswich ab, ohne mir vorher Bescheid zu sagen. Möglicherweise brauche ich Sie noch, um einige Punkte von Miss Dalrymples Bericht zu bestätigen.«

»Ich doch nicht!« wies Phillip den Gedanken eilig von sich. »Ich meine, ich weiß doch nicht das Geringste über diesen verflixten Mord, aber ich werd mich schon nicht aus dem Staub machen. Fürs erste also Toodle-oo.«

Er verschwand, und das Serviermädchen kam, um den Tisch abzuräumen. Alec fragte, ob sie den Raum weiter nutzen dürften, und bestellte nach ihrem »Ja« noch einen Tee für Daisy und Kaffee für sich selbst.

Daisy überreichte ihm ihre Unterlagen. »Ich hab gleich alles getippt, damit ich nichts vergesse.«

»Großartig. Haben Sie etwas dagegen, wenn ich beim Lesen rauche?«

»Ihre Pfeife? Aber gar nicht. Hauptsache, meine Rechtschreibung macht Ihnen nichts aus.«

Er grinste und steckte die Hand in seine Tasche, um seine Pfeife und den Tabaksbeutel hervorzuholen. »Mitnichten.«

»Ich hab mir wegen der Rechtschreibung keine großen Gedanken gemacht, weil ich es für wichtiger halte, absolut alles aufzuschreiben, was irgendwie von Bedeutung sein könnte. Und außerdem war ich ohnehin bis ein Uhr nachts damit beschäftigt.«

Mit einem anerkennenden Nicken glättete Alec die Papiere vor sich auf dem Tisch und fing schon an zu lesen, während er seine Pfeife stopfte. Der Duft von frischem Tabak wehte in Daisys Nase. Es war ein Jammer, daß die Leute darauf bestanden, das Zeug zu rauchen, wo es doch frisch so viel besser duftete. Der Beutel war mit einem blauen, etwas schiefen Monogramm bestickt: »A.F.«. Das war wohl Belindas Werk, vermutete sie. Würde Alecs Tochter sie mögen, sollten sie sich einmal kennenlernen?

Während sie ihren Tee trank, beobachtete sie ihn beim Lesen, wie er sich auf ihre Worte konzentrierte und dabei ihre Gegenwart völlig zu vergessen schien. Obwohl die Pfeife schon ausgegangen war, nachdem sie einige kleine blaue Rauchkringel emporgesandt hatte, hielt er sie weiter zwischen den Zähnen eingeklemmt, während er sich gelegentlich mit seinem Füllfederhalter am Rand ihres Berichts Notizen machte. Sein Gesicht war in strenge Falten gezogen, und ein- oder zweimal runzelte er die Stirn. Kühl und eifrig bei der Sache war er jetzt, und ganz Polizist.

Er kam auf der letzten Seite an. Während er die Papiere wieder zusammenschob, sagte er ernst: »Es war richtig, daß Sie mich geholt haben. Das alles sind keine eindeutigen Indizien, aber es ist in der Tat verwunderlich, daß Inspector Dunnett nicht weiter ermitteln will.«

»Schimpfen Sie nicht zu sehr auf ihn, bevor Sie Lady Valeria kennengelernt haben.«

Alec kniff die Lippen zusammen. »Sie mag ja sein, wie sie will; das ist noch lange keine Entschuldigung für einen Polizisten, seine Pflicht zu vernachlässigen oder gar einen unschuldigen Mann festzunehmen. Sie wissen, daß es anscheinend keine stichhaltigen Beweise gegen Morgan gibt? Aber es gibt eben auch keine, die ihn entlasten.«

»Ich weiß, aber da werden wir schon noch etwas finden.«

»Wir? Daisy, Sie haben sich aus diesem Fall gefälligst herauszuhalten.«

»Ich will mich nicht einmischen, ich will doch nur helfen. Sie werden doch zugeben, daß es hier ganz anders liegt als beim letzten Mal. Für einen Menschen, der ein unschuldiges junges Mädchen ermordet hat, hab ich bestimmt kein Mitleid.«

»Unschuldig?« fragte er trocken nach. »Sie war unverheiratet und schwanger, und für das Kind kommen mindestens zwei Väter in Frage.«

»Ach, Alec, jetzt seien Sie nicht so prüde. Sie hat keinem Menschen etwas zuleide getan, nur sich selbst.«

»Ganz im Gegenteil.« Sein Mund zuckte. »Sie hat sogar mehr als einem Menschen große Freude bereitet.«

»Und seien Sie nicht so grob!« sagte Daisy streng.

»Ich bitte um Verzeihung.« Seine Stimme war ernst, aber die grauen Augen lachten sie an. Dann wurde er wieder ernsthaft und blätterte noch einmal die Papiere durch. »Ich habe noch die eine oder andere Frage. Zum ersten: wer außer Mr. Goodman wußte, daß Sie sich für den Wintergarten interessieren?«

Daisy versuchte, sich zu erinnern. »Das Thema kam beim Frühstück auf. Bobbie war dabei, und Sebastian auch.«

»Und niemand, auch nicht Goodman, hat versucht, den Spaziergang mit Ihnen dorthin zu vermeiden?«

»Nein, aber das wäre ja auch ausgesprochen merkwürdig gewesen. Es sei denn, sie stecken alle drei unter einer Decke. Moment mal, Sebastian ist überhaupt erst später dazugekommen. Ich weiß genau, daß wir in seiner Gegenwart über die Gärten gesprochen haben – ich hab noch abgelehnt, mit ihm auszureiten, weil ich den Sonnenschein zum Photographieren nutzen wollte –, aber ich kann nicht beschwören, daß ich den Wintergarten erwähnt habe.«

Alec machte sich eine Notiz. »Kommen wir zu Owen Morgan. Das ist doch ein bißchen komisch, daß er Ihnen unbedingt alles über seine Freundin erzählen wollte – daß er sie heiraten wollte und sie ihn verlassen hat, und so weiter.«

»Das ist überhaupt nicht komisch. Er hat einen starken walisischen Akzent, wissen Sie. Ich hab ihn gefragt, wo er herkommt, und so kam das Gespräch auf seine Familie, was uns wiederum auf seine Einsamkeit hier gebracht hat. Und damit waren wir auf ganz natürliche Weise bei seinem vermißten Liebchen angekommen.«

»Ich muß mit ihm sprechen, sobald ich beim Chief Constable meinen Diener gemacht und mit der Polizei hier am Ort Frieden geschlossen hab.«

»Können Sie ihn aus dem Gefängnis herausholen?«

»Wahrscheinlich. Aber vielleicht geht es ihm sogar besser, wenn er da drin bleibt.« Er blätterte ihren Bericht durch. »Hier schreiben Sie, daß der Vater des Mädchens ihn bedroht hat.«

»Weil er dachte, daß Owen der Mörder ist.«

»Selbst wenn man ihn laufenläßt, wird er trotzdem weiter

unter Verdacht stehen. Ohnehin kann ich diese Entscheidung nicht fällen, ehe ich ihn gesehen hab.« Alec schaute auf seine Armbanduhr und schob dann seinen Stuhl zurück. »Ich muß los. Ich habe noch einen Termin beim Chief Constable in Chester.«

»Ach so, das hätte ich ja fast vergessen. Ben hat mit meiner Kamera ein paar Photos von der Leiche gemacht.« Als sie sich daran erinnerte, verzog sie angewidert das Gesicht. »Das erschien mir wie eine gute Idee. Ich vermute nicht, daß irgend etwas Brauchbares darauf zu sehen sein wird, aber wenn Sie sie in Chester abholen wollen – hier haben Sie den Abholschein. Aber gehen Sie bitte vorsichtig mit den anderen Bildern um, die ich noch gemacht habe.«

»Selbstverständlich.« Er steckte den Schnipsel Papier in seine Tasche. »Vielen Dank. Wenn nichts Unerwartetes dazwischenkommt, sehe ich Sie heute nachmittag auf Occles Hall. Daisy, Sie haben gute Arbeit geleistet, aber stellen Sie jetzt bitte keine Fragen, während ich weg bin. Man weiß nie, was das alles auslöst.«

»In Ordnung, ganz wie Sie meinen. Aber nur wenn Sie versprechen, daß Sie mich nicht ganz aus ihrer Untersuchung heraushalten.«

Alec seufzte und schüttelte den Kopf. »Ich werd Sie über den Stand der Dinge auf dem laufenden halten«, sagte er, »obwohl ich dafür wirklich geprügelt werden sollte.«

Alec holte den jungen Constable Piper aus der Küche, und die beiden gingen hinaus auf den kiesbedeckten Hof hinter dem Dorfgasthaus. Dort lag Petrie unter seinem alten, silbergrauen Swift flach auf dem Rücken. Nur seine langen Beine, die aus zu kurzen, ölbefleckten blauen Arbeitshosen herausstaksten, waren zu sehen. »Haben Sie schon was gefunden?« fragte Alec, während er ein Streichholz anzündete, seine Hände um den Kopf seiner Pfeife legte und versuchte, sie erneut anzuzünden.

»Ich glaub schon.« Petrie wand sich unter dem Auto hervor, die Hände pechschwarz, einen Schmierstreifen Öl auf der Wange und sein ansonsten so glattes Haar völlig durcheinander. Alec konnte ihn so strubbelig gleich noch besser leiden.

»Da ist eine Mutter rausgefallen«, sagte er und setzte sich auf. »Hoffentlich hat Moss eine passende als Ersatzschraube.«

»Moss von der Schmiede? Der trauernde Vater?«

»Ja, von dem habe ich auch diese Arbeitshose geliehen. Prima Kerl. Der sitzt da auf einem totalen Schrotthaufen, im wörtlichen Sinne, aber er schwört, er wüßte genau, wo all die kleinen Stücke zu finden sind, die sich dann irgendwann doch noch einmal als nützlich erweisen.«

»Viel Glück. Sie werden bitte über nichts mit ihm reden, was mit dem Fall zu tun hat, sind Sie so freundlich? Aber wenn er davon anfangen sollte, könnten Sie ja gut zuhören und sich alles merken.«

Petrie wollte schon die Stirn runzeln, änderte dann aber seine Meinung und grinste. »In Ordnung, Chief Inspector. Immerhin ist es ganz schön zu wissen, daß ich diesmal nicht auf Ihrer Liste von Verdächtigen stehe.«

»Das haben Sie beim letzten Fall auch nie ernsthaft getan, muß ich Ihnen sagen. Miss Dalrymple war von Ihrer Unschuld überzeugt. Und Miss Dalrymples Überzeugungen sind meistens verflucht ansteckend.«

»Das ist wohl wahr«, stimmte Petrie zu.

Alec fuhr nach Chester. Der Austin Chummy surrte bei einer gleichmäßigen Geschwindigkeit von fünfundfünfzig Stundenkilometern zufrieden die Landstraßen entlang, während Ernie Piper berichtete, was in der Küche des *Cheshire Cheese* alles so erzählt wurde.

Das meiste dessen, was der junge Detective Constable gehört hatte, bestätigte nur noch die schon bekannten Fakten über den Handlungsreisenden: Das, was Daisy über Petries Recherchen in der Bar berichtet hatte, und dazu die Erkenntnisse des Constable von Occleswich, wie sie von seinem Vorgesetzten an die Londoner Metropolitan Police weitergegeben worden waren.

»Das ist aber noch nicht alles, Chief«, tat Piper mit ernster Miene kund. »Ich hab herausgefunden, warum dieser George Brown in Occleswich war, obwohl er dem Geschäft vor Ort gar nichts verkaufen wollte. Er hat der Frau am Tresen gesagt, daß er in Whitbury, also in der Marktstadt, zu tun hatte. Und da hätte ihm irgendeiner gesagt, das Dorf wäre eine Besichtigung wert, und daß man im *Cheshire Cheese* gut übernachten kann. Also hat er das auch so gemacht, nachdem er sowieso in diese Richtung fahren mußte.«

»Gut gemacht! Ich werd die Leute hier vor Ort bitten, daß sie in Whitbury Nachforschungen anstellen. So groß kann die Stadt nicht sein, jedenfalls nicht im Vergleich zu London. Möglicherweise haben Sie unserem Sergeant gerade eine Menge Arbeit erspart.«

Pipers schmächtige Brust schwoll vor Stolz an. »Da ist noch mehr, Chief. Anscheinend hat er zwar ein Zimmer für die Nacht gemietet, aber dort geschlafen hat er nicht. Und das ist der Grund, warum alle Welt gedacht hat, daß das Mädchen mit ihm auf und davon ist. Also denke ich mir, daß er sie um die Ecke gebracht hat und dann abgehauen ist.«

»Das ist natürlich eine hübsche Theorie, aber er war hier in der Gegend fremd. Woher sollte er denn wissen, daß es auf Ocless Hall einen Wintergarten gibt, in dem er sie vergraben kann?«

»Ach so.«

Alec blickte in Pipers niedergeschlagenes Gesicht und tröstete ihn: »Es ist aber auch nicht völlig undenkbar. Es ist ja durchaus möglich, daß er irgendwann, aus irgendeinem Grund, schon mal auf Occles Hall war.«

»Nur hätte er dann auch ohne ausdrücklichen Hinweis gewußt, daß das Dorf sehr hübsch ist«, sagte Piper trübsinnig.

»Wahrscheinlich. Sie dürfen aber nicht vergessen, daß es für die Arbeit eines Detective genauso wichtig ist, die Lücken in den eigenen Theorien zu erkennen, wie überhaupt Theorien zu entwickeln.«

Piper wirkte schon fröhlicher. »Stimmt, Chief. Natürlich könnte seine Behauptung, er wolle sich Occleswich anschauen, auch nur eine falsche Fährte gewesen sein. Stellen wir uns doch vor, daß er das Mädchen vorher gekannt hat und mit ihr ein Stelldichein ausgemacht hat. Vielleicht hat sie ja früher einmal in einem Laden in Whitbury gearbeitet.«

»Das sollten wir unbedingt überprüfen. Mein Eindruck ist zwar, daß sie direkt nach der Schule auf Occles Hall ihre Stelle angetreten hat, aber man kann ja nie wissen.«

Alec war gleichzeitig amüsiert und positiv beeindruckt von der phantasievollen Schlußfolgerung des jungen Mannes. Er wußte, wie schwierig es für einen durchschnittlichen Constable war, der seine Runden drehte, die so heiß begehrte Beförderung zur Zivilabteilung zu erreichen. Er mit seinem Universitätsabschluß hatte bei seiner Anstellung bei der Polizei diese Versetzung erwartet, sozusagen als Belohnung für die Pflichtjahre, die er auf Patrouille verbracht hatte. Der Krieg hatte seinen Aufstieg unterbrochen, doch ein Offizierspatent im Royal Flying Corps und der Offiziersorden des Distinguished Flying Cross hatten seinen Aussichten nicht gerade geschadet. Piper, eher schlecht ausgebildet auf einer öffentlichen Grund- und Hauptschule, hatte es da schwerer gehabt. Aber mit etwas Unterstützung würde es der Junge noch zu etwas bringen.

»Natürlich ist es auch denkbar, daß ihm das Mädchen selbst den Garten beschrieben hat, weil sie sich aus irgendeinem Grund dort mit ihm verabredet hat«, überlegte Alec und fügte dann hinzu: »Aber steigern Sie sich nicht so sehr in die Möglichkeit hinein, daß George Brown der Mörder ist, daß Sie plötzlich nicht mehr in der Lage sind, andere Verdächtige in Betracht zu ziehen.«

»Keine Sorge, Chief. Immerhin wissen wir, daß unser Gärtnerfreundchen aus dem Gröbsten raus ist.«

»Wissen wir das wirklich?«

»Miss Dalrymple sagt das doch.«

»Miss Dalrymple glaubt das.« Alec lachte. »Sie sollten Miss Dalrymples Einschätzung nicht als Beweismittel betrachten.«

Piper errötete. »Nein, Chief. In der Küche hab ich noch was anderes gehört, Chief«, machte er eilig weiter. »Die ganze Familie auf Occles Hall steht doch unter Verdacht, nicht wahr? Es scheint so, daß Miss Roberta – so nennt man sie da eben, natürlich meine ich Miss Parslow – einen recht vertrauten Umgang mit diesem langhaarigen Dichter-Typen hat, der im *Cheshire Cheese* wohnt.«

»Tatsächlich? Das ist ja erstaunlich. Nach dem, was Dai... was Miss Dalrymple gesagt hat, ist Miss Parslow eher ein burschikoser, sportlicher Typ, der gerne draußen an der frischen Luft ist. Sie klingt überhaupt nicht wie die Art von Frau, die es mit langhaarigen Dichtern hält.«

»Vielleicht ist es ja auch nur eine Tarnung«, sagte Piper eifrig, dem zu Alecs Erleichterung nicht aufgefallen war, welches Vertrauen sein Vorgesetzter selbst in Daisys Beschreibung hatte. »Oder vielleicht weiß er etwas über den Mord und erpreßt sie damit.«

»Ich werde mit ihm sprechen müssen. Sie haben sehr gut gearbeitet. Wenn Sie jetzt nichts Weiteres mehr für mich haben, lassen Sie mich noch in aller Ruhe ein bißchen nachdenken.«

Während der nächsten paar Kilometer verfolgte Alec allerdings nicht Pipers Theorien weiter, sondern sann über Dunnetts erstaunliche Inkompetenz nach. Innerhalb weniger Stunden nach seiner Ankunft in Cheshire hatte ein Anfänger-Detective Constable mehrere neue Richtungen in der Untersuchung aufgetan, denen der Inspector schon vor Tagen hätte nachgehen müssen. Wie in aller Welt sollte Alec nur mit dem Chief Constable und dem Superintendent umgehen, ohne sie vollkommen vor den Kopf zu stoßen und damit ihre Bereitschaft zur Zusammenarbeit zu verlieren?

Ehe er eine Antwort auf diese Frage gefunden hatte, waren sie am Fluß Dee angekommen und überquerten die Brücke nach Chester. Alec war während der Zeit, als er in Manchester Geschichte studierte, schon einmal dort gewesen und hatte die Altstadt besichtigt. Diesmal spürte er also nicht das übliche schmerzhafte Bedauern, das ihn sonst befiel, wenn er in einer interessanten Stadt ankam: Seine Arbeit hatte ihn kreuz und quer durch das ganze Land geführt, doch kannte er die Polizei-Hauptquartiere besser als die historischen Sehenswürdigkeiten.

Er reichte Piper den Abholzettel für die Photographien, den Daisy ihm mitgegeben hatte. »Bitte holen Sie die doch ab«, sagte er, »und warten Sie dann im Hauptquartier am Empfang auf mich.«

»In Ordnung, Chief.«

Kaum war er in das Polizei-Hauptquartier von Chester eingetreten, wurde Alec geradewegs in das Büro des Chief Constable geführt. Die Möbel waren mit rotem Leder bezogen, passend zum Gesicht desjenigen, der dort arbeitete – vom Kragen aufwärts bis zu seiner sehr hohen Stirn war er rotbraun und wettergegerbt. Bis vor kurzem war er Kolonialbeamter gewesen und erst jüngst auf diesen Posten berufen worden, und so neigte er noch dazu, die Durchführung polizeilicher Aufgaben in der Heimat ganz im Gegensatz zu ihrer Handhabung in den Kolonien, für beklagenswert kompliziert zu halten.

»So ein Humbug«, schnaufte er, »diese ganzen Formalitäten: Haftbefehle, Rechtsanwälte, Habeas corpus, gesetzliche Festnahme und so weiter. Ach übrigens, Chief Inspector, haben Sie schon diese Parslow kennengelernt? Entsetzlich, diese Dame, das kann ich Ihnen sagen, wirklich entsetzlich. Lieber hätte ich eine Eingeborenenrevolte, aber ganz im Ernst!«

Alec entkam ihm, sobald es irgend ging, und suchte den Superintendent der Kriminalpolizei von Cheshire auf. Mr. Higginbotham war ein ordentlicher, schmaler Mann aus Yorkshire, der die Anforderungen an seine Körpergröße bei seiner Aufnahme in die Polizei offensichtlich gerade mal so erfüllt hatte. Er freute sich außerordentlich, daß Alec gekommen war. So kurz vor seinem Abschied aus dem Amt fand er sich mitten in einem Dreieck wieder, das aus einem unerfahrenen Vorgesetzten, einem übereifrigen Untergebenen und einer einflußreichen Megäre gebildet wurde. Alec beneidete ihn wirklich nicht.

»Ich will nicht sagen, daß ich gleich die Metropolitan Police gerufen hätte«, verteidigte er sich. »Ich hätte die Unordnung hier wohl durchaus auch selber beseitigen können. Aber wo Sie Ihre Hilfe nun schon einmal angeboten haben, bin ich doch froh, Sie an meiner Seite zu wissen. Hier sind die Unterlagen zum Fall.« Er schob Alec einen schmalen Ordner über den Schreibtisch. »Wenn es irgend etwas gibt, was ich zu Ihrer Unterstützung tun kann, Mr. Fletcher, dann sagen Sie es nur.«

»Danke sehr, Sir. Natürlich war Ihre Bitte um weitere Informationen zu dem Handlungsreisenden für uns ausschlaggebend.« Womit Daisys Name elegant aus der Angelegenheit herausgehalten wäre. »Wie ich hörte, hat er möglicherweise in Whitbury Geschäfte gemacht, ehe er nach Occleswich kam. Ihre Erlaubnis vorausgesetzt, würde ich gerne Ihre Leute einsetzen, um entsprechende Firmen in Whitbury zu befragen. Vielleicht können wir aus der Ecke etwas über ihn herausfinden.«

Higginbotham stöhnte auf und griff sich an den Kopf. »Sie sind kaum angekommen und haben schon etwas entdeckt, was Dunnett entgangen ist? Eines ist jetzt ganz sicher: Daß ich jede noch so geringe Hoffnung, die dieser Mann je auf eine Beförderung hatte, zunichte machen werde. Ich hab ihm übrigens den Fall abgenommen. Der hätte noch nicht einmal gewußt, daß der Kerl überhaupt existiert, wenn da nicht eine junge Dame eine entsprechende Aussage gemacht hätte. Eine Miss Dalrymple. Die hätte ich wirklich gerne in meiner Mannschaft dabei.«

»Nein, ich glaube, das hätten Sie nicht«, rief Alec unvorsichtigerweise aus.

»Aha, Sie kennen sie also? Ich hab mich schon die ganze Zeit gefragt, wie Scotland Yard eigentlich wirklich zu uns gekommen ist.«

Erleichtert sah Alec, daß der Superintendent dabei mit den Augen zwinkerte. »Miss Dalrymple hat es sich zur schlechten Angewohnheit gemacht, alle naselang über Leichen zu stolpern«, antwortete er ironisch. »Und sie hat ... lassen Sie mich es so formulieren: Sie schätzt ihre eigenen Vorstellungen von Gerechtigkeit mehr, als sie die Macht des Gesetzes respektiert.«

»Was in diesem Fall vielleicht nicht das Schlechteste ist«, sagte der Superintendent, ebenfalls ironisch. »Aber vielleicht könnten Sie sie bei Gelegenheit daran erinnern, daß zuviel Neugier auch von Übel sein kann. Wenn der Junge unschuldig ist, den wir hier festhalten, dann geht da draußen nämlich ein Mörder um.«

»Darauf hab ich sie auch schon hingewiesen. Nur war ich vielleicht in meiner Ausdrucksweise nicht deutlich genug.«

»Solche Botschaften lohnen die Wiederholung. So, ich werde

jetzt ein paar Leute in Whitbury auf die Suche ansetzen. Kann ich sonst noch etwas für Sie tun?«

»Ich würde gerne mit Owen Morgan sprechen, Sir. Ich nehme an, er hat einen Rechtsanwalt?«

»Nein. Man hat ihm angeboten, ihm auf öffentliche Kosten einen Verteidiger beizuordnen, aber das wollte er nicht. Er redet mit niemandem auch nur ein einziges Wort. Aber vielleicht haben Sie ja mehr Glück. Am Montag hat er einen Haftprüfungstermin, und wenn es bis dahin keine ernstzunehmenden Beweise gibt, müssen wir ihn laufen lassen. Und entweder massakriert uns dann die Presse, weil wir einen Mörder freigelassen haben, oder sie tut es, weil wir den falschen Mann festgenommen haben. Man kann machen, was man will ...« Er zuckte mit den Achseln.

»Da segelt man zwischen Skylla und Charybdis hindurch«, sagte Alec voller Mitgefühl. In Scotland Yard war es ja meist auch nicht anders. Er stand auf. »Ich glaube, das wäre fürs erste alles, Sir.«

»Ich ruf gleich unten an und laß Morgan in ein Gesprächszimmer bringen.« Higginbotham erhob sich und schüttelte Alec die Hand. »Sie werden mich doch weiter auf dem laufenden halten – und es wäre nett, wenn Sie meine Leute nicht allzu deutlich vorführen.«

»Selbstverständlich, Sir. Ach so, eine Sache noch. Ist es möglich, daß George Brown über den Wintergarten hätte Bescheid wissen können?«

»Ja, natürlich. Früher, vor dem Krieg, haben die Parslows immer einen Tag der offenen Tür veranstaltet. Dauernd wurde der wegen schlechten Wetters verschoben. Seither haben sie aber nicht wieder damit angefangen. In die Richtung forschen Sie also nach?«

»So weit würde ich nicht gehen. Das ist keinesfalls die einzige Richtung, in die ich denke.«

Higginbotham zog eine Grimasse. »Nun denn, Occles Hall ist auch sehr viel weiter von London entfernt als von Chester. Viel Glück, Mr. Fletcher. Wenn es sonst irgend etwas gibt, was Sie brauchen, dann fragen Sie doch einfach nach mir oder Sergeant Shaw.«

Alec fand Ernie Piper in dem kleinen Eingangsraum, wo er sich mit dem Sergeant am Empfang unterhielt. Er hatte die Photographien abgeholt, und Alec legte sie in den dünnen Ordner zu dem Polizeibericht. Ein uniformierter Constable führte sie dann in ein kleines, schmuddeliges Zimmer, in dem außer einem leeren Tisch nur einige harte Holzstühle standen, die an den Wänden aufgereiht waren.

Alec sah zu seiner Freude, daß der Stuhl am Schreibtisch immerhin ein Sitzpolster hatte, wenn er ansonsten auch nicht gerade ein Ausbund an Bequemlichkeit war. Er setzte sich. Piper stellte einen der Stühle mit geradem Rücken so hin, daß er dem Schreibtisch gegenüberstand, und setzte sich dann auf einen anderen in eine Ecke, wo der Häftling ihn nicht sehen würde. Er holte seinen Notizblock und drei gut ge-spitzte Bleistifte aus der Innentasche seines bescheidenen, braunen Jacketts aus Serge, und steckte zwei der Bleistifte in die äußere Brusttasche. Die Tatsache, daß er Kurzschrift gelernt hatte, war einer der Gründe für seine Beförderung zur kriminalpolizeilichen Abteilung gewesen, und er war zu Recht stolz auf seine Fähigkeiten. Alec signalisierte ihm mit einem Kopfnicken seine Zufriedenheit mit diesen Vorkeh-rungen.

Ein uniformierter Constable führte Owen Morgan herein. Alec betrachtete den schmalen, dunklen jungen Mann, der in einem abgewetzten Mantel vor ihm stand. Er ließ mutlos die Schultern hängen, das blasse Gesicht war vor Sorge ganz spitz, und nur durch eine riesige Willensanstrengung schien er es noch zu schaffen, sich auf den Beinen zu halten.

»Setzen Sie sich, mein Junge«, sagte er sanft. Morgan ließ sich auf den Stuhl fallen. »Zigarette?« Ein müdes Kopfschüt-teln war die Antwort. »Kaffee? Nein, wahrscheinlich eher Tee«, riet er. »Officer, drei Tassen bitte.«

Der Constable salutierte und ging hinaus.

»Ich bin Detective Chief Inspector Fletcher von Scotland Yard. Wissen Sie, ich könnte Sie noch heute hier herausholen.«

Morgan schaute auf, und in seinen geröteten Augen leuch-tete ein Hoffnungsschimmer auf. Doch dann schüttelte er den Kopf. »Was nützt das denn, Sir? Ich kann da nicht zurück, und ein Zeugnis gibt die mir doch nie. Nach Hause werd ich müssen, nach Merthyr, und da als Kumpel in die Grube. Meiner Mam bricht das Herz, das sag ich Ihnen. Also kann ich auch genausogut hierbleiben.«

Das klang eigentlich nicht wie die Antwort eines Mörders, dachte Alec, während der Tee hereingebracht wurde. In den Untertassen schwappte eine Lache. Er nahm einen Schluck. Der Aufguß hatte zu lange gezogen, war lauwarm und viel zu süß, und die weißen Flocken ließen vermuten, daß die Milch auch schon ein gewisses Alter erreicht hatte. Er setzte seine Tasse wieder ab, doch Morgan trank gierig.

Alec wartete, bis er ausgetrunken hatte, und sagte dann: »Erzählen Sie mir von Grace.«

Tränen liefen Morgan über das Gesicht, und er schwieg. Hastig suchte er in seinen Taschen nach einem Taschentuch, fand jedoch nichts. Alec ging um den Schreibtisch herum und reichte dem Jungen seines, in der Hoffnung, daß seine Mutter, eine Weltmeisterin im schnellen Kofferpacken, auch daran gedacht hatte, ihm ein Ersatztaschentuch mitzugeben. Er lehnte sich an die Tischkante.

»Haben Sie sie an dem Tag, an dem sie verschwunden ist, noch gesehen?«

»Nein, Sir. Sie war den ganzen Tag beschäftigt. Nach dem Tee ging sie an ihren freien Abenden immer runter ins Dorf, um ihrem Pa den Tee zu bereiten.«

»Und dann in den *Cheshire Cheese*. Sie sind nicht mit ihr mitgegangen?«

»Ich hab doch drauf gespart, sie zu heiraten.«

»Es hat Ihnen auch nichts ausgemacht, daß sie sich im Pub mit anderen Männern unterhalten hat?«

»Lieb gehabt hab ich sie«, sagte Morgan mit trotzigem Unterton. »Ich werd bestimmt nicht schlecht über sie reden.«

»Damit können Sie ihr jetzt aber auch nicht mehr weh tun«, sagte Alec brutal. »Jeder weiß, daß sie schwanger war. Die einzige Frage ist nur noch, von wem?«

»Nicht von mir, aber dem Kind hätt ich gern meinen Namen gegeben.«

»Sie wußten schon vor der gerichtlichen Untersuchung, daß sie schwanger war?«

»Das hat sie mir wohl erzählt.«

»Und sie hat Ihnen auch den Namen des Vaters gesagt?«

»Das war nicht nötig. Sie war doch in den jungen Herrn verliebt, und der hat ihr sogar versprochen, sie zu heiraten.«

Alec blickte aus einem Augenwinkel zu Piper, um sicher zu sein, daß ihm nicht etwa ausgerechnet im ungünstigsten Moment alle drei Bleistifte abgebrochen waren. »Der junge Herr?« fragte er nach.

»Mr. Sebastian.«

»Sebastian Parslow?«

»Jawohl, den mein ich.«

»Woher wissen Sie das?«

»Sie hat mir doch alles erzählt. Wie Ihre Ladyschaft ihn ihr dauernd aufgedrängt hat und ...«

»Einen Moment mal. Sie sagen da, Lady Valeria hat eine Dienerin dazu ermuntert, ihrem Sohn nachzustellen?«

»So hat Grace mir das erzählt«, sagte Morgan störrisch. »Ihre Ladyschaft hat sie angewiesen, Mr. Sebastian den Early Morning Tea hochzutragen, weil das Hausmädchen so ein albernes Ding ist, meinte sie, das dauernd gekichert hat und so, und das würd ihn ganz nervös machen. Und seinen Whisky zum Einschlafen auch, wenn er danach geklingelt hat, was eigentlich Mr. Moodys Aufgabe ist oder die von Mr. Thomkins. Aber der ist so schludrig und faul, bei dem kann man sich nicht darauf verlassen, daß er das Klingeln überhaupt hört.«

»Du liebes bißchen«, sagte Alec verwirrt. Die einzige Erklärung schien ihm zu sein, daß Grace die ganze Geschichte erfunden hatte, um sich vor ihrem Liebsten zu rechtfertigen.

Der Junge war jetzt voll in Fahrt, alle Zurückhaltung war wie weggefegt. »Und Grace hat gedacht, Ihre Ladyschaft würd sie besonders mögen. Sie hat mir einfach nicht glauben wollen, daß Ihre Ladyschaft nie im Leben zulassen wird, daß ihr liebster Sohn ein Dienstmädchen heiratet, da kann er ihr soviel versprechen, wie er will. Man kann es ihr aber nicht verübeln, Sir, wo doch ihr Pa sie auch immer damit getriezt hat.«

»Sie meinen, ihr Vater hat sie ebenfalls ermuntert, ... ähm ... Sebastian Parslow die Hörner abzustoßen?«

»Alles, was der wollte, war, Ihrer Ladyschaft Ärger zu machen«, sagte Morgan bitter.

Das immerhin war leichter zu erklären als Lady Valerias Verhalten, wenn es auch nicht gerade väterlich genannt werden konnte. Nach allem, was Daisy erzählt hatte, hegte Stanley Moss einen heftigen Groll gegen Lady Valeria. Wahrscheinlich hatte er darauf spekuliert, daß die Liebschaft seiner Tochter mit dem Sohn der Gutsherrin nicht nur Ärger verursachen, sondern vielleicht sogar in einer Entschädigungszahlung münden würde.

Bei genauerem Hinsehen war es allerdings auch möglich, daß Lady Valeria in genau demselben Maße Ärger verursachen wollte: Als gefallenes Mädchen wäre Grace ihrem Vater ein Dorn im Auge. Hatten zwei kaltblütige Egoisten den Ruf des Mädchens – und dann auch noch dessen Leben – ihrer unversöhnlichen Abneigung geopfert?

»Aber Sie haben doch gesagt, daß Grace in Mr. Parslow verliebt war.«

Morgan zuckte mit den schmalen Schultern – sollte einer die Frauen verstehen. Von nun an waren seine traurigen Antworten nur noch einsilbig, und Alec erfuhr nichts Weiteres von ihm. Der unglückliche Gärtner wurde bald wieder in seine Zelle abgeführt.

Hatten Lady Valeria und Stanley Moss die arme Grace gemeinsam in Parslows Bett gedrängt? Alec wollte Owen Morgan gerne Glauben schenken, doch war das meiste von dem, was er gesagt hatte, reine Spekulation. Er hatte wiederholt, was Grace ihm erzählt hatte, und Grace enthob sich in demselben Maße allen menschlichen Nachforschungen, wie sie jenseits aller menschlichen Beurteilung war.

Die Parslows hingegen waren dies nicht. Daisy hatte mal wieder recht gehabt. Er würde sich jetzt Lady Valeria vorknöpfen.

9

Während Piper den Austin zurück nach Occleswich steuerte, überlegte Alec, was Morgans Offenbarung eigentlich bedeutete. Daß ein Vater versuchte, die Schande seiner promisken Tochter zu tilgen, indem er sie gleich ganz beseitigte, war zwar ungewöhnlich, aber nicht unerhört. Doch wenn Moss selbst Grace dazu angestachelt hatte, Parslow zu verführen, dann hatte er gar keinen Grund, sich so darüber zu empören. Und sein ohnehin schwaches Motiv war damit wieder dahin. Wie Daisy schon erwähnt hatte: durch Graces Tod hatte er nicht nur ihr Gehalt, sondern auch seine kostenlose Haushälterin verloren.

Was Ihre Ladyschaft betraf, so mußte Alec noch viel mehr über ihre Familie in Erfahrung bringen, ehe er überhaupt damit anfangen konnte, irgendwelche Motive zu entwirren.

Er wandte sich der Akte zu, die die örtliche Polizei über den Mord angelegt hatte. Als er zu Ende gelesen hatte, teilte er Daisys Meinung von Inspector Dunnett voll und ganz. Der Bericht über die gerichtliche Untersuchung des Todesfalls erweckte den Eindruck, daß auch der Coroner alles in seiner Macht Stehende getan hatte, um jeden Zeugen zu unterbrechen, der Lady Valeria möglicherweise nicht genehme Hinweise vorbringen wollte.

Er blickte die Photographien an, die Daisy hatte entwickeln lassen. Die Leiche war in ein schlammverschmiertes Tuch eingewickelt und hätte genausogut eine ägyptische Mumie sein können. Nur das Gesicht war zu sehen. Es war gut erhalten, dafür hatten das Laken und die winterliche Kälte gesorgt, wie der Arzt protokolliert hatte. Wer sie gut gekannt hatte, konnte sie wiedererkennen. Für einen Fremden jedoch raubten ihr die Leichenstarre und der Grad der Verwesung jedwede Individualität. Es gab keine Grace mehr.

Alec kam gerade noch rechtzeitig im *Cheshire Cheese* an, um sich ein spätes Mittagessen zu bestellen, und schickte Piper mit einer Notiz zum Polizeirevier, das in einem Raum im Haus des Constables untergebracht war. Er selbst rief auf Occles Hall an und ließ Daisy an den Apparat holen.

»Der Junge hat soeben das meiste bestätigt, was Sie mir erzählt haben«, sagte er und vermied genaue Angaben, denn er erinnerte sich an ihre Warnung über das örtliche Fernsprechamt.

»Hab ich's doch gewußt.« In ihrer Stimme lag ein triumphierender Unterton, der ihn allerdings kaum überraschte. »Haben Sie ihn schon herausgeholt?«

»Noch nicht.«

»Aber ...«

»Jetzt hören Sie mir doch bitte erst einmal zu, ja? Ich mag ihn, und ich glaube, daß er die Wahrheit sagt, aber er ist noch lange nicht aus dem Gröbsten raus. Wir haben nur sein Wort, daß er es nicht gewesen ist. Außerdem geht es ihm da nicht schlechter als anderswo, denn er ist überzeugt, daß er seine Stelle verloren hat.«

»Du liebes bißchen. Aber da hat er vermutlich auch recht. Ich werd mal ein paar Menschen anschreiben und schauen, was sich da machen läßt.«

»Tun Sie das.« Mit etwas Glück würde sie diese Aufgabe außerdem noch eine Weile aus der Mordsache heraushalten. »Ich komme herüber, sobald ich einen Happen gegessen habe. Sind alle zu Hause?«

»Nein, Sie haben Glück, sie ist zu einer Sitzung eines ihrer Komitees weggegangen. Es gibt wohl kaum ein Komitee in dieser Grafschaft, dem sie nicht vorsitzt. Sie wird erst zum Tee wieder zurückerwartet, und je mehr Sie bis dahin erreichen, desto besser. Ach so, und meine Freundin ist auch ausgegangen. Beim Mittagessen war sie jedenfalls nicht da.«

»Aber die Person, die ich am meisten sehen möchte, ist da?«

»Ja.« Das knisternde Geräusch in der Leitung war wohl ein Seufzen. »Ich mag ihn gerne, trotz allem.«

»Daisy, irgend jemand hat es aber getan!«, rief Alec aus.

»Ich weiß. Ich sollte mich besser raushalten.«

»Sehr gut. Wir sehen uns also später. Ich bring Sie dann auf den neuesten Stand. Cheerio.« Er legte genau in dem Moment auf, als Piper zurückkehrte, der berichtete, daß Police Constable Rudge demnächst von seiner Fahrradrunde zurückerwartet würde. Mrs. Rudge hatte versprochen, ihm sofort die Nachricht zu übergeben.

Die beiden ließen sich dann zu einer Ochsenschwanz-suppe, einem ausgezeichneten Blumenkohlauflauf und ein paar Gläsern leichten Biers nieder. Sie waren allein im Speise-saal, so daß Alec Piper all die Anweisungen geben konnte, die Tom Tring nicht benötigt hätte. Der junge Detective hatte sein Notizbüchlein neben seinen Teller gelegt.

»Wenn wir auf Occles Hall ankommen, sollten Sie sich mit den Dienern unterhalten«, sagte Alec.

»Ich soll nicht Protokoll führen, Chief?« fragte Piper ent-täuscht.

»Es ist wichtiger, daß wir an die Dienerschaft herankom-men, ehe Lady Valeria erkennt, was wir vorhaben. Sonst ver-bietet sie möglicherweise den Angestellten, mit uns zu spre-chen.«

»Aber das wäre doch eine Behinderung der polizeilichen Untersuchungen.«

»Irgendwie habe ich das Gefühl, daß dieses Argument bei Ihrer Ladyschaft keinen besonderen Erfolg haben wird. So, wie die Dinge stehen, werden die Bediensteten ohnehin nicht bereit sein, über den jungen Parslow oder den Rest der Fa-milie auszusagen. Aber sehen Sie zu, was Sie machen können. Ich will wissen, was sie an dem Abend gemacht haben. Und zwar nicht nur die Familie, sondern auch die Dienerschaft. Und dann will ich wissen, ob irgend jemand Grace auf Occles Hall gesehen hat, nachdem sie von hier weggegangen ist. Mit Zeitangaben natürlich. Wissen wir, um wieviel Uhr sie den *Cheshire Cheese* verlassen hat?«

»Ungefähr gegen zehn Uhr, Chief«, antwortete Piper, wäh-rend er eifrig Notizen kritzelte. »Der Frau am Tresen ist das aufgefallen, denn wenn Grace in der Kneipe war, dann blieb sie meistens auch bis zur Polizeistunde – halb elf. Vor elf Uhr mußte sie nämlich nicht zurück sein.«

»Hmmm. Warum ist sie denn an dem Abend früher gegan-gen als sonst? Wenn sie jemanden treffen wollte, der auf Occles Hall wohnt, war das doch nicht nötig. Hatte sie mit jemandem vereinbart, sich im Wintergarten oder in dessen Nähe zu treffen? Wie war eigentlich das Wetter an dem Tag?«

»Daran wird sich schon noch einer erinnern.«

»Außerdem gibt es immer noch das meteorologische Archiv. Selbst wenn es zu kalt oder zu naß für ein Rendezvous draußen war, hat sie vielleicht jemand nach Hause gebracht, Morgan zum Beispiel, oder vielleicht auch George Brown. Heute abend fragen wir, ob er oder ein anderer zur selben Zeit die Bar verlassen hat wie sie.«

»Ach, das hätte ich ja heute auch beim Frühstück fragen können, Chief.«

»Lassen Sie nur, man kann nicht alles im Kopf haben. Mal sehen: Auch andere Diener vom Haus können an dem Tag oder an dem Abend frei gehabt haben und ins Dorf gegangen sein. Wenn dem so ist, dann fragen Sie die, ob sie Morgan oder einen von der gräflichen Familie gesehen haben, oder Grace, wie sie alleine oder in Begleitung den Hügel hinaufgegangen ist.«

»Es ist vermutlich zu lange her, um sich daran zu erinnern«, sagte Piper zweifelnd.

»Ihre Barfrau hat sich doch auch an den genauen Zeitpunkt erinnern können, oder? Mit etwas Glück werden die sich noch entsinnen, schließlich ist Grace an dem Abend verschwunden. Und sie werden sich vor allen Dingen daran erinnern, wenn sie mit einem anderem unterwegs war als mit dem Fremden, von dem es später hieß, daß sie mit ihm durchgebrannt ist. Jedenfalls werden die Leute wissen, ob sie noch ins Haus zurückgekommen ist. Bislang wissen wir nicht, ob sie gleich gestorben ist, nachdem sie den Pub verlassen hat, oder erst später an dem Abend. Übrigens, fragen Sie doch auch nach, ob sie sonst immer pünktlich zurück auf Occles Hall war, also noch vor elf Uhr, und um wieviel Uhr die Türen abgeschlossen werden. Vielleicht können wir dann den Zeitpunkt noch genauer bestimmen.«

»Jawoll, Chief.«

»Versuchen Sie doch bitte außerdem noch herauszufinden, ob es zwischen dem Mädchen und ihren Kolleginnen im Dienst Rivalitäten oder Eifersüchteleien gab.« Alec runzelte die Stirn. So etwas in Erfahrung zu bringen, war eigentlich Toms Spezialität. Zu dumm, daß er ihn in London gelassen hatte. »Geben Sie sich Mühe, Ernie«, sagte er.

»Selbstverständlich, Chief.« Der Detective Constable klang etwas beleidigt. »Was ist mit den Leuten von außerhalb?«

»Gut, daß Sie mich daran erinnern. Wenn Sie dazu noch Zeit haben, suchen Sie den Hauptgärtner auf. Möglicherweise werden Sie auf dem Gelände nach ihm suchen müssen.«

»Es regnet schon wieder.«

»Dann probieren Sie's mal in den Gewächshäusern. Obwohl ich mir durchaus vorstellen kann, daß Gärtner bei Wind und Wetter draußen sind, wie die Polizisten auch. Stellen Sie ihm dieselben Fragen. Und vergessen Sie nicht, zu fragen, ob irgendeiner seiner Untergebenen ein Auge auf Grace geworfen hatte und ob er gesehen oder gehört hat, daß Morgan an dem Abend ausgegangen ist.«

»Jawoll, Chief.«

»Ach so, und es wäre gut, wenn Sie herausfinden könnten, ob Grace gleich nach der Schule auf Occles Hall angefangen hat. Am Anfang ist es immer schwierig, sich zu entscheiden, in welche Richtung man eigentlich mit seinen Fragen gehen will. Nach den Untersuchungen von heute haben wir dann eine bessere Vorstellung davon, wohin die Reise geht. Es sei denn, daß Miss Dalrymple vollkommen auf dem Holzweg ist und Morgan sich doch noch als der wahre Übeltäter herausstellt.«

»Miss Dalrymple könnte sich niemals so irren, Chief!«

»Na ja, wir wären ja auch nicht hier, wenn ich kein Vertrauen in ihr Urteilsvermögen hätte«, stimmte Alec ihm amüsiert zu. »Heute abend sehen wir mal zu, was wir noch in den Kneipen hier im Ort von der Dorfbevölkerung erfahren können. Ich würde lieber nicht von Tür zu Tür marschieren, wenn sich das irgend vermeiden läßt.« Er wandte den Kopf um, als er schwere Schritte hinter sich in den Raum treten hörte. »Ah, Constable Rudge, nehme ich an?«

»Ja, Sir, Chief Inspector, Sir.« Der salutierende Mann war ein ländlicher Bobby, wie er im Buche stand: Mittleren Alters, schwerfällig, mit einem runden, roten, ausdruckslosen Gesicht. In einer Komödie oder Operette hätte er schon bei seinem Auftritt tosendes Gelächter ausgelöst. Das Publikum brauchte seine langsame Sprache und seinen schweren ländlichen Akzent gar nicht erst zu hören.

Und solche Leute stellten das Rückgrat des Gesetzes dar, sinnierte Alec. Rudge kannte bestimmt jeden in seinem Bezirk, wenigstens vom Sehen. Ein gestohlenes Huhn, eine Schlägerei in einem Pub, ein Voyeur – neunundneunzigmal von hundert würde er die Angelegenheit lösen, ohne daß die Gerichte bemüht werden müßten. Ihn auf eine Morduntersuchung anzusetzen war allerdings ein schlicht lächerlicher Gedanke.

»Haben Sie vielen Dank, daß Sie so prompt gekommen sind, Constable. Ich wollte nicht in ihren Bereich eindringen, ohne Sie darüber zu informieren.« Alec stellte Piper vor.

»Werd wohl alles tun, was ich kann, um Scotland Yard zu helfen, Sir.« Eisern salutierte Rudge erneut.

»Ich nehme an, Chester hat Sie informiert, daß wir wegen der Mordsache Moss gerufen wurden. Ich hoffe, Sie haben an dem fraglichen Abend beobachtet, was die Menschen getan haben, an denen wir interessiert sind.«

»Nein, Sir. Ich hab's schon für den Sergeant aus Chester in meinem Buch nachgeschlagen. An dem fraglichen Abend war ich draußen auf der Oakwood Farm. Der Kuhknecht von Mr. Simpkin, der ...«

»Also im Dorf haben Sie nichts gesehen?« unterbrach Alec ihn hastig.

»Nicht das Geringste bißchen«, gab der Constable mit einem schweren Seufzen zu, »aber wenn es irgend etwas anderes gibt, womit ich helfen kann ...«

»Wie war das Wetter an dem Abend?«

»Trocken, Sir, und für diese Jahreszeit sehr mild. Wenn man Fahrrad fährt, dann fällt einem so was auf.«

»Ja, danke sehr. Haben Sie eine Schreibmaschine? Detective Constable Piper wird sie sich möglicherweise ausleihen. Das ist fürs erste alles, aber es kann gut sein, daß ich Sie später noch einmal aufsuchen muß.«

»Jawohl, Sir. Meine Frau weiß in der Regel, wo ich mich gerade aufhalte, Sir.«

Alec entließ ihn. Mrs. Rudges offensichtlich wesentliche Beteiligung an der Arbeit des Constables amüsierte ihn. Er selbst hatte dauernd Schuldgefühle, wenn er einen Fall mit Daisy besprach. Allerdings war er ja auch nicht mit Daisy verheiratet – noch würde er das wahrscheinlich je sein, so nett sie auch zu ihm war. Die Tochter eines Viscount mochte ihren eigenen Lebensunterhalt verdienen, aber ein schlichter Polizist, der zehn Jahre älter war als sie, ein Witwer mit einem Kind ... Vergiß es, sagte er sich, und kippte seinen letzten Schluck Ale hinunter.

Piper tat es ihm gleich, und die beiden gingen hinaus zum Austin. Ein leichter, aber stetiger Nieselregen zwang Alec, die obere Hälfte der Windschutzscheibe zu öffnen, um den Weg den Hügel hinauf zu erkennen. An der Schmiede präsentierten sich ihnen trotz dieses unfreundlichen Wetters die Hinterteile von zwei Paar feuchten und ölverschmierten Arbeitshosen. Die Köpfe ihrer Träger waren unter der Motorhaube eines silbergrauen Swift-Zweisitzers verborgen.

Petrie konsultierte also Stan Moss. Daisy hatte den trauernden Vater als einen fürchterlichen Rohling beschrieben. Entweder machte für Petrie das gemeinsame Interesse an mechanischen Zusammenhängen jeden Charakterfehler von Moss wieder wett, oder es fehlte dem Swift doch mehr als nur eine kleine Schraube.

Irgendwann würde Alec mit Moss reden müssen, aber jetzt war es dringender, Parslow zu sprechen, bevor seine Mutter zurückkehrte. Möglicherweise war es überhaupt sehr nützlich, wenn Petrie sich gut mit dem Schmied verstand.

Das hohe, mit Eisenspitzen bewehrte Tor zu Occles Hall war verschlossen. Alec drückte auf die Hupe, und ein ältlicher Torwächter erschien in der Tür des Fachwerk-Pförtnerhauses.

»Keine Journalisten«, tat er kund und wandte sich ab.

»Polizei«, sagte Alec laut. »Scotland Yard.«

Der alte Mann blickte ihn mit weit aufgerissenem Mund an. »Um Gottes willen, was wird Ihre Ladyschaft da nur sagen«, stöhnte er, als er durch den Regen geeilt kam, um das Tor zu öffnen.

Während sie auf das Haus zufuhren, verstand Alec, warum Daisy darüber hatte schreiben, und vor allem, warum sie es hatte photographieren wollen. Das Fachwerk aus der Tudor-Zeit war genauso prächtig und phantasievoll wie das des viel berühmteren Little Moreton Hall. Er interessierte sich eigentlich eher für das frühe achtzehnte Jahrhundert, aber das hinderte ihn nicht daran, sich an dieser ansehnlichen Renaissance zu freuen.

»Liebe Zeit«, sagte Piper, »das ist aber wild gemustert!«

Alec lachte. Er hielt an dem Schloßgraben. Sie gingen über die Brücke in den Torbogen, und Piper klingelte an der Haupteingangstür.

Nach einer erheblichen Wartezeit wurde die Tür von einem übellaunigen Butler geöffnet, der sie mit gelangweilter Geringschätzung betrachtete.

»Scotland Yard.« Alec wußte, wie er mit widerwilligen Butlern umzugehen hatte. Unaufhaltsam drängte er über die Schwelle und zeigte dabei seine Kennkarte vor. »Detective Chief Inspector Fletcher. Ich untersuche den Mord an dem Serviermädchen Grace Moss. Ihr Name bitte?«

Der Butler starrte entsetzt den Notizblock und den Bleistift an, die plötzlich in Pipers Händen erschienen waren. »Moody, Sir. Ich darf aber nicht zulassen, daß ...«

»Detective Constable Piper wird die Angestellten befragen. Ich werde mich mit der Familie unterhalten, und zwar möchte ich gleich mit Mr. Sebastian Parslow beginnen.«

»Wenn Sie freundlicherweise hier warten würden, Sir, dann werde ich sehen, ob Mr. Parslow zu Hause ist.«

Alec und Piper ignorierten diese Aufforderung und folgten Moody von einem kleinen getäfelten Raum in den nächsten. Der Butler blickte sich nach ihnen um, als er ihre Schritte hörte. Seine dünnen Lippen spitzten sich, doch untersagte er ihnen nicht, ihm hinterherzukommen.

Er führte sie in eine längliche Galerie, deren eine Seite nur aus Fenstern bestand, während von der anderen eine Unmenge Türen abgingen. Vor einer hielt er inne, öffnete sie und tat in einem schicksalsschweren Ton kund: »Ein Polizist möchte Sie sprechen, Mr. Sebastian.«

Daraufhin machte er sich eilig von dannen. Piper folgte ihm auf den Fersen.

Alec trat in einen hübschen Salon ein. Von der hüfthohen Sockeltäfelung aufwärts waren die Wände mit einem gold-gelben Brokatstoff bespannt, der dem Raum eine sonnige Atmosphäre verlieh. Auf einem kleinen Tisch vor dem Kamin stand ein Backgammon-Spielbrett, auf dessen einer Seite Daisy saß, die ihn anlächelte. Und ihr gegenüber ...

Warum zum Teufel hatte ihn Daisy denn nicht gewarnt, daß Sebastian Parslow eine zum Leben erweckte griechische Statue war? Kein Wunder, daß Grace Moss ihm ihre Gunst geschenkt hatte. Das Wunder war wohl eher, daß ihr Vater und seine Mutter sie dazu hatten ermuntern müssen. Kein Wunder auch, daß Daisy »ihn ziemlich mochte, trotz allem«. Welche Frau würde ihm überhaupt widerstehen können?

Da saßen sie nun bei einem Spiel Backgammon wie Ferdinand und Miranda in Shakespeares *Sturm* beim Schach – und Alec hatte nicht das geringste Recht, eifersüchtig zu sein. Er würde sehr acht geben müssen, daß er den jungen Mann auch fair behandelte. Die Farbe war aus Parslows Gesicht gewichen, und nun bot sich Alecs Blick tatsächlich die kalte, weiße Perfektion von Marmor, abgesehen von den blauen Augen und dem goldblonden Haar. Er schob seinen Stuhl zurück und stand auf, wobei er sich mit einer Hand auf dem Tisch abstützte.

»Ja?«

»Detective Chief Inspector Fletcher von Scotland Yard. Ich habe Ihnen ein paar Fragen zu stellen, Sir, was den Tod von Grace Moss angeht.«

»Ich sollte wohl besser gehen«, sagte Daisy und erhob sich, allerdings nur sehr zögerlich.

»Nein«, sagte Parslow unerwartet, und seine Stimme zitterte. »Bitte bleiben Sie doch, Daisy. Ich glaube nicht, daß das lange dauern wird, und dann können wir zu Ende spielen.«

Wie zum Teufel schaffte sie das nur immer? Alec hätte sie bitten können, zu gehen, doch als sie ihn anblickte und den Kopf dabei schräg hielt wie ein Rotkehlchen, das eigentlich auf einen Wurm hofft, brachte er es nicht übers Herz. Sie hatte sich an diesem Tag weder gepudert, noch trug sie Lippenstift, fiel ihm auf. Der winzige Leberfleck, der aussah wie ein Schönheitspflästerchen aus dem achtzehnten Jahrhundert, war nicht abgedeckt. So gefiel sie ihm sehr gut.

Sollte Parslow denken, daß ihre Gegenwart unangenehme Fragen verhindern würde, dann würde er aber gleich eine gewaltige Überraschung erleben.

»Setzen Sie sich doch bitte, Mr. Parslow«, schlug er vor.

Daisy zog sich diskret auf einen Sessel in der Ecke zurück. Parslow blickte sich eher hilflos um und bedeutete dann Alec, auf dem Sessel Platz zu nehmen, den Daisy soeben noch innegehabt hatte. Er nahm seinen eigenen Platz wieder ein. Alec stellte das Backgammonbrett beiseite, wobei er darauf achtete, daß die Steine nicht verrutschten, und legte dann seinen Notizblock auf den Tisch. Allerdings bezweifelte er, daß er jetzt schon Notizen machen würde. Wie ärgerlich, daß sie sich an den Tisch gesetzt hatten, so würde er Parslows Hände nicht sehen können. Immerhin beleuchteten die Gaslampen über dem Kamin sein Gesicht einigermaßen.

Befragungen waren ein Spiel, das mindestens so kompliziert war wie Backgammon. Der entscheidende Unterschied war allerdings, daß nur ein Spieler die Regeln beherrschen mußte, und zwar er selbst. Nach allem, was er beurteilen konnte, war Parslows Rückgrat keineswegs so marmorfest wie seine Züge.

»Grace Moss hat mehrere Jahre hier auf Occles Hall gearbeitet, nicht wahr, Sir?« begann er milde.

»Ja, das vermute ich. Ich weiß nicht genau, wie lange sie hier angestellt war.«

»Sie kannten sie also gut?«

Eine Andeutung von Farbe stieg in Parslows bleiche Wangen. »Kaum. Ich glaube, ich habe nie mehr als ein paar Worte mit ihr gewechselt, während sie Dienstmädchen war. Verstehen Sie, so was ergibt sich einfach nicht.«

»Das ist mir bewußt, Sir. Und als sie zum Serviermädchen avancierte?«

»Da hat man mehr von ihr gesehen, natürlich, sie hat dann ja bei Tisch serviert und so weiter. Meine Mutter war zufrieden mit ihr. Sie war ein sehr tüchtiges Serviermädchen, was selten genug vorkommt. Aber was eine Unterhaltung angeht ...«

»Unterhaltungen interessieren mich auch nicht, Sir, sondern eine eher intimere Beziehung. Man hat mir zu verstehen gegeben, daß die Verstorbene Ihre Geliebte war.«

Der Marmor zerbröselte wie Kreide. Parslow verbarg das Gesicht in den Händen und sagte hoffnungslos: »Das hätten Sie ohnehin irgendwann herausgefunden, vermute ich.«

»Erzählen Sie mir davon.« Alecs Ton war ermutigend. »Ein hübsches, lebenslustiges Dienstmädchen, ein kräftiger junger Mann, das ist ja nichts Unnatürliches.«

Parslow schauderte. Dann riß er sich zusammen und setzte sich gerade auf, obwohl die Anspannung seiner Schultern Alec verriet, daß er die Hände in seinem Schoß zu Fäusten geballt hatte.

»Wie Sie sagen, ist das nicht un... unüblich. Sie hat mir immer meinen Early Morning Tea gebracht, und manchmal einen Schlummertrunk, wenn ich noch einen brauchte. Mein Mütterchen mag es nicht, wenn ich Whisky in meinem Zimmer stehen habe, also ...«

»Einen Moment, Sir. Entspricht das den üblichen Pflichten eines Serviermädchens?«

»Du liebes bißchen, woher soll ich das denn wissen?« Parslow klang aufrichtig verwirrt, doch dann runzelte er die Stirn. »Nein, jetzt wo ich darüber nachdenke, bringt normalerweise ein Dienstmädchen morgens den Tee, und vermutlich würde abends eher der alte Moody mit dem Whisky und dem Sodawasser hereinspazieren kommen. Was wollen Sie eigentlich damit andeuten?«

»Andeutungen gehören nicht zu meinen Aufgaben, Mr. Parslow.«

»Na ja, Moody ist auch nicht mehr so gut auf den Beinen wie früher. Und seit dem Krieg ist es einfach unmöglich, Lakaien aufzutreiben. Es würde mich nicht überraschen, wenn Grace ihm damit nur einen Gefallen tun wollte. Sie war ein freundliches Mädchen, jedenfalls bis ... Sie war ein zuvorkommender Mensch, und so etwas war typisch für sie.«

Alec ging fürs erste nicht auf dieses merkwürdige »jedenfalls bis« ein. »Also glauben Sie nicht, daß sie Ihnen beharrlich nachgestellt hat?«

»Das ist schon möglich«, sagte Parslow nachdenklich. »Das würde auch erklären ... Na ja, ich mußte mir keine besondere Mühe geben, sie ... sie ... « Er wurde rot.

»Sie zu verführen.« Alec sprach das Wort ohne Peinlichkeit aus. Doch als ihm bewußt wurde, daß Daisy zuhörte, spürte er bei seiner nächsten Frage auch auf seinen eigenen Wangen eine verräterische Hitze. »War sie noch Jungfrau?«

»Nein!« Parslow schüttelte vehement den Kopf. »Sie hat mir erzählt, ihr Liebster wäre an der Marne gefallen, gleich bei seinem ersten Einsatz. Sie war da wohl gerade erst aus der Schule gekommen, aber die Umstände damals ...« Er zuckte mit den Achseln. Langsam faßte er sich wieder.

»Sie haben sich also in gewisser Hinsicht doch mit ihr unterhalten. Hat sie denn je von einem anderen Geliebten gesprochen?«

»Nein.«

»Aber über Ihre Mutter, Lady Valeria?«

»Kaum. Dazu war sie zu vernünftig. So einem Zeug hört ein Mann nicht zu.«

Alec unterdrückte ein Lächeln ob der naheliegenden Vermutung, daß alles, was Grace über Lady Valeria gesagt haben könnte, ohnehin eher unfreundlich gewesen wäre. »Und über ihren eigenen Vater?«

Unerwarteterweise machte das den jungen Mann unruhig. »Stan Moss? Nur, daß er ein schlimmer Bursche war – ›ein verdammter Bastard‹, sagte sie, glaube ich – was ich ja schon selber wußte. Ich vermute, Sie haben von seinem Streit mit meiner Mutter gehört?«

»Ja. Was hat sie Ihnen denn sonst noch erzählt?« hakte Alec weiter nach.

»Über Moss? Nichts.«

Er log, doch Alec ließ auch diese Frage erst einmal auf sich beruhen. »Und Sie sind sicher, daß sie Ihnen gegenüber Owen Morgan niemals erwähnt hat?«

»Ich wußte nicht, daß sie mit ihm zusammen war. Das

hab ich erst neulich nach der gerichtlichen Untersuchung gehört.«

»Wahrscheinlich wollte sie sich nicht eine gute Sache mit dem jungen Herrn verderben. Schließlich hatten Sie ja versprochen, sie zu heiraten.«

»Woher zum Teufel wissen Sie das denn?«

»Wir haben so unsere Quellen.« Die nichtssagende Phrase schloß Gerüchte, Andeutungen und Tratsch ein. Alec hatte es gar nicht sicher gewußt, aber dankenswerterweise hatte Parslow es nun bestätigt.

»Das habe ich erst ... erst viel später gesagt. Nicht vorher, um sie rumzukriegen.«

»Also erst, nachdem sie Ihnen gesagt hatte, daß sie schwanger war.«

Parslow stöhnte auf. »Ja, das hat sie mir gesagt. Sie sagte, ich hätte ihr Leben zerstört, und ich müßte sie jetzt heiraten, sonst würde ihr Vater riesigen Ärger machen und sie zwingen, mich zu verklagen. Also hab ich ja gesagt.«

»Hatten Sie vor, Ihr Versprechen einzuhalten?«

»Nein, natürlich nicht«, sagte er aufgebracht. »Ich konnte sie unmöglich heiraten, aber was ich statt dessen machen sollte, wußte ich auch nicht.«

Er war in genau der Lage gewesen, in der schwache Männer zerbrechen und Amok laufen, dachte Alec. Jetzt stand er auf der Kippe. Würde er gleich den Mord gestehen?

Alec fixierte Parslow mit dem kältesten Blick, zu dem er fähig war. »Sie wußten nicht, was Sie tun sollten, aber einen offensichtlichen und wirkungsvollen Weg gab es ja, die Gefahr zu beseitigen.«

»Beseitigen ...? Sie ermorden?« Der junge Mann war außer sich, und seine Stimme war nur noch ein Krächzen. »Lieber Gott, nein, das habe ich nicht! Ich schwör's Ihnen, das hab ich nicht getan. Das ist mir doch überhaupt nicht in den Sinn gekommen.«

»Was haben Sie also statt dessen getan? Haben Sie sich zurückgelehnt und abgewartet, was wohl als nächstes passiert?« fragte Alec vernichtend.

»Ich hab es meiner Schwester erzählt.«

Die Antwort war so unerwartet, daß Alec für einen Moment verstummte.

Doch Daisys Bericht hatte ja auch nahegelegt, daß Roberta Parslow ihren jüngeren Bruder beschützen wollte. Trotz der schönen Fassade hatte Daisy seine innere Schwäche erkannt. Wie hatte er nur an ihr zweifeln können? Und wie hatte er nur einen Augenblick glauben können, daß sie diesen Waschlappen wirklich bewunderte?

Nein, Sebastian Parslow hatte vielmehr auch ihren Beschützerinstinkt geweckt. Und den kannte Alec allzu gut. Er konnte nur hoffen, daß diesmal wenigstens ihr Entsetzen ob der verübten Greueltat stärker war.

Er seufzte. »Sie haben es Ihrer Schwester erzählt. Alles?«

»J-ja. Ich glaube. Ich war ... gewissermaßen außer Fassung. Aber sie meinte, ich solle mir keine Sorgen machen. Sie glauben mir doch, oder, daß ich Grace nicht umgebracht habe?«

»Was ich glaube, tut hier nichts zur Sache, Sir«, sagte Alec, wenn auch nicht ganz wahrheitsgemäß. »Nur die Beweise zählen. Was haben Sie am Abend des dreizehnten Dezember gemacht?«

»Ich habe gepackt«, sagte Parslow eifrig. »Besser gesagt, ich habe meinem Burschen Thomkins gesagt, was er einpacken soll. Meine Mutter und ich sind nämlich am nächsten Tag nach Antibes abgereist. Daran kann ich mich noch sehr gut erinnern.«

»Sie haben das Packen bis auf den Abend vor Ihrer Abreise aufgeschoben?«

»Wir wollten eigentlich erst am Montag abreisen, aber Mummy hat plötzlich ihre Meinung geändert. Das hat sie mir aber erst zum Abendessen gesagt.«

»Wie lange hat das Packen gedauert? Um wieviel Uhr waren Sie damit fertig?«

»Das kann ich so genau nicht mehr sagen.«

»Macht auch nichts.« Zum ersten Mal schrieb Alec rasch etwas in seinen Notizblock. »Thomkins wird es schon wissen, oder einer der anderen Diener wird sich daran erinnern, wann er wieder unten erschienen ist. Wen haben Sie sonst noch nach dem Abendessen gesehen?«

»Bobbie ist kurz hineingekommen, um mir eine Krawattennadel zu bringen, die sie mir zu Weihnachten geschenkt hat. Das war ziemlich früh am Abend. Später, als wir mit dem Packen fertig waren, bin ich zu meiner Mutter ins Zimmer gegangen ... um gute Nacht zu sagen.«

»Um wieviel Uhr war das, können Sie sich daran erinnern?«

»Vielleicht so um halb zwölf? Ich war schon im Pyjama.« Er verschwieg irgend etwas, davon war Alec überzeugt.

»Lady Valeria war in ihrem Zimmer?«

»O ja.«

»Hatte sie sich schon für die Nacht fertiggemacht?«

Parslow zuckte mit den Achseln. »Daran kann ich mich nicht erinnern.«

»Ihre Eltern haben getrennte Schlafzimmer?«

»Das ist seit meinen Kindertagen so.«

»Sie sind nicht zu Ihrem Vater gegangen, um ihm eine gute Nacht zu wünschen?«

»Der war schon lange vorher zu Bett gegangen und schlief. Mein alter Herr steht morgens mit den Hühnern auf, um zuzusehen, ob seine liebsten Kühe auch ordentlich gemolken werden.«

»Aha. Haben Sie sonst noch jemanden gesehen?«

»Nicht, daß ich mich erinnern könnte.« Wieder wich er aus und wollte Alecs Blick nicht begegnen.

»Noch nicht einmal einen Diener? Sie haben nicht mehr nach einem Schlummertrunk geklingelt?«

»Nein, ich war müde und wußte, daß ich auch ohne einschlafen würde. Ich habe niemanden gesehen, und schon gar nicht sie.«

»Am nächsten Morgen sind Sie also zur Riviera abgereist, in Sicherheit vor Graces Forderungen. Sie haben diesen Zwischenfall einfach hinter sich gelassen.«

»Stimmt genau. Nach unserer Rückkehr erfuhr ich dann, daß sie sich nach London aufgemacht hatte, zu den hellen Lichtern der Großstadt.«

»Damit ich Sie richtig verstehe: Sie haben Ihre Schwester von der Lage unterrichtet, in der Sie sich befanden. Sie hat

Ihnen gesagt, Sie sollten sich keine Sorgen machen. Also haben Sie das Land im Vertrauen darauf verlassen, daß sie in Ihrer Abwesenheit die Situation schon meistern wird.«

»Das hätte ich getan, denn Bobbie ist schwer in Ordnung, und sie läßt sich kein X für ein U vormachen. Aber während wir darüber sprachen, kam meine Mutter herein und ... Na ja, ich hab Ihnen ja schon erzählt, daß ich ein bißchen durcheinander war. Prompt hat meine Mutter Bobbie die Schuld gegeben, daß sie mich aufgeregt hat. Das konnte ich nicht auf meiner Schwester sitzenlassen, also habe ich ihr das Ganze auch erzählt.«

»Und ohne Zweifel hat sie Ihnen ebenfalls gesagt, Sie sollten sich keine Sorgen machen.«

»Sie sagte, sie würde schon mit Grace fertig werden.« Parslows blasses Gesicht wurde flammend rot. »Mein Gott, Sie glauben doch nicht, daß sie ...?«

»Ich weiß es nicht«, sagte Alec ernst, »aber Sie können sich darauf verlassen, daß ich es herausfinden werde.«

10

Daisy war entsetzt, wenn auch nicht überrascht, als sie hörte, daß Bobbie von der Affäre ihres Bruders mit Grace gewußt hatte. Allerdings interessierte sie Sebastian augenblicklich viel mehr. Aus ihrer Ecke konnte sie sein Gesicht nicht erkennen, doch klang er beunruhigend aufgeregt.

Zu ihrer Erleichterung sagte Alec dann: »Vielen Dank für Ihre Hilfe, Mr. Parslow. Das ist zunächst einmal alles, obwohl wir ihre Aussage noch aufnehmen müssen. Möglicherweise muß ich Ihnen also später noch einige Fragen stellen.«

Rasch durchquerte Daisy den Raum. »Sie sehen aus, als könnten Sie einen Stärkungstrunk gebrauchen, Sebastian. Soll ich nach Moody klingeln?« Sie legte ihm eine Hand auf die Schulter, als er gerade aufstehen wollte.

Er ließ sich wieder in den Sessel fallen, schüttelte den Kopf und zwang sich zu einem Lächeln. »Nein, danke. Es geht schon. Das Ganze ist nur so ein Schock. Ehrlich gesagt hatte ich fast vergessen, daß Sie da sind. Ich fürchte, ich hab Sie sehr schockiert.«

»Aber gar nicht«, sagte sie freundlich. »Ich bin doch keine zimperliche viktorianische ›Damozel‹ wie bei Dante Gabriel Rossetti, Gott sei Dank.«

Alecs Augen lachten sie an. »Könnte ich Sie wohl noch einmal kurz sprechen, Miss Dalrymple«, sagte er. »Es geht um die Entdeckung der Leiche.«

»Selbstverständlich. Bleiben Sie doch noch hier, Sebastian, und räumen Sie das Spiel bitte nicht weg. Schließlich möchte ich Sie noch besiegen. Sollen wir in die Bibliothek gehen, Chief Inspector?«

»Da ist Ben gerade – Ben Goodman, der Sekretär meines Vaters – und schreibt für meine Mutter ein paar Briefe.«

»Das paßt doch sehr gut«, sagte Alec. »Nachdem der Rest Ihrer Familie momentan außer Haus ist, kann ich ja gleich mit ihm sprechen.«

»Mit Ben?« Sebastian Gesicht wurde bleich. »Sie werden ihm doch nicht alles erzählen, was ich Ihnen gesagt habe?«

Alec hob seine beeindruckenden Augenbrauen. »Das kann ich mir kaum vorstellen. Schließlich lautet meine Aufgabe, Auskünfte einzuholen, nicht, sie zu verteilen. Miss Dalrymple?«

Er öffnete die Tür und ließ Daisy den Vortritt. Die Tür zog er fest zu, als sie in die lange Galerie hinaustraten und langsam in Richtung der Bibliothek gingen.

»Hab ich's doch gewußt«, sagte Daisy. »Ich hätte allerdings nicht erwartet, daß er so schnell zusammenklappt und die ganze Sache zugibt.«

»Sie haben ihn ganz schön dadurch schockiert, daß Sie nicht schockiert waren. Es scheint, daß Sie sich aus der ›Blessed Damozel‹ nicht besonders viel machen?«

»Von all dem gräßlichen sentimentalen Kitsch, den wir in der Schule auswendig lernen mußten, war dieses Gedicht wirklich der Gipfel.« Sie hoffte inständig, daß Michael nicht irgendwo im Himmel herumhing und ihr hinterherheulte, sie solle endlich zu ihm kommen. Nein, so war er nicht. Er hätte sich da oben bald nützlich gemacht, und er würde ihr ein langes und glückliches Leben hier auf Erden wünschen.

»Ich war selbst übrigens auch einigermaßen überrascht«, sagte Alec. »Es wäre nett gewesen, wenn Sie mich vorher gewarnt hätten, wie blendend Parslow aussieht!«

»Ihnen hing der Unterkiefer auch ganz schön herunter, als Sie hereingekommen sind.« Daisy kicherte. »Aber ich glaube nicht, daß ihm das aufgefallen ist. Er ist überhaupt nicht eitel.«

»Und er hatte natürlich auch ganz andere Sorgen, als ihm ein Polizist gemeldet wurde. Übrigens haben Sie mich auch nicht darauf vorbereitet, was er für ein Waschlappen ist.«

»Ach, ganz so schlimm ist es nicht. Aber er hat wirklich weniger Rückgrat, als ich gedacht hätte. Immerhin hab ich Ihnen aber erzählt, wie sehr er sich von Lady Valeria herumkommandieren läßt.«

»Was ihn, so erzählt man mir, mit der halben Grafschaft verbindet.«

»Und daß Bobbie versucht, ihn zu beschützen. Ben tut das auch.«

»Kann er ernsthaft glauben, Goodman wüßte nicht, daß Grace seine Geliebte war?«

Daisy runzelte die Stirn. »Ich meine eigentlich nicht, daß das der Fall ist. Schließlich war Ben unglaublich darauf erpicht, ihm die Nachricht von Graces Tod zu überbringen. Ich vermute eher, Sebastian meinte etwas anderes: Er wollte nicht, daß Ben diese ganzen anderen schrecklichen Dinge erfährt, also wie sie versucht hat, ihn zur Heirat zu zwingen, und daß er zu Bobbie gelaufen ist, damit sie ihm hilft, und daß seine Mutter auch von der ganzen Geschichte weiß. Sie mögen ja Freunde sein, aber schließlich ist Ben immer noch der Angestellte seines Vaters.«

»Stimmt. Hätten vielleicht Miss Parslow oder Lady Valeria Grace umbringen können?«

»Rein kräftemäßig, ja. Aber was den Charakter angeht« – Daisy zog eine Grimasse –, »na ja, normalerweise wohl nicht, aber um Sebastians willen ... ich weiß nicht, Alec. Sie hätten es wohl tun können. Hier ist die Bibliothek«, sagte sie erleichtert.

»Gibt es noch irgend etwas, was Sie mir von Goodman nicht erzählt haben?«

»Hab ich Ihnen erzählt, daß er wegen einer Kriegsverletzung humpelt? Und er hat eine Gasvergiftung. Ach so, und vor dem Krieg war er Don in Oxford, als Dozent für Griechisch und klassisches Altertum. Ach so, und dann sollte ich Sie noch warnen«, fügte sie neckisch hinzu, »er sieht ausgesprochen langweilig aus, jedenfalls solange er nicht lächelt. Aber er ist keinesfalls so ein Schlappschwanz wie Sebastian.«

Alec lächelte. »Vielen Dank für den Hinweis. Einen Moment noch – ehe wir hineingehen, muß ich noch etwas wissen. Wollen Sie geheimhalten, daß wir uns schon kennen?«

»Nein, das wäre doch ziemlich hinterhältig. Ach du liebes bißchen, das haben wir Sebastian ja gar nicht erzählt, nicht wahr? Das muß ich ihm später erklären.«

»Überlassen Sie das mir«, sagte Alec fest und streckte die Hand nach dem Türgriff aus.

»Warten Sie. Wenn das erst einmal raus ist, dann wird es noch viel schwieriger für mich, länger hierzubleiben. Ich hab es immer aufgeschoben, Sir Reginalds Molkerei anzuschauen, aber das kann ich nicht ewig als Ausrede benutzen.«

»Mir wäre viel lieber, wenn Sie sich ganz aus der Sache heraushielten.«

Wütend starrte Daisy ihn an. »Wie können Sie so etwas sagen, wo ich es doch war, die Sie überhaupt hergerufen hat, und ich Ihnen praktisch alle Informationen gegeben habe, die Sie jetzt nutzen?«

»Oder anders formuliert: Sie sind daran schuld, daß ich in diesen Schlamassel hineingeraten bin; dennoch fühle ich mich verpflichtet, für Ihre Sicherheit zu sorgen.«

»Glauben Sie wirklich, daß ich in Gefahr bin?« fragte sie unsicher.

Alec kapitulierte mit einem Seufzen. »Nein. Nachdem ich jetzt hier bin und über alles Bescheid weiß, was Sie tun, sind Sie wahrscheinlich vollkommen sicher. Allerdings nur, solange Sie Ihr Versprechen halten, sich nicht einzumischen. Ich werde noch anordnen, daß keiner der Hausbewohner, und damit sind auch Sie gemeint, die Gegend verlassen darf. Und Lady Valeria wird es kaum billigen, daß eine junge Dame ohne Begleitung im Gasthof wohnt.«

Bei Daisy stellten sich die Nackenhaare auf: »Ich kann sehr wohl im ... Verflixt noch mal, Sie gemeiner Kerl, ich will doch gar nicht im Dorfkrug wohnen. Wenn Sie und Phillip das Sagen hätten, dann wäre ich wohl ganz aus der Sache heraus. Ich bleibe aber so lange hier, bis man mich rausschmeißt.« Mit diesen Worten öffnete sie die Tür zur Bibliothek und marschierte hinein.

Die Decke des bescheiden proportionierten Raumes war wie alle anderen des Hauses niedrig. Bücherregale verdeckten nur die eine Wand – anscheinend war keiner von Sir Reginalds Vorfahren besonders gebildet gewesen.

Ben saß, von ordentlichen Stapeln Papier umgeben, an einem Schreibtisch mit lederbezogener Arbeitsfläche. Als sie eintraten, blickte er von seiner Arbeit auf.

»Miss Dalrymple«, sagte er und erhob sich. Vor einem Fremden würde er sie natürlich nicht Daisy nennen. »Kann ich Ihnen behilflich sein?«

»Es geht nicht um mich. Das ist Detective Chief Inspector Fletcher von Scotland Yard. Er möchte uns beiden ein paar Fragen darüber stellen, wie wir Grace gefunden haben. Ich glaube nämlich nicht, daß Owen sie umgebracht hat«, fügte sie resolut hinzu. »Also hab ich den Chief Inspector angerufen. Wir haben uns kennengelernt, als er einen anderen Fall bearbeitet hat.«

Ben nickte und schraubte seinen Füllfederhalter zu. »Ich kann auch kaum glauben, daß Owen das getan haben soll«, gab er zu. »Setzen Sie sich doch bitte.«

Alec stellte Daisy einen Windsor-Stuhl hin und holte einen zweiten für sich. Einen Moment stand er da, eine Hand auf dessen Rückenlehne gestützt.

»Hätten Sie gerne meinen Platz, Chief Inspector?« fragte Ben, der sein Zögern bemerkt hatte, und lächelte schwach.

»Nein.« Alec grinste. »Es kommt mir nur etwas merkwürdig vor, auf dieser Seite des Schreibtisches zu sitzen. Aber Plätze tauschen müssen wir nicht.« Er setzte sich.

Alec ging mit Daisy und Ben die Ereignisse des Dienstagmorgen in viel größerer Ausführlichkeit durch, als Inspector Dunnett oder Sergeant Shaw das getan hatten. Trotzdem glaube Daisy nicht, daß er dadurch etwas Neues oder Wesentliches erfahren würde. Als Ben in seinem Bericht an den Punkt kam, an dem Dunnett ihn aus dem Wintergarten entlassen hatte, sagte Alec: »Vermutlich werd ich mir den Ort mal selber anschauen müssen.« Voller Unbehagen blickte er aus dem Fenster, an dessen rautenförmigen Scheiben der Regen herablief. »Vielen Dank, daß Sie die Photographien gemacht haben, übrigens.«

»Haben sie Ihnen irgendwie weitergeholfen?« fragte Ben.

»Eigentlich nicht«, sagte Alec geradeheraus.

»Ich bezweifle auch, daß es Ihnen irgendwie nutzen wird, sich den Fundort anzuschauen. Lady Valeria hat das Loch wieder zuschütten und das Beet neu bepflanzen lassen, kaum hatte Inspector Dummet das Gelände verlassen. Oh, Verzeihung, Chief Inspector, der Versprecher geht auf Ihr Konto. Ich würde damit nicht ausdrücken wollen, daß ich die Polizei nicht genügend respektiere, also die Polizei im allgemeinen.«

»Bestimmt wollen Sie das nicht«, sagte Alec trocken.

Daisy überlegte, ob sie den beiden den Spitznamen von Sergeant Shaw für seinen Vorgesetzten sagen sollte, beschloß dann jedoch, daß sie damit nur dem freundlichen Sergeant Ärger bereiten würde. Außerdem hatte Alec seine letzten paar Fragen an Ben gerichtet, und im Moment widmete er ihm seine ganze Aufmerksamkeit. In der nächsten Sekunde würde er zu interessanteren Fragen übergehen, und wenn Daisy sich jetzt bemerkbar machte, würde er sie wahrscheinlich bitten, zu gehen. Blieb sie jedoch still und unsichtbar, dann würde er sie dableiben lassen, und wenn es nur war, um sein gutes Einvernehmen mit Ben nicht aufs Spiel zu setzen.

Sie war sicher, daß die beiden einander mochten. Alec würde allerdings nie zulassen, daß Sympathie seine Untersuchung beeinflußte.

»Möglicherweise muß ich das Blumenbeet wieder aufgraben lassen«, fuhr Alec fort, »oder sogar den ganzen Garten, aber das hat noch Zeit. Indizien, die in der Erde verbuddelt sind, verschwinden nicht so leicht. Kehren wir also mal zu der Nacht zurück, von der wir annehmen müssen, daß sie Grace

Moss' Todesnacht war, zum dreizehnten Dezember des letzten Jahres. Können Sie mir erzählen, was Sie an dem Abend gemacht haben, Mr. Goodman? Reine Routinefrage, natürlich.«

»Zufällig erinnere ich mich sogar sehr gut an den Abend. Lady Valeria hatte ihre Abreise nach Antibes mit Mr. Parslow überraschend vorverlegt, und nach dem Abendessen hatte sie seitenweise Anordnungen für mich, was ich alles in ihrer Abwesenheit erledigen sollte.«

»Sie sind doch der Sekretär von Sir Reginald?«

»Ich wurde als Sir Reginalds Sekretär eingestellt und erledige die Schreibarbeiten für die Molkerei. Sonst mache ich eigentlich nur wenig für ihn. Lady Valeria hingegen sitzt in mindestens einem Dutzend Komitees, was ausführliche Korrespondenz, Protokolle, Tagesordnungen und so weiter mit sich bringt. Außerdem bin ich für die Buchhaltung des Hauses verantwortlich; das heißt, ich bezahle die Handwerker und Diener und so weiter.«

»Verstehe. Das war mir noch nicht ganz klar. Also haben Sie den ganzen Abend mit Lady Valeria verbracht?«

Daisy war enttäuscht. Natürlich war sie froh, daß Ben ein Alibi hatte, ob er nun eins brauchte oder nicht, doch tat es ihr leid, daß damit auch Lady Valeria aus dem Schneider war. Sie war doch die perfekte Hexe ...

Doch dann sagte Ben: »Nicht den ganzen Abend, nein. Gegen zehn Uhr, vielleicht auch ein bißchen früher, ist sie gegangen. Ich sollte noch verschiedene Dinge fertigschreiben, die sie dann am Morgen unterzeichnen wollte. Um elf Uhr fand ich dann, es wär genug für den Abend und bin zu Bett gegangen. Obwohl das natürlich hieß, daß ich anderntags früh aufstehen mußte, um fertig zu werden, ehe sie hinunterkam.«

»Sie waren zwischen zehn und elf Uhr allein – hier in der Bibliothek?«

»Genau.«

Alec machte sich eine Notiz. »Haben Sie an dem Abend sonst noch jemanden getroffen?«

»Alle waren beim Abendessen, also die ganze Familie, von acht Uhr bis ungefähr viertel vor neun, würde ich sagen. Aber bis viertel vor zwölf hab ich dann niemanden gesehen, außer Lady Valeria.«

»Sie waren noch wach?«

»Ich hab ein langes, warmes Bad genommen.« Sein Mund verzog sich zu einem bitteren Lächeln. »Mein schlimmes Bein plagte mich damals ziemlich.«

»Ihre Kriegsverletzung, nicht wahr? Wo haben Sie sich die geholt?«

»An der Somme. Gab es etwa noch woanders Schlachtfelder?«

»Ich jedenfalls bin über eine Menge davon geflogen. Als Luftaufklärer.«

»Na ja, auf dem Boden hat es nicht gerade Spaß gemacht – oder vielmehr, im Boden – aber nicht für Geld und gute Worte hätte man mich in einen dieser Klapperdrachen aus Segeltuch und Klaviersaiten reinbekommen.«

»Ich hab schon ein paar ziemlich spannende Momente darin erlebt«, gab Alec zu. »Nun denn, zurück zur Sache – wen haben Sie denn um viertel vor zwölf gesehen?«

»Der junge Parslow kam zu mir ins Zimmer.« Ben klang gelassen, doch Daisy meinte eine Spur von Nervosität in seiner Stimme zu vernehmen. »Er hatte Lady Valeria gebeten, übrigens nicht zum ersten Mal, mich mit nach Südfrankreich zu nehmen. Die Winter in England sind für mich sehr anstrengend, und er ist ein freundlicher Junge. Er wollte mir nur mitteilen, daß seine Mutter wie immer nichts davon wissen wollte.«

Ihm war offensichtlich unwohl dabei, sich selbst als Empfänger von Barmherzigkeit zu offenbaren – versuchter Barmherzigkeit –, so dachte Daisy. Und Sebastian war sensibel genug, das zu merken und die Angelegenheit für sich zu behalten. Es bedeutete allerdings auch, daß er deswegen die Polizei angelogen hatte. Sie würde das Alec erklären müssen.

»War Parslow lange bei Ihnen?«

»Ein paar Minuten. Ich wünschte, ich könnte sagen, wir hätten die Nacht miteinander verbracht ... beim Kartenspiel. Ich weiß nicht, an welchem Zeitraum Sie eigentlich interessiert sind, Chief Inspector?«

»Wir sind uns da selber auch noch nicht ganz sicher, aber wir hoffen, daß wir die fragliche Zeitspanne noch einengen können. In acht Wochen verblaßt schließlich die Erinnerung, und Beweismittel verschwinden.«

Alec ließ die Hand durch sein kurzes, gelocktes, dunkles Haar gleiten, das Daisy so gut gefiel, seit sie ihn das erste Mal gesehen hatte. »Wie würden sie Parslows Zustand beschreiben, als er auf Ihr Zimmer kam?«

Wieder diese Nervosität, diesmal sogar stärker. »Lady Valerias Absage hatte ihn etwas durcheinander gebracht.«

»War er aufgebracht?«

»So weit würde ich nicht gehen. Eher beunruhigt. Ich würde sagen, es hatte ihm die Laune verdorben. Ich schlug ihm zur Beruhigung einen Whisky vor, damit er schlafen kann.«

»Wissen Sie, ob er Ihren Rat befolgt hat?«

»Keine Ahnung. Meine Stellung im Haushalt ist nicht so, daß ich es mir zur Gewohnheit gemacht hätte, nach den Dienern zu klingeln. Und Sebastian hätte das auch nur von seinem eigenen Zimmer aus getan. Aber zu der Zeit hatte ich ihn schon wieder etwas beruhigt.«

»Wenn wir mal von seinem Ärger absehen, daß er seine Mutter nicht überzeugen konnte, Sie auf die Reise mitzunehmen: Freute er sich auf die Reise?«

Ben zögerte. »Selbstverständlich. Im allgemeinen ist sein Leben ziemlich eingeengt. Er fährt nur selten in die Stadt. In gewisser Hinsicht ist diese jährliche Reise an die Riviera eine Art Flucht.«

»Können sie sich irgendeinen anderen Grund vorstellen, warum er besonders froh war, von Occles Hall wegzukommen?«

»Chief Inspector«, sagte Ben ruhig, »bitte keine Versteckspielchen. Sie wissen so gut wie ich, auf welche Weise Sebastian mit Grace Moss verbunden war. Mir war das damals auch schon klar.«

»Das sollte auch kein Versteckspiel sein«, besänftigte ihn Alec. »Mr. Parslow hatte mich nur gebeten, Ihnen nichts von dem mitzuteilen, was er uns erzählt hat.«

Ben wirkte verwirrt. »Ich weiß ja nicht, was er Ihnen gesagt hat, aber ich weiß, daß er das Gefühl hatte, seine Lage sei unerträglich. Er war ausgesprochen erleichtert, hier wegzukommen.«

»Wußten Sie schon vor der gerichtlichen Untersuchung, daß Grace schwanger war?«

»N-nein.« Einen Moment lang wirkte er älter, müde und krank, doch riß er sich wieder zusammen. »Ich wußte nur, daß er sehr darauf erpicht war, die Sache mit ihr zu beenden. Ich schlug damals vor, er solle doch Lady Valeria unter einem Vorwand bitten, ihr zu kündigen. Aber er hatte fürchterliche Angst, seine Mutter könnte von der Affäre erfahren.« Ironisch fügte Ben hinzu: »Außerdem war Grace, was auch immer ihre Fehler sonst gewesen sein mögen, ein ausgezeichnetes Serviermädchen. Selbst Lady Valeria würde so jemanden nicht leichtfertig entlassen.«

»Ihre Ladyschaft wußte nichts von der Liebschaft?«

»Das glaubte jedenfalls Sebastian. Ich hatte eher den Eindruck, daß sie bestens Bescheid wußte, aber natürlich konnte ich mir nicht sicher sein.«

»Mr. Parslow scheint Ihnen ja eine ganze Menge anzuvertrauen, Mr. Goodman.«

»Sie wissen doch schon einiges über die Familie, Chief Inspector«, sagte Ben spitz. »Überrascht Sie das denn angesichts seiner Lage?«

»Eher nicht«, gab Alec zu.

Er stellte noch einige weitere Fragen über Sir Reginald. Ben empfand offenbar für seinen nominellen Arbeitgeber amüsierte Zuneigung, in die sich auch Respekt für seine Arbeit mischte. Doch schien er sich auch ein bißchen darüber zu ärgern, daß er sich seiner Frau nicht widersetzen konnte.

Daisy bezweifelte, daß dieser wohlwollende, aber unaufmerksame Vater Sir Reginald auch nur einen blassen Schimmer hatte, was sich alles in seinem Haushalt abspielte.

»Am besten spreche ich gleich als nächstes mit ihm«, sagte Alec, »nachdem die Damen des Hauses ja ausgegangen sind. Wie komme ich denn zur Molkerei?«

»Sie können mit dem Auto hinfahren«, sagte Ben, »aber da müssen Sie einmal um den Park herum. Zu Fuß ist es viel schneller, wenn Ihnen der Regen nichts ausmacht. Es ist eine knappe halbe Meile – eben gerade so weit, daß der Lärm und die Gerüche Ihre Ladyschaft nicht stören. Moody gibt Ihnen sicherlich einen Regenschirm, wenn Sie keinen mitgebracht haben.« Er erklärte den Weg zur Abkürzung, die Sir Reginald mehrmals am Tag benutzte.

»Vielen Dank für Ihre Hilfe, Mr. Goodman.« Alec stand auf. »Wir überlassen Sie jetzt wieder Ihrer Schreibarbeit. Ich wünschte nur, ich könnte Sie nach London schicken, da hab ich auch noch jede Menge zu tun.«

Daisy lächelte Ben zu, ehe sie gemeinsam mit Alec die Bibliothek verließ.

»Der ist ja zehn von diesen Parslows wert«, bemerkte Alec, während sie in die lange Halle zurückkehrten. »Eine Schande, daß Lady Valeria ihn nicht in den Süden mitnehmen will. Er sieht mir ein bißchen klapprig aus.«

»Als ich ihn kennengelernt habe, wirkte er noch ganz gesund«, sagte Daisy. »Ich glaube, die verscharrte Leiche hat in ihm Erinnerungen an den Krieg wachgerufen. Ich kenne Menschen, die wegen der Schützengräben immer noch Albträume haben.«

»Ja, ich hatte es da oben in meinem Drachen aus Papier und Draht wohl wesentlich besser. Ach so, hier sind übrigens die anderen Photographien von Ihrem Film. Die von der Leiche im Garten habe ich behalten.«

»Vielen Dank. Wieviel schulde ich Ihnen dafür?«

»Das ist ein Geschenk von Scotland Yard.«

»Prachtvoll, danke!« Daisy kam wieder auf den Fall zurück. »Was bin ich froh, daß Ben es nicht gewesen sein kann.«

Alec zog seine so einschüchternden Augenbrauen hoch und sah sie an. »Er kann es nicht gewesen sein?«

»Also zum einen ist er einfach nicht stark genug für so etwas, würde ich meinen.«

»Wenn man die richtige Waffe hat, braucht man keine riesigen Kräfte, um einen Schädel einzuschlagen. Und was das Graben angeht: In der Verzweiflung entwickeln die Menschen durchaus gewaltige Kräfte. Und wer auch immer es gewesen ist, der Mörder hatte ganz offensichtlich ein verzweifeltes Interesse daran, die Leiche zu verbergen.«

»Aber Ben hat doch gar kein Motiv.«

»Da finden wir vielleicht noch eins.«

»Aber er hätte mir nicht den Wintergarten zu zeigen brauchen. Und er hätte Owen auch nicht anweisen müssen, ihn mir zu zeigen, als er selbst weggerufen wurde.«

»Das ist kein überzeugendes ... Du liebe Zeit!«

»Sie da!« Aus dem Gelben Salon kam ein Derwisch in einem lilafarbenen Regencape auf sie zugestürmt. »Sie! Inspector Zwitscher, oder wie Sie heißen.«

»Detective Chief Inspector Fletcher, Ma'am, Criminal Investigation Department.« Obwohl er sich beim Anblick von Lady Valeria gewaltig erschrocken hatte, sprach Alec ruhig. Daisy vermutete, daß ihm diese Unterredung wahrscheinlich leichter fiele, wenn er sich nicht auch noch um sie kümmern müßte, also trat sie beiseite und tat so, als würde sie eines der Porträts an der Wand betrachten. Um nichts in der Welt wäre sie gegangen.

»Was zum Teufel glauben Sie eigentlich, was Sie hier tun, Herr Plätscher«, trompetete Lady Valeria, und die Augen glitzerten in ihrem vor Wut verzerrten Gesicht, »sich in meiner Abwesenheit ohne Erlaubnis in mein Haus einzuschleichen? Das ist ein Verbrechen, ob Sie nun vom CID kommen oder sonstwoher.«

»Ihr Angestellter hat mich eingelassen, Lady Valeria. Ich habe mit Ihrem Sohn gesprochen, und der ist meines Erachtens kein Minderjähriger mehr.«

»Ohne einen Rechtsanwalt!«

»Es ist doch noch gar nicht von einer Anklage die Rede«, sagte Alec mild, »jedenfalls nicht zur Zeit.«

»Anklage – das will ich aber auch meinen, daß es keine gibt!«

»Wenn Sie hingegen Ihren Rechtsanwalt rufen möchten ...«

»Auf gar keinen Fall. Dieser kleinmütige Hasenfuß würde mir sowieso nur raten, mit der Polizei zusammenzuarbeiten, und ich denke ja nicht daran. Ihre Anwesenheit in meinem Haus ist durch nichts zu rechtfertigen. Seien Sie bitte so freundlich, es augenblicklich zu verlassen.«

»Ich würde Sie allerdings lieber nicht bitten, mich zu einer Befragung zum Polizeirevier zu begleiten, Ma'am. Bestimmte Angelegenheiten, die uns zur Kenntnis gebracht wurden ...«

»Gerüchte! Klatsch! Seit wann hört sich Ihre großartige Polizei denn so ein Gewäsch an?«

»Ach, schon seit Ewigkeiten, Ma'am. Wie sollen wir auch sonst erfahren, was passiert ist? Aber in diesem Fall hat Mr. Parslow bestätigt, daß er mit Grace Moss ... auf intime Weise verbunden war. Sie können nicht von uns erwarten, daß wir das ignorieren.«

Lady Valeria versuchte es mit Weltläufigkeit. »Schon seit Menschengedenken haben junge Herren Dienstmädchen verführt, Inspector. Deswegen ist noch lange keine polizeiliche Untersuchung nötig.«

»Wenn das Dienstmädchen aber Opfer eines Mordes wird, Ma'am, dann sind Untersuchungen auf jeden Fall nötig. Und wenn der betreffende junge Herr darüber hinaus zugibt, daß das Mädchen ihm ein Eheversprechen abgeluchst hat, das zu halten er nicht beabsichtigt hat; wenn er zugibt ...«

Die Weltläufigkeit verschwand. »Wie können Sie es wagen!«

»Wenn er zugibt, daß er seiner Mutter und seiner Schwester von dieser mißlichen Situation erzählt hat; wenn er behauptet, daß diese angeboten haben, damit fertig zu ...«

»Sie haben meinen armen Jungen so verschüchtert, daß er sich diese lächerlichen Geschichten ausgedacht hat! Sie glauben wohl, Sie könnten mich und meine Familie so behandeln, wie Sie den gemeinen Plebs behandeln – ein falsches Geständnis erzwingen, und schon haben Sie Ihren Fall gelöst. Ich sorge dafür, daß Sie den Polizeidienst quittieren müssen, da Sie unbescholtene Bürger auf diese Weise bedrohen. Wenn Sie nicht augenblicklich mit diesem Unsinn aufhören, werde ich bei Ihrem Vorgesetzten bei Scotland Yard vorstellig.«

Alecs Erwiderung war höflich und unbetroffen: »Bitte sehr, Ma'am.«

Daisy konnte ihre Wut nicht mehr zügeln. Doch wußte sie, daß Lady Valeria damit nicht zu beeindrucken war, und so ging sie zu den beiden und sagte freundlich: »Die Mühe würde ich mir an Ihrer Stelle nicht machen. Ich würde jederzeit beeiden, daß Chief Inspector Fletcher sich vollkommen ordnungsgemäß verhalten hat. Sollten Sie sich beschweren, wird man also nur annehmen, daß Sie etwas zu verbergen haben.«

»Ich habe nichts zu verbergen.« Dennoch war Lady Valerias Elan auffällig reduziert. »Ich hab meinen Sohn vollkommen aufgelöst vorgefunden. Ich will ihn nur vor macchiavellistischen Manipulationen schützen, und ich protestiere energisch dagegen, daß ...« Ihr energischer Protest erstarb ihr plötzlich auf den Lippen, und sie wandte sich stirnrunzelnd zu Daisy. »Welche Rolle spielen Sie eigentlich in dieser Angelegenheit, Miss Dalrymple? Sie sind ein Gast auf Occles Hall. Was wissen Sie überhaupt von dieser gräßlichen Geschichte?«

»Sebastian hat mich vorhin gebeten, daß ich der Befragung durch den Chief Inspector beiwohne.« Daisy hätte durchaus offenbart, daß sie selbst Scotland Yard gerufen hatte, doch als sie gerade fortfahren wollte, hieß Alec sie mit einem kaum wahrnehmbaren Kopfschütteln schweigen.

»Miss Dalrymple hat schon in der Vergangenheit gesehen, wie ich arbeite«, warf er gelassen ein. »Sie weiß, daß ich niemandem drohe. Seit ...«

»Sie stecken mit diesem Detective unter einer Decke?« wollte Lady Valeria wissen, schon wieder außer sich vor Wut. Sie richtete sich zu ihrer ganzen beeindruckenden Größe auf und sagte von oben herab: »Ich fürchte, Miss Dalrymple, ich muß Sie bitten, Ihre Koffer zu packen.«

»Ich hingegen fürchte, Lady Valeria«, sagte Alec, »ich muß alle Anwesenden bitten, hierzubleiben, bis meine Untersuchung abgeschlossen ist.«

Sie starrte ihn an. Offensichtlich hatte sie diese neuerliche Frechheit so überrumpelt, daß ihr der Vorschlag gar nicht erst einfiel, Daisy solle sich zum Dorfgasthof begeben.

»Da Sie nichts zu verbergen haben, werden Sie auch keine Einwände dagegen haben, meine Fragen zu beantworten.«

Das allerdings ging zu weit. »So ein Quatsch!« explodierte Lady Valeria. »Darauf können Sie lange warten, daß ich mich

Ihrer infamen Inquisition unterziehe.« Und mit einem energischen Rascheln ihres lilafarbenen Capes rauschte sie von dannen.

11

»Meine Güte!« Alec wischte sich mit einer übertriebenen Geste die Stirn.

»Ach, so ein Ärger«, sagte Daisy. »Die hat Sie ja nicht das geringste bißchen aus der Fassung gebracht. Sie haben noch nicht mal mit der Wimper gezuckt.«

»Nun denn, nein, wobei ich durchaus dankbar dafür bin, daß Sie mein anständiges Benehmen bezeugen können. Können Sie sich den jungen Adonis vorstellen, wie er im Zeugenstand beschwört, daß die Polizei brutal mit ihm umgegangen ist?«

»Sehen Sie, ich bin doch zu etwas nütze.« Das wollte sie ihm doch schnell noch klarmachen. »Vielen Dank, daß Sie meinen höchst unfeierlichen Rausschmiß verhindert haben. Ich dachte wirklich, das wäre es jetzt gewesen. Ehrlich gesagt, ich könnte es ihr unter den Umständen gar nicht verübeln.«

»Mag sein, aber die ist ja wirklich gräßlich! Ich kann schon verstehen, warum die halbe Grafschaft vor ihr in Angst und Schrecken zittert. Und sie hat mich vielleicht nicht durcheinander gebracht, aber Antworten hab ich trotzdem keine von ihr bekommen. Vor allen Dingen will ich wissen, warum sie ihre Abreise an die Riviera so plötzlich vorverlegt hat.«

»Sie werden schon noch bekommen, was Sie wollen, so unwiderstehlich wie Sie sind.« Das hätte ein ziemlich peinliches Kompliment sein können, doch war es so beiläufig hervorgebracht worden, daß Alec sich gar nicht bemüßigt fühlte, rot zu werden. Ihm war klar, daß Daisy viel zu sehr mit den gesellschaftlichen Folgen beschäftigt war, wenn man in einem Haus wohnen blieb, in dem einen die Gastgeberin nicht mehr zu sehen wünschte. »Ich fühle mich wie die berühmte Schlange im Gras oder wie ein Kuckucksei im Nest, oder wie man das nennt. Aber natürlich würde es mir noch viel schlechter gehen, wenn Lady Valeria mich wirklich aus ganzem Herzen willkommen geheißen hätte, oder wenn sie sich besondere Mühe gegeben hätte, mir zu helfen.«

»Das hat sie nicht?« Alec hatte plötzlich das Gefühl, ganz dicht davor zu sein, diese merkwürdige Familie zu verstehen.

»Nicht im mindesten. Bobbie hat mich eingeladen, nachdem sie ihren Vater gefragt hat, und ihre Mutter war wütend, weil man sie nicht um Erlaubnis gebeten hat. Außerdem mißbilligt sie es, wenn Frauen arbeiten, ich meine Damen meines Standes«, erläuterte Daisy rasch. »Ich vermute, sie hat Angst, daß Bobby vielleicht meinem Beispiel folgen könnte.«

»Ein wirklich schreckliches Beispiel.«

Daisy verzog ihre hinreißende, sommersprossenübersäte Nase. Von wegen unwiderstehlich! »Nun ja, meine Mutter sieht die Sache ähnlich«, gab sie zu. »Ich jedenfalls bin der Überzeugung, Lady Valeria will mich hier nicht zuletzt auch deshalb loswerden, weil sie es nicht gerne sieht, daß Sebastian heiratsfähige Mädchen kennenlernt. Sie ist fürchterlich besitzergreifend, und wenn er heiraten würde, dann würde er sich ja von ihren Rockschößen lösen, wenigstens in gewisser Hinsicht. Nicht, daß ich mir einbilde, er fühle sich irgendwie zu mir hingezogen!«

»Nein?« Alec achtete darauf, möglichst beiläufig nachzufragen. »Fühlen Sie sich denn von ihm angezogen?«

»Nein, obwohl es am Anfang schon ein bißchen so war. Aber er hat eben überhaupt nicht die Charakterstärke, die man bei seinem Aussehen erwarten würde, finden Sie nicht auch? Trotzdem, er hat mir das Gefühl vermittelt, hier willkommen zu sein. Zum Dank hab ich zugehört, wie er Ihnen ein Geständnis ablegt, ohne daß er von unser beider Bekanntschaft weiß. Ich glaube, das sollte ich ihm lieber selbst beichten, wenn es Ihnen nichts ausmacht.«

»Und selbst wenn ich etwas dagegen hätte, würden Sie es ohne Zweifel trotzdem tun. In Ordnung, gehen Sie nur und reden Sie mit ihm, aber stellen Sie ihm keine Fragen, verstanden? Und machen Sie ihm klar, daß ich weiß, daß Sie bei ihm sind. Ich hab keine Lust, als nächstes Ihre Leiche im Wintergarten auszugraben.«

Die Sommersprossen waren plötzlich bestens auf Daisys Gesicht zu sehen, so blaß war sie geworden. Vehement schüttelte sie den Kopf. »Nein, so etwas würde er nicht tun! Ich glaub einfach nicht, daß er so verrückt spielen könnte. Und selbst wenn er es wollte: das einzige im Gelben Salon, womit er mich erschlagen könnte, wäre das Backgammon-Spielbrett.«

Alec lächelte, doch dann sagte er ernst: »Seien Sie vorsichtig, Daisy. Ich bin mir ziemlich sicher, daß Sie jetzt, wo ich hier bin, nicht mehr in Gefahr sind. Aber ich würde es mir nie verzeihen, wenn Ihnen etwas zustößt. Jetzt geh ich aber erst mal hinunter zur Molkerei, um Sir Reginald zu sprechen.«

Sie bat ihn nicht, auf sie zu warten, und so vermutete er, daß sie es für höchst unwahrscheinlich hielt, daß der Baronet ernsthaft ein Verdächtiger sein könnte. Aber vielleicht irrte sie sich ja auch, und er hatte etwas Interessantes zu erzählen.

Als Daisy Sebastian sah, war sie überzeugt, daß sie ihn richtig einschätzte. Man hätte kaum unschuldiger aussehen können. Er saß noch im Stuhl am Backgammon-Tisch, hatte die Stirn auf die gekreuzten Arme gelegt, und seine Schultern wurden von Schluchzern erschüttert.

Sie wollte gerade wieder aus dem Zimmer verschwinden, als er ihre Gegenwart bemerkte und den Kopf hob. Sein Gesicht hielt er von ihr abgewandt. »Daisy?« fragte er mit belegter Stimme.

»Ja, ich ...«

»Ich wußte, daß Sie zurückkommen würden, um unsere Partie zu beenden. Ich hab nur leider die Spielsteine durcheinandergebracht.«

»Das macht nichts. Ich muß Ihnen noch etwas sagen, aber das hat auch Zeit.«

»Nein, ist schon in Ordnung, kommen Sie nur herein.« Er setzte sich auf und unternahm einen müden Versuch, aufzustehen.

»Bleiben Sie ruhig sitzen.« Sie setzte sich ihm gegenüber in den Sessel. Sie spielte mit ein paar Backgammon-Steinen und vermied es, ihm ins Gesicht zu sehen. Mit einem kurzen Blick hatte sie seine rotgeränderten Augen gesehen. »Ich muß mich entschuldigen. Ich hätte Ihnen klar sagen sollen, daß ich Chief Inspector Fletcher schon kenne. Tatsächlich hab ich ihn sogar gebeten, herzukommen. Ich glaube nämlich nicht, daß Grace von Owen Morgan getötet wurde.«

»Das ist schon in Ordnung. Ist doch egal. Ist doch alles egal«, sagte Sebastian hoffnungslos. »Nur, daß meine Mutter es immer schafft, alles zehnmal so schlimm aussehen zu lassen.«

»Ich weiß, wie das ist«, sagte sie voller Mitgefühl. »Meine Mutter ist auch schwierig, nur auf andere Weise.« Im stillen leistete sie der verwitweten Lady Dalrymple inständig Abbitte. Im Vergleich zu Lady Valeria war sie eine Heilige.

»Wirklich?« Das schien ihn zu trösten. Es war ihm wohl noch nie der Gedanke gekommen, daß auch andere Menschen schwierige Eltern haben könnten. »Behandelt sie Sie auch wie ein Kind und hindert Sie daran, irgend etwas Lohnendes oder Interessantes oder ... oder sonst etwas mit Ihrem Leben anzufangen, was Sie gerne machen möchten?«

»Sie versucht es. Aber ich lasse es nicht zu.« Daisy hatte ihr Versprechen nicht vergessen, sich nicht einzumischen, doch galt dieses Versprechen Alec und betraf die Untersuchung. Was ihr jetzt auf der Seele lag, hatte nichts mit dem Fall zu tun. »Lady Valeria kann Sie nicht wirklich daran hindern, wenn Sie sich ihr einfach einmal stellen und Ihren Standpunkt vertreten. Sie sind schließlich volljährig, und Bobbie hat mir erzählt, Sie hätten ein eigenes Einkommen.«

»Nicht sehr viel.«

»Sie sagte, Sie hätten genug, um davon zu leben«.

»Ja, aber ...« Er biß sich wütend auf die Unterlippe und rang um Fassung. »Vielen Dank für Ihre Ermutigung, aber Sie verstehen das nicht – Sie können das gar nicht verstehen. Es gibt da noch andere Schwierigkeiten.«

Ausgerechnet in diesem Moment trat Lady Valeria ein. Daisy hätte sie umbringen können.

Das Gefühl schien auf Gegenseitigkeit zu beruhen. Wenn Blicke töten könnten, dann hätte Alec jetzt wirklich noch eine weitere Leiche vorgefunden.

»Aha. Miss Dalrymple hat es also an der Stelle ihres Komplizen unternommen, meinen Sohn zu quälen.«

»O nein, Mummy, Daisy ...«

»Mein armer Junge, du bist auf das Widerlichste hinters Licht geführt worden. Miss Dalrymple steckt mit der Polizei unter einer Decke. Aber mach dir keine Sorgen. Deine Mutter wird allen Schaden abwenden. Miss Dalrymple, ich muß Sie bitten, augenblicklich Ihre Koffer zu packen. Wenn Inspector Quetscher auf Ihrer Gegenwart besteht, werden Sie sicherlich das *Cheshire Cheese* überreden können, Ihnen ein Zimmer zu vermieten.«

»Nein!« sagte Sebastian energisch und stellte sich zwischen Daisy und seine Mutter. »Daisy versucht keineswegs, mich hinters Licht zu führen. Sie hat mir selber erzählt, daß sie Chief Inspector Fletcher kennt.«

»Trotzdem hat sie auf Occles Hall nichts mehr zu suchen.«

Es ging Daisy prinzipiell gegen den Strich, sich von einem Mann verteidigen zu lassen, doch beschloß sie, daß diese Erfahrung Sebastian guttun würde. Sie beglückwünschte sich sogar zur unerwartet raschen Wirkung, die ihre ermutigenden Worte hatten.

»Du würdest doch auch nicht zulassen, daß Bobbie alleine in einem Gasthof übernachtet«, protestierte er.

»Ich sehe keinen Grund, warum Miss Dalrymple das nicht tun sollte. Schließlich zieht sie es vor, sich als berufstätige Frau zu tummeln. Vermutlich wohnt sie sogar häufig in Gasthäusern, und eine ihrer Herrenbekanntschaften hat sich ja auch schon im *Cheshire Cheese* eingerichtet.«

»Ja, natürlich, Petrie. Dann kann sie unmöglich da hingehen.«

»Natürlich kann sie das, Sebastian. Sie behauptet, Phillip Petrie wäre ihr wie ein Bruder. Jetzt stell dich nicht so an, sei ein guter Junge.«

Schon verfiel Sebastian wieder in ein kindliches Schmollen. »Aber ich will, daß sie hierbleibt. Ich mag sie. Sie ist eine Freundin. Nie darf ich Freunde haben.«

Lady Valeria warf Daisy ein einschmeichelndes Lächeln zu.

Damit hätte sie fast das erreicht, was mit dem mörderischen Blick vorhin nicht geglückt war: Daß Daisy vor Schock tot umfiel. »Jetzt sei mal nicht albern, Liebling«, sagte sie. »Natürlich darfst du Freunde haben. Es kann auch nicht schaden, wenn Miss Dalrymple noch einen oder zwei Tage bleibt. Ich vermute, Sie haben an Ihrem Artikel noch einiges zu tun, Miss Dalrymple?« sagte sie dann spitz. »Sollen wir beide mal schön ruhig eine kleine Partie Backgammon spielen, Sebastian?«

Es schien so, als würde er das Angebot gerne ablehnen, doch unter dem zugleich stählernen und nachsichtigen Blick seiner Mutter sackte er in sich zusammen und stimmte zu. Daisy ging hinauf in ihr Zimmer. Sie fragte sich, ob Lady Valeria ihren kleinen Jungen wohl gewinnen lassen würde.

Sie hatte tatsächlich an ihrem Artikel zu arbeiten, also setzte sie sich an ihre Schreibmaschine, zog ein weißes Blatt Papier ein – und saß dann da und starrte es an. Was in aller Welt hatte Sebstian gemeint? Wenn er genug Geld hatte, um davon zu leben, welche anderen Probleme hatte er denn, abgesehen von seiner Unfähigkeit, seiner übermächtigen Mutter zu trotzen? Warum nur war er so nervös und so schrecklich unglücklich?

Vielleicht hatte er Grace umgebracht und rechnete jetzt damit, jederzeit festgenommen zu werden?

Nach einer halben Stunde war das Blatt Papier nicht mehr ganz so weiß. Anderthalb Sätze waren geschrieben. Und sie war nicht klüger geworden, was Sebastian oder den Mord anging, denn sie hatte ein Paar Wildenten beobachtet, die eben angeflogen waren und jetzt zufrieden im Burggraben herumpaddelten. Trotz des andauernden Nieselregens beschloß sie, Alec im Park abzufangen.

Als sie ihr Zimmer verließ, sah sie Gregg in Bobbies Zimmer gehen, einen Stapel sauberer Wäsche in den Armen.

»Ach, Gregg, ist Miss Roberta wohl schon nach Hause gekommen?« rief sie aus.

Die Hausangestellte wandte sich um. Sie wirkte verstört. »Nein, Miss.«

»Wissen Sie zufällig, wo sie hingegangen ist?«

»Das kann ich nicht sagen, Miss.« Sie senkte den Blick, und es war offensichtlich, daß sie der Frage auswich.

»Soll das heißen, daß Sie es nicht wissen?« fragte Daisy.

»Ich weiß es wirklich nicht, Miss. Ehrlich.«

»Dann wissen Sie aber etwas darüber, warum sie weg ist, stimmt's?«

»Oh, Miss, ich mußte schwören, es niemandem zu erzählen. Ihre Ladyschaft darf das nicht herausfinden.«

»Es muß Ihnen doch klar sein, daß die Polizei im Haus ist und Fragen stellt«, sagte Daisy streng.

»Ja, Miss, ich hab auch schon mit diesem Detective Piper gesprochen. Aber der hat uns nichts wegen heute gefragt. Er wollte nur wissen, ob ich Miss Roberta oder Ihre Ladyschaft an dem Abend gesehen habe, an dem Gracie verschwunden ist, oder überhaupt jemanden.«

»Und, haben Sie sie gesehen?«

»Nein, Miss. Ich hab den Koffer von Ihrer Ladyschaft gepackt. Sie nimmt jedes Jahr dasselbe mit, also mußte sie auch nicht dabei sein. Dann bin ich gegangen, um meine eigene Tasche zu packen. Beim Schlafengehen brauchen mich die Damen nur ganz selten, also bin ich im Zimmer geblieben und hab mich vor der Reise noch ein bißchen ausgeruht. Mit Ihrer Ladyschaft zu verreisen ist nicht gerade ein Sonntagsspaziergang, Miss.«

»Allein der Gedanke daran versetzt einen schon in Angst und Schrecken«, pflichtete Daisy ihr bei. Sie ging ihrer Wege. Es würde Alec nicht helfen, wenn sie Bobbies Geheimnis aus Gregg herauspreßte. Schließlich brauchte er Bobbie nur nach ihrer Rückkehr zu fragen, sofern es ihn überhaupt interessierte. Ein Geheimnis vor Lady Valeria mußte nicht unbedingt auch für andere Menschen von Bedeutung sein.

Unter ihrem roten Schirm ging sie den Pfad hinunter, den Ben vorhin beschrieben hatte. Sie kam durch ein Unterholz, schlängelte sich zwischen nackten Eichen und Eschen hindurch und ging an Sträuchern vorbei, an denen schon kleine gelbe Kätzchen hingen. Als sie aus dem Wäldchen heraustrat, hörte sie das Muhen von Rindern. Eine langsame Prozession von schwarzbunten Kühen, denen ein passend schwarzgescheckter Hund und ein Bauer folgten, näherte sich einer Ansammlung von niedrigen Backsteingebäuden, die von einem groben Zaun umgeben waren. Als sie links von Daisy durch ein breites Tor in die Umfriedung hineintrotteten, kam Alec gerade vor ihr durch ein kleines, enges Schwinggatter hindurch, das für ländliche Gebiete typisch war und *Kissing Gate* genannt wurde.

Wäre sie doch nur ein paar Minuten früher angekommen! Allerdings war Alec ein Stadtmensch und wußte vielleicht gar nicht, daß das Gatter so hieß.

Zur Begrüßung winkte er mit seiner freien Hand, in der anderen hielt er einen riesigen schwarzen Regenschirm. »Hallo! Ist doch hoffentlich alles in Ordnung?«

»Ja, ich wollte nur einmal frische Luft schnappen.« Als er auf ihre Höhe kam, wandte sie sich um und ging mit ihm wieder zurück zum Haus.

Dabei stießen ihre Regenschirme dauernd aneinander, und so schloß sie ihren und begab sich unter seinen. Nachdem sie ihn untergehakt hatte, war das Gehen viel leichter. Er lächelte zu ihr hinunter.

»Haben Sie von Sir Reginald irgend etwas Hilfreiches erfahren?« fragte sie und versuchte so zu tun, als sei es ganz normal, miteinander Arm in Arm zu gehen.

»Kein Wort. Weder das Verschwinden von Grace noch die Abreise seiner Frau und seines Sohnes am nächsten Tag haben ihm den dreizehnten Dezember irgendwie eingeprägt. Aus seinen Unterlagen geht immerhin hervor, daß es ein schöner Tag war, und sie bezeugen auch, daß eine preisgekrönte Milchkuh namens Gloriosa einen wahrhaft rekordverdächtigen Anteil von Butterfett in der Milch verbucht hat.«

Daisy kicherte. »Ich kann nicht behaupten, daß mich das besonders erstaunt.«

»Er ist ein netter alter Kauz, der sich nur mit einer Sache beschäftigt und immer um zehn Uhr abends zu Bett geht, weil seine Kühe morgens so früh aufstehen. Wie hat Sebastian denn Ihre Beichte aufgenommen?«

»Er fand es überhaupt nicht schlimm. Er ist wirklich vollkommen durcheinander. Und daß ich Sie hergeholt habe, fand er nicht weiter ungewöhnlich.« Sie beschloß, daß Sebastians Auseinandersetzung mit seiner Mutter und ihr eigener, vorangegangener Rat an ihn für Alec gleichermaßen unwesentlich waren und erzählte ihm davon nichts.

»Glauben Sie, er ist wegen seiner eigenen Angelegenheiten so aufgeregt? Befürchtet er vielleicht, daß seine Mutter oder seine Schwester um seinetwillen Grace umgebracht haben?«

»Das weiß der Himmel! Ich würde allerdings meinen, so was reicht schon, um ihn in Angst und Schrecken zu versetzen.«

»Übrigens, ist Miss Parslow eigentlich schon zurück?« fragte Alec, während sie aus dem Unterholz heraustraten und sich dem Haus näherten.

»Als ich losging, war sie es jedenfalls noch nicht.«

»Dann muß ich sie mir für morgen aufheben. Also, jetzt wollen wir mal sehen, was Piper zu berichten hat. Heute abend werden die Dorfbewohner angezapft.«

»Anzapfen kann man da wohl auch ganz wörtlich verstehen«, sagte Daisy mit leichtem Spott.

Alec grinste. »Ja, klar. Alkohol lockert die Zungen. Ich bin morgen so früh wieder hier, wie es unter manierlichen Menschen erlaubt ist.«

»Sofern Ihr Brummschädel das zuläßt.«

»Mein Schädel ist Kummer gewöhnt. Ich werd morgen früh hier sein, denn anschließend ist ja auch die Beerdigung.«

»Ich glaube nicht, daß ich da hingehen sollte. Das würde wohl etwas aufdringlich wirken, schließlich kannte ich sie ja gar nicht. Und ich kann nicht behaupten, daß ich mir besonders viel aus Beerdigungen mache.«

»Leider gehört es zu den unausweichlichen Pflichten eines Polizeibeamten, bei Beerdigungen von Mordopfern dabeizusein. Es könnte ja jemand zusammenbrechen und die Tat gestehen.«

»Wenn Sie glauben, dabei jemandem vom großen Haus zu begegnen, täuschen Sie sich aber. Lady Valeria hat der Familie und der Dienerschaft verboten, hinzugehen. Eigentlich ziemlich unmöglich, so was. Schließlich hat Grace mehrere Jahre hier gearbeitet, und die anderen Dienstmädchen waren ihre Freundinnen.«

»Das ist wirklich sehr streng. Nun denn, ich muß trotzdem hin. Wir können uns noch nicht sicher sein, daß es jemand aus Occles Hall war, und ich will Moss anschließend sprechen. Er klingt wie ein durch und durch unangenehmer Zeitgenosse – ein lump'ger Handwerksmann, wie er im Buche steht – aber ...«

»Ein lump'ger Handwerksmann?« Sie blickte ihn fragend an, und hatte dabei ihren Kopf kokett zur Seite geneigt. Er hätte sie am liebsten auf die Nasenspitze geküßt.

»Shakespeares *Sommernachtstraum*«, sagte er knapp. »Vielleicht wird ihm ja die Beerdigung seiner Tochter den Anreiz geben, endlich mit denen zusammenzuarbeiten, die ihren Mörder fangen wollen.«

Daisy zog die Hand aus seiner Armbeuge, als sie den Schutz einer kleinen Veranda erreichten. »Moss würde sich vor Freude überschlagen, wenn er wüßte, daß Sie Lady Valeria verdächtigen!« bemerkte sie.

»Ich finde das alles gar nicht so großartig.« Er stöhnte auf. »Wieso muß ich eigentlich immer mit dem Adel zu tun haben?«

»Piper sagt, es liegt daran, daß Sie einen Hochschulabschluß haben und Schloß-Englisch reden.«

Alec lachte und schloß seinen Regenschirm. »Gelegentlich ist es auch ganz schön«, gab er mit einem Lächeln zu. »Bei manchen Adligen freue ich mich durchaus, daß ich sie kenne.«

Sie gingen ins Haus und in Richtung der langen Halle. Alec warnte Daisy noch einmal, sich nicht einzumischen, womit er die Wirkung seines Kompliments fast wieder zunichte machte.

Ein wenig verärgert ging sie in den Gelben Salon, wo sie zu ihrer Freude Phillip vorfand. Er hatte Lady Valeria einen kurzen Besuch abgestattet, um sich für das Abendessen am Vorabend zu bedanken, und man hatte ihn genötigt, zum Tee zu bleiben. Seine Anwesenheit trug erheblich dazu bei, die unausweichliche Befangenheit der Gesellschaft aufzulösen.

Weder Bobbie noch Ben kamen zum Tee. Sebastian schien

sich wieder gefangen zu haben. Lady Valeria hatte eine Schicht Gastfreundlichkeit über ihren wahren Charakter gelegt. Wie sie dort so saß und Kuchen austeilte, hätte man nie gedacht, daß sie erst vor kurzem ebenso freigebig häßliche Andeutungen über ein unschickliches Verhältnis zwischen Daisy und Phillip gemacht hatte.

Doch sollte diese plötzliche Friedfertigkeit Ihrer Ladyschaft nicht von langer Dauer sein. Phillip fing an, über sein Automobil zu sprechen, immer schon eins seiner Lieblingsthemen. Stan Moss hatte den Swift so repariert, daß der Motor nur so schnurrte, und Phillip außerdem den Trick beigebracht, mit dem er in Zukunft sein Gefährt selber in Schuß halten konnte. Stan Moss war ein wahres Mechaniker-Genie. Er könnte ein Vermögen verdienen, wenn er nur eine ordentliche Werkstatt mit moderner Ausrüstung hätte.

Lady Valerias Gesicht nahm wieder den vertrauten Ausdruck von sieben Tagen Regenwetter an. Sebastian amüsierte sich blendend, und Daisy mußte seinem Blick ausweichen, sonst wäre sie kichernd losgeplatzt.

Phillip tönte weiter: »Ich meine, stellen Sie sich doch nur vor, wie praktisch es für Sie wäre, eine Benzin-Abfüllstation vor der Haustür zu haben, anstatt immer bis nach Whitbury fahren zu müssen, um Benzin zu tanken.«

»Niemals«, sprach Lady Valeria aus, als wäre dies ein Richtspruch vom Jüngsten Tag, »niemals wird es in Occleswich eine Tankstelle geben, solange mir ... solange Sir Reginald das Dorf gehört!«

»In Ordnung«, stimmte Phillip sofort gutgelaunt zu. »Stinken ganz schön, nicht wahr? Das ganze Dorf gehört tatsächlich zum Gut?«

»Sir Reginald war so unklug – das war natürlich noch vor meiner Zeit – die Schmiede und den Gasthof zu verpachten, um so eine moderne Ausrüstung für seine Molkerei zu finanzieren. Zwar gibt es im Vertrag eine Klausel, die wesentliche bauliche Änderungen ohne Erlaubnis verbietet, aber mit so etwas hat man nichts als Ärger.«

Phillip nickte. »Man verliert die Übersicht«, sagte er. »Mein alter Herr hat auch eine ordentliche Ecke von Malvern Green verkaufen müssen, um nach dem Tod meines Großvaters die Erbschaftssteuer entrichten zu können.«

Die folgende Unterhaltung über die Unannehmlichkeiten von Nachlaß- und Einkommenssteuer brachte ihm wieder die Gunst von Lady Valeria ein – sie lud ihn sogar für Sonntag zum Mittagessen ein. »Sofern Sie dann immer noch in der Gegend sind, Mr. Petrie«, fügte sie mit einem irritierten Blick auf Daisy hinzu. Phillip blickte Daisy eher ängstlich an, als er antwortete: »Haben Sie vielen Dank. Ich komme gern und freue mich schon. Am Montag muß ich wohl wieder zurück in die Stadt. Die Geschäfte warten. Außerdem hab ich meinen Diener nicht mitgebracht, und sehr viel länger komme ich ohne ihn nicht aus, wissen Sie. Wie das immer so ist.«

Daisy vermutete, daß er sie nur ungerne mit Alec und einem unaufgeklärten Mordfall zurückließ. Allerdings sah sie nicht, wie sie ihren eigenen Aufenthalt auf Occles Hall noch über das Wochenende ausdehnen könnte, egal, was Sebastian und Bobbie von ihr wollten. Alecs Forderung, daß sie dort bliebe, war eigentlich kein sehr stichhaltiger Grund, und die Ausrede mit der Molkerei-Besichtigung war nicht mehr überzeugend – sie hätte jede Menge Zeit gehabt, sie sich anzuschauen. Und obwohl die Rücksichtnahme auf Benimm und Anstand sie nicht davon abhalten würde, im Dorfgasthof zu übernachten, konnte sie sich eigentlich auch die bescheidenen Preise der Zimmer im *Cheshire Cheese* nicht leisten.

Wenigstens würde sie mit Phillip fahren. Dann könnte sie sich den Preis für die Rückfahrkarte nach London erstatten lassen, dachte sie und war schon wieder getröstet. Selbstverständlich würde sie ihm die Differenz zwischen der ersten und der zweiten Klasse zurückzahlen, aber sie hätte immer noch ein paar Shilling gespart. Vielleicht sprang sogar ein neues Paar Seidenstrümpfe dabei heraus.

Phillip erhob sich, um sich zu verabschieden, doch Sebastian hielt ihn auf. »Ach, Moment. Hätten Sie nicht Lust, ein wenig länger zu bleiben und mit mir eine Partie Billard zu spielen?« Er wirkte wie ein kleiner Junge, der um eine Süßigkeit bettelt.

»In Ordnung, mein Bester.«

Ein Ausdruck des Entsetzens huschte über Lady Valerias ernste Züge. Doch war er so schnell wieder unterdrückt, daß Daisy sich fragte, ob sie sich das nicht doch nur eingebildet hatte. Der Mund Ihrer Ladyschaft öffnete sich, doch sie protestierte mit keiner Silbe. Denn Phillip fuhr fort: »Wie wäre es, wenn wir es zu einem Snookerspiel umdeklarieren und Daisy fragen, ob sie mitspielt? Für ein Mädchen ist sie gar nicht mal so schlecht.«

»Nicht schlecht«, quakte Daisy empört. »Ich hab dich schon häufiger vernichtend geschlagen!«

Sebastian lachte. »Ich hätte Sie schon viel früher gefragt, Daisy, wenn ich gewußt hätte, daß Sie spielen. Mal was anderes als Backgammon. Gehen wir.«

Lag da etwa Erleichterung auf dem Gesicht seiner Mutter? Verwirrt und vollkommen perplex ging Daisy mit den beiden Männern ins Billardzimmer.

Lady Valerias merkwürdige Reaktionen waren bald vergessen, denn sie mußte Sebastian und Phillip mühsam überreden, nicht zu ihren Gunsten zu schummeln. Das Ergebnis ihrer Bemühungen war jedoch, daß die beiden es mit immer größerer Unverschämtheit taten, bis sie sich schließlich alle drei vor Lachen nur so ausschütteten und kaum noch die Kugeln trafen.

Daisy hatte Sebastian noch nie so entspannt und glücklich gesehen; sie war sich ziemlich sicher, daß er nur selten Gelegenheit hatte, sich mit seinen Altersgenossen zu amüsieren. Es war wirklich ein Verbrechen, wie sehr seine Mutter ihn an der kurzen Leine hielt. Kein Wunder, daß er eine unglückliche Affäre mit einem Serviermädchen begonnen hatte, die dann so schrecklich geendet hatte.

Sie konnte nicht glauben, daß er ein Mörder war. Dazu hatte er einfach nicht den Mumm. Irgend jemand anderes hatte diese Tat auf dem Gewissen. Lady Valeria? Bobbie? Der mysteriöse Handlungsreisende? Bestimmt nicht Bobbie. Mädchen, mit denen man zur Schule gegangen war, stellten sich nicht hinterher als Mörderinnen heraus, vor allen Dingen nicht so sportliche, gradlinige Typen wie Bobbie. Ein Mord war einfach nicht *comme il faut*.

Doch war ein Mord geschehen, und Beklommenheit senkte sich wieder über Daisy und Sebastian, als Phillip abfuhr. In mutlosem Schweigen gingen sie beide hinauf, um sich zum Abendessen umzuziehen.

Das graue Seidenkleid paßte heute zu Daisys Laune. In der Erwartung eines weiteren, schier endlosen und ungemütlichen Abends machte sie sich zum Salon auf. Doch als sie an die Tür kam, hörte sie Moodys freudlose Stimme und hielt dort einen Moment inne.

»Nein, Mylady, Miss Roberta ist noch nicht zurückgekommen. Miss Gregg hat mich gebeten, Ihrer Ladyschaft diesen Zettel zu geben, den sie Ihnen geschrieben hat.«

»Zettel? Roberta hat eine Nachricht hinterlassen, und Gregg hält es erst jetzt für nötig, sie mir zu geben?« Lady Valeria klang erstaunt, empört und sorgenvoll zugleich.

»Man hat mir zu verstehen gegeben, Mylady, daß dies der Anweisung von Miss Roberta entspricht.«

»Was steht denn drin, Valeria?« fragte Sir Reginald abwesend, aber neugierig.

Daisy konnte einfach nicht anders, als weiter zu lauschen. Glücklicherweise schickte Lady Valeria Moody nicht hinaus, sondern las Bobbies Nachricht gleich. Vor lauter Entsetzen sagte sie ihrem Mann sofort, was drinstand, ohne die Gegenwart des Butlers zu bedenken.

»Du lieber Himmel! Reggie, sie bleibt heute abend fort.«

»Wo ist sie denn?«

»Das schreibt sie nicht. Sie schreibt, sie kann nicht genau sagen, wann sie wieder nach Hause kommt!«

War Bobbie etwa auf der Flucht vor der Polizei? Aber sie war doch fast in Ohnmacht gefallen, als Daisy ihr erzählt hatte, daß Grace ermordet worden war – oder lag es eher an der Entdeckung von Graces Leiche? So sehr sie sich auch als Verräterin vorkam, Daisy mußte das unbedingt Alec erzählen.

12

Als Alec mit Ernie Piper Occles Hall verließ, hatte der Regen aufgehört, und im Westen zeichneten sich vor der untergehenden Sonne die Wolken ab. Petries altersschwacher Swift stand neben dem Austin, der zwar schön und neu aussah, aber neben dem spritzigen kleinen Zweisitzer doch sehr schwerfällig wirkte. Während Alec sein praktisches Familienauto anließ, zog Piper sein Notizbuch hervor.

»Ich hab eine Menge erledigt, Chief«, sagte er stolz. »All die Fragen, die Sie hatten.«

»Die haben tatsächlich mit Ihnen geredet trotz Lady Valeria?«

»Dieser Butler da hat ihnen verboten, mit der Polizei zu sprechen, also bin ich hin und hab einfach gesagt, wir sind nicht die Polizei, wir sind Scotland Yard, und wir würden uns nicht von irgendwelchen Landadligen reinreden lassen. Da hat er noch trauriger als sonst geguckt und hat den anderen gesagt, sie sollten mit mir zusammenarbeiten.«

Alec grinste. »Etwas übertrieben, aber gut gemacht. Gehen Sie einfach mal durch, was Sie alles notiert haben. Wir sortieren das dann später.«

Es hätte keinen Sinn, Piper um einen Bericht nur der relevanten Dinge zu bitten, wie er das bei Tring hätte tun können. Die Erfahrung des Jungen reichte einfach nicht aus, um zu unterscheiden, was von Bedeutung war und was nicht.

»Moody, also der Butler. Nach dem Abendessen hat er Sir Reginald und Miss Parslow im Salon den Kaffee serviert, und Ihrer Ladyschaft und Mr. Goodman in der Bibliothek. Dann ist er in seinen Anrichteraum gegangen und hat die Füße hochgelegt, weil sie ihm weh taten. Um dreiviertel zwölf hat er dann seinen Rundgang gemacht, um abzuschließen.«

»Er hat um viertel vor zwölf abgeschlossen?«

»Ja, Chief, so wie immer. Es gibt aber noch eine Seitentür, die hat keinen Riegel und nur ein ganz schlichtes Schloß. Alle Familienmitglieder haben dazu einen Schlüssel, also hab ich dem nicht viel Bedeutung beigemessen.«

»Wenn Grace also noch mal ins Haus zurückgegangen ist,

muß das vor elf Uhr fünfundvierzig gewesen sein – es sei denn, ein Mitglied der Familie hat sie aus irgendeinem Grund begleitet. Nehmen wir mal an, der junge Parslow hat sich im Dorf mit ihr getroffen und sie auf eine Autofahrt mitgenommen. Vielleicht hat er gehofft, er kann die Geschichte noch mit ihr klären. Nur mußte er dann doch unverrichteter Dinge zurückkehren und seiner Mutter oder seiner Schwester beichten, daß er keinen Erfolg hatte. Wie viele Automobile besitzt die Familie, und war eines davon an dem Abend unterwegs?«

»Ich weiß nicht, Chief«, sagte Piper betrübt. »Ich hab überhaupt nicht daran gedacht, mit dem Chauffeur zu sprechen.«

»Niemand stellt gleich beim ersten Mal die richtigen Fragen«, munterte Alec ihn auf. »Und morgen ist auch noch ein Tag. Machen wir also bei Moody weiter.«

»In Ordnung, Chief. Er sagt, der Diener von Mr. Parslow, Thomkins, hätte bei ihm im Anrichteraum vorbeigeschaut, um einen Schluck Portwein zu trinken, nachdem er für Mr. Parslow gepackt hatte. Das war kurz nach zehn. Er erinnert sich so genau daran, weil die beiden sich darüber unterhalten haben, daß es mit dem Packen nur eine Stunde gedauert hat, und wie entspannt Mr. Parslow doch in diesen Dingen ist. Es scheint, als wäre Thomkins' letzter Arbeitgeber ein richtiger Umstandskrämer gewesen, der sich nie entscheiden konnte. Thomkins sagt aus, daß es kurz nach zehn war.«

»Also hat Parslow für die Zeit zwischen zehn und elf Uhr dreißig kein Alibi.« Alec dachte nach. »Und was den Zeitpunkt elf Uhr dreißig betrifft, so habe ich ausschließlich sein Wort, weil sich seine Mutter leider nicht von Scotland Yard beeindrucken läßt. Nicht, daß ich einem Alibi, das sie ihm gibt, auch nur den geringsten Glauben schenken würde. Wäre er bei seiner Schwester gewesen, dann hätte er das auch gesagt, um ihretwillen und um seiner selbst willen auch. Hat ihn einer von den Dienern während dieser Zeit gesehen, Ernie?«

»Nein, Chief. Die halten sich meistenteils in ihren eigenen Aufenthaltsräumen auf, sogar die Leibdiener, wenn man nicht nach ihnen klingelt.«

»Kein Dienstmädchen mit den Wärmflaschen unterwegs?«

»Ihre Ladyschaft hält nichts von Wärmflaschen.«

»Verflucht aber auch, Ihre Ladyschaft ist ja wirklich ein zäher Brocken! Machen Sie weiter. Nein, warten Sie noch einen Moment«, sagte Alec und hielt den Wagen vor der Schmiede an. »Da ist kein Licht zu sehen, aber schauen Sie doch einfach mal hinten nach, ob das Lastautomobil von Moss gerade da ist.«

Piper schaute nach und tat bei seiner Rückkehr kund, es gäbe dort weder einen Lastwagen noch Licht.

Sie fuhren weiter zum *Cheshire Cheese* und gingen hinauf in Alecs Zimmer. Pipers Liste derer, die nichts und niemanden gesehen hatten, war lang.

Niemand hatte nach zehn Uhr irgendein Mitglied der Familie gesehen. Niemand hatte Owen Morgan gesehen. Das Mittel, das der alte Bligh gegen seinen Rheumatismus nahm, ließ ihn so tief und fest schlafen, daß eine Herde wilder Elefanten ihn nicht wecken könnte, geschweige denn Morgan, der sich aus dem Cottage schleicht. Die anderen drei Hilfsgärtner hatten ihre Freundinnen im Dorf; das einzige Interesse, das sie an Grace hatten, lag darin, Morgan mit ihr aufzuziehen.

Niemand war nach sechs Uhr unten im Dorf gewesen; zu dem Zeitpunkt war das eine Dienstmädchen, das auch an dem Tag freigehabt hatte, wieder zurückgekehrt.

Niemand hatte Grace hereinkommen sehen, aber sie hätte auch unbemerkt in ihr Zimmer hinaufgehen können. Sie kam immer pünktlich zurück, weil ihr die Stelle gefiel und sie sie nicht verlieren wollte. Obwohl sie einige Monate in einem Laden in Whitbury gearbeitet hatte, nachdem sie mit der Schule fertig geworden war – das war vor ungefähr fünf oder sechs Jahren gewesen –, hatte sie sich gefreut, auf Occles Hall eine Stelle zu bekommen. Sie wohnte so näher bei ihrem Vater, mußte aber nicht jeden Abend zu ihm zurück. Er knöpfte ihr den größten Teil ihres Lohnes ab und erwartete von ihr, daß sie an ihren freien Tagen für ihn kochte, saubermachte und die Wäsche wusch. Nur selten kam sie mal nach Whitbury, um etwas einzukaufen oder ins Kino zu gehen, wie es die anderen taten.

»Der scheint ja ein ziemlich mieser Kerl zu sein«, sagte Piper, »aber es ging ihm bestens. Nie im Leben hätte der sie umgebracht.«

Trotz ihrer unglücklichen Familiensituation war Grace immer fröhlich und hilfsbereit gewesen. Unter ihren Kollegen war sie sehr beliebt, obwohl die jüngeren etwas eifersüchtig waren und die älteren es mißbilligten, »wie sie es mit den Männern hielt«. Die einzigen männlichen Hausangestellten waren der Butler und zwei Diener, doch schäkerte sie außerdem mit dem Postboten, dem Metzgergesellen, den Lieferanten vom Kaufmannsladen und vom Bäcker. Niemand glaubte, daß ihr Verhältnis mit dem jungen Herrn mehr gewesen war als ein harmloser Flirt. Alles war schockiert, als man von ihrer Schwangerschaft hörte. In den Aufenthaltsräumen der Dienerschaft wurde gemeinhin der walisische Gärtner dafür verantwortlich gemacht, nicht Mr. Sebastian.

Tatsächlich waren sich außer Bligh alle so sicher, daß Morgan der Mörder war, daß sie überhaupt nicht verstehen konnten, was Scotland Yard eigentlich noch auf Occles Hall wollte.

»Hat sich Miss Dalrymple diesmal vielleicht doch geirrt, Chief?« fragte Piper, dessen Vertrauen offensichtlich erschüttert war.

»Nie im Leben. Parslow hatte auf jeden Fall eine Affäre mit Grace. Sagen Sie, waren Graces Sachen eigentlich noch auf ihrem Zimmer? Lassen Sie nur«, sagte er, als Pipers Gesicht sich erschrocken verzog, »das finden wir morgen noch heraus.«

Trotzdem, eine so wichtige Frage hätte Tom nie vergessen. Wenn Grace ihre Sachen dagelassen hatte, warum nahmen dann alle an, daß sie fortgelaufen war? Und wenn sie weg waren, dann mußte jemand im Haus sie fortgeräumt haben. Jemand, der wußte, daß sie tot war, und der wollte, daß es so aussah, als sei sie weggelaufen.

»Das ist ja alles schön und gut«, sagte Alec, »aber wieso hat eigentlich alles geglaubt, daß sie durchgebrannt ist, wo ihr doch ihre Arbeit so gut gefiel? Und keiner wußte, daß sie diesen Ärger hatte. Es heißt doch, sie wäre immer fröhlich gewesen.«

»›Immer‹ heißt ›bis vor ein paar Wochen‹, Chief. Eins von

den Hausmädchen – mal sehen – Edna heißt sie, das war wohl Graces beste Freundin. Die sagt, sie hätte ein bißchen trübselig dreingeschaut. Also hat diese Edna gefragt, was los ist, und Grace hat geantwortet, es sei gerade noch mühsamer als sonst mit ihrem Vater. Sie wollte aber nicht darüber reden, also hat sie versucht, so zu tun, als wäre nichts. Erst als sie verschwunden ist, hat Edna den anderen gesagt, wie deprimiert sie vorher war.«

»Armes Mädchen.« Zum ersten Mal sah Alec in Grace einen Menschen, den er sogar ein bißchen bewunderte, obwohl sie ein gefallenes Mädchen war. Das Schicksal hatte sie mit einem Widerling von Vater gestraft, aber sie hatte es trotzdem irgendwie geschafft, mit einem sonnigen Gemüt und freundlichen Wesen durchs Leben zu gehen. Und obendrein war sie noch tüchtig gewesen. Was auch immer ihre Verfehlungen gewesen sein mochten, einen so furchtbaren Tod hatte sie nicht verdient.

Er wollte ihren Mörder unbedingt festnageln. Daisy erwartete das schließlich von ihm. Der Ärger war nur der: Wenn er nicht bald ein paar anständige Beweismittel lieferte, würde ihn der Assistant Commissioner zurückrufen. Die Metropolitan Police konnte nicht einen Chief Inspector abstellen, um der örtlichen Polizei Nachhilfeunterricht bei einem zwei Monate alten Mordfall zu erteilen.

Aber auf jeden Fall würde er dafür sorgen, daß Morgan wieder freikam. Gegen ihn gab es keinen einzigen vernünftigen Beweis, und die Parslows hatten genauso stichhaltige Motive wie er.

»Ich hätte diese Angelegenheit gerne noch vor dem Haftprüfungstermin beim Friedensrichter am Montag geklärt«, sagte er zu Piper. »Wenn es keine eindeutigen Indizien gibt, müßte Morgan freigelassen werden, ohne daß die Sache vor Gericht geht. Sonst steht der Ruf der örtlichen Polizei auf dem Spiel, und auch der der Polizei im allgemeinen. Wäre natürlich schön, wenn wir jemand anderes festnehmen können. Aber wenn wir das nicht hinbekommen, dann will ich wenigstens sicher sein, daß wir keinen Stein auf dem anderen gelassen haben.«

»Sie wollen doch nicht etwa den Garten umgraben lassen?«
Piper war entsetzt.

»So weit könnte es durchaus kommen. Die Mordwaffe
könnte schließlich auch dort vergraben sein. Natürlich können wir jetzt keine Fingerabdrücke mehr nehmen, aber es
kann durchaus hilfreich sein, wenn wir endlich wissen, was
für eine Mordwaffe überhaupt benutzt wurde. Ich hoffe natürlich, daß wir so weit nicht gehen müssen. Falls doch,
werden Sie eine Mannschaft hiesiger Beamter beaufsichtigen.«
Er grinste, als Piper aufatmete. »Ob die hiesigen Polizisten in
Whitbury wohl schon eine Spur von George Brown gefunden haben? Ist ja durchaus möglich, daß er Grace schon
vorher kennengelernt hat. Schließlich hat sie früher einmal da
gearbeitet, aber das ist auch ganz schön lange her. Ich sollte
mal lieber Sergeant Shaw anrufen und ...«

»Da ist noch etwas, Chief.«

»Ja?«

»Die Haushälterin, Mrs. Twitchell. Ich hab als letztes mit
ihr gesprochen, und ihre Aussagen decken sich im wesentlichen mit denen der anderen. Aber dann hat sie gefragt, ob
wir nur an dem Abend interessiert wären. Eine Woche davor
hätte sie nämlich gesehen, wie Mr. Goodman sich mit Grace
unterhalten hat.«

»Goodman verwaltet doch die Lohnzahlungen der Angestellten«, sagte Alec ungeduldig. »Der spricht doch bestimmt
ziemlich häufig mit dem Personal.«

»Aber das hier war anders, Chief«, beharrte Piper. »Sie sagt,
er hätte unglaublich ernst auf sie eingeredet, aber Grace hätte
ihn nur ausgelacht und wäre dann weggelaufen. Vielleicht
wollte er, na ja, ein bißchen mit ihr scherzen, und sie hat ihn
zurückgewiesen, und da ist er vielleicht wütend geworden
und ...«

»Verdammt und zugenäht, noch ein Verdächtiger! Sie haben
recht, Ernie, das könnte wirklich wichtig sein. Wir müssen
dem morgen nachgehen. Jetzt gehen Sie mal runter und halten
Sie unten in der Kneipe die Ohren offen. Ich ruf derweil Sergeant Shaw an.«

Auf dem Weg die Treppe hinunter begegnete Alec der rundlichen Wirtin, die ihm keuchend entgegenkam. »Gerade will ich Sie holen, Sir«, sagte sie. »Sie werden am Telephon verlangt.«

Er dankte ihr und schob sich vorsichtig an ihr vorbei. Das Telephon hing an der Wand eines kleinen Kabuffs beim Eingang. Er drückte sich den herunterhängenden Hörer ans Ohr und sagte seinen Namen in das Mundstück.

»Chief, ich bin's, Tom. Wir haben ihn. Na ja, fast.«

»George Brown? Was meinen Sie mit ›fast‹?«

»Ein Sergeant Shaw aus Chester hat mich angerufen. Er hat vergeblich versucht, Sie zu erreichen. Seine Jungs sind fündig geworden: Brown ist bei einem seiner Kunden in irgend so einem kleinen Nest da oben ...«

»Whitbury. Aus reiner Neugier: Was vertritt er denn?«

»Damenkorsetts.« Tom kicherte.

»Ach herrje! Das erklärt ja auch, warum er nichts an den Laden hier im Dorf verkauft hat und warum er den Leuten seine Branche nicht genannt hat. Armer Kerl, sicherlich wird er häufiger damit hochgenommen. Hat Shaw auch herausgefunden, für welche Firma er arbeitet?«

»Die Clover Corset Company, unter Busenfreundinnen auch als CCC bekannt.« Erneut kicherte der Sergeant. »Die Firma sitzt in Ealing. Ich hab schon mit dem obersten Chef in der Verkaufsabteilung telefoniert. Browns Gebiet ist der Nordwesten. Es scheint, daß er jede Menge Freiheiten genießt, soll viel umherreisen und so viele Kunden wie möglich auftun. Er ist nicht verheiratet und kommt nur alle paar Wochen nach London, aber jeden Samstag abend klingelt er da an, um den neuesten Stand der Dinge durchzugegeben. Morgen abend wissen die also, wo er ist, und dann geben sie uns gleich Bescheid.«

»Haben Sie denen auch gesagt, daß sie ihn unter keinen Umständen warnen dürfen, daß wir ihn sprechen wollen?«

»Natürlich, Chief, wofür halten Sie mich denn?«

Alec lächelte über den beleidigten Tonfall. »Entschuldigen Sie bitte, Tom.«

»Und ich hab die Firma gebeten, bei der Polizei in Chester anzurufen, falls ich nicht zu erreichen sein sollte.«

Dieser deutliche Wink mit dem Zaunpfahl ließ Alecs Lächeln noch breiter werden. »Nun denn, wenn Brown irgendwo im Norden steckt, dann sind Sie ja in der Stadt fertig. Ich brauch Sie hier oben. Nehmen Sie morgen früh den ersten Zug.«

»Ich könnte auch schon heute abend kommen, Chief. Es gibt einen Nachtzug.«

»Sie sind doch verheiratet, Tom.«

»Um so schlimmer. Beengt mich richtig, mein alter Ehedrache.«

»War mir noch nicht aufgefallen.«

Wenn Grace ein glückliches Händchen mit den Jungs hatte, so hatte Tom eines mit den Damen, jedenfalls mit bestimmten Damen. Aber obwohl er sich so abfällig äußerte, wußte Alec doch, daß er Mrs. Tring, die so mollig war wie er, aus tiefstem Herzen zugetan war. Viel zu oft mußte er aus beruflichen Gründen von ihr fort. »Morgen reicht auch noch. Sagen Sie Bescheid, wann Sie ankommen, dann holt Piper Sie in Crewe ab.«

»In Ordnung, Chief. Geht es Miss Dalrymple gut?«

»Miss Dalrymple nimmt es mit jedem Drachen auf, ob mit Ehedrachen oder sonstigen Reptilien«, antwortete Alec bissig, dem nicht entgangen war, wie sehr sie seine Ermahnungen verärgert hatten, sich nicht einzumischen.

Er legte auf.

Im Gasthof wurde es immer lauter, denn immer mehr Männer kamen auf ein Glas nach der Arbeit herein. Alec sah, wie Piper sich gerade mit ein paar Knechten an einen Tisch setzte. Der jugendliche Detective in seinem braunen Serge-Anzug wirkte unter den eher derben Arbeitern fehl am Platze. Alec bezweifelte, daß es ihm gelingen würde, eine Unterhaltung mit ihnen zu führen – Tring gelang so etwas mühelos.

Er zuckte mit den Schultern. Er selbst wäre da noch weniger willkommen. Er ging nebenan in die Bar, wo Grace und George Brown damals ihr erstes Tête-à-tête gehabt hatten.

Als er eintrat, senkte sich Schweigen über den kleinen, gemütlichen Raum, der mit poliertem Holz getäfelt und mit Messing verziert war. Das lag nicht nur daran, daß er hier fremd war. Er hätte ein Monatsgehalt verwettet, daß jeder im Pub wußte, daß er Polizist war. In einem so kleinen Dorf wie Occleswich war das wohl unausweichlich. Jedenfalls war die Hoffnung gering, irgend etwas aus ihnen herauszubekommen, ohne eine formelle Befragung durchzuführen. Wahrscheinlich würde er genausowenig Erfolg haben wie Ernie.

»Guten Abend«, sagte er in den Raum hinein und ging hinüber zum Tresen.

Zwei mäßig wohlhabende Bauern in ländlichem Tweed und mit Gamaschen an den Waden nickten ihm zu und diskutierten dann wieder die voraussichtlichen Preise von Frühlingslamm. Ein an der Bar stehender Mann beachtete ihn nicht weiter, nachdem er ihm einen kurzen Blick zugeworfen hatte. Ein mittelaltes Paar am Kamin jedoch erwiderte seinen Gruß. Er erkannte die beiden als das Ehepaar Taylor. Ihnen gehörte der Dorfladen, in dem er sich neulich Nachschub für seinen Tabaksbeutel besorgt hatte.

»Wozu darf ich Sie einladen?« fragte er leutselig.

Nachdem sie ihren Mann mit einem zweifelnden Blick befragt hatte, nahm Mrs. Taylor an: »Einen Sherry würde ich nicht ablehnen, Chief Inspector. Aber nur einen kleinen, wohlgemerkt, und herzlichen Dank auch.«

»Mein Name ist Fletcher. Und was darf ich Ihnen mitbringen?«

»Ein kleines Bitter, vielen Dank, Mr. Fletcher.«

Das blondgefärbte Barmädchen kam gerade aus der Kneipe herein, in die sich der lange Bartresen hineinerstreckte. Alec gab seine Bestellung auf und trug die beiden Biergläser und das kleine Glas Sherry hinüber zum Tisch der Taylors.

Sie stellten sich als sehr freundlich heraus. Zwar waren sie durchaus willens, über den Mord zu sprechen, doch konnten sie ihm nicht das geringste bißchen helfen. Sie hatten die Angewohnheit, vor dem Abendessen auf ein kleines Glas im *Cheshire Cheese* vorbeizuschauen (kein High Tea für die feinen Taylors). Nur sehr selten kamen sie anschließend noch einmal her. Sie zogen es vor, Radio zu hören, wenn nicht gerade Inventur gemacht werden mußte oder die Buchhaltung zu erledigen war. Am Abend des dreizehnten Dezember waren sie wie an jedem Mittwochabend im Laden gewesen und hatten die Regale wieder aufgefüllt. Dabei waren aber die Rollläden heruntergelassen gewesen, und sie hatten von der Straße nichts mitbekommen.

»Gar nicht so leicht, den einzigen Laden im Dorf zu führen«, sagte Mr. Taylor wichtigtuerisch. »Die Leute erwarten immer, daß sie alles nur Erdenkliche bei uns bekommen können, und dann müssen wir auch noch Postamt spielen. Na ja, wie dem auch sei, wir sollten mal lieber los, Doreen. Ich gebe Ihnen mein Wort, Mr. Fletcher, Sie verschwenden Ihre Zeit. Der Waliser hat sie umgebracht.«

Ungefähr dasselbe bekam Alec von den weniger freundlichen Bauern und von dem einsamen Herrn an der Bar zu hören. Letzterer arbeitete als Beamter in Whitbury und wohnte bei seinen Eltern in Occleswich. Drei oder vier andere Gäste kamen und gingen wieder, ohne daß sie Wesentliches zu seinen Erkenntnissen beigetragen hätten.

»Wahrscheinlich geht es Ihnen besser, wenn Sie erst mal was gegessen haben, Sir«, sagte das Barmädchen, als sie ihn zum Abendessen in den Speisesaal bat. »Manche Gäste kommen früh rein, und dann gibt's noch die, die immer spät am Abend hier sind.«

»Und sollen zueinander nicht kommen, wie die beiden Königskinder«, sagte Alec resigniert. »Vielleicht können Sie mir noch bei ein paar Dingen weiterhelfen, Rita. Mir ist klar, daß Sie draußen nichts gesehen haben können. Aber ist Ihnen damals vielleicht aufgefallen, ob jemand zur gleichen Zeit gegangen ist wie Grace, oder wenigstens ungefähr um dieselbe Zeit?«

»Das kann ich nicht sagen, Sir, unmöglich. Die Leute sind gekommen und gegangen, so wie immer, und mir ist das mit Grace nur aufgefallen, weil sie normalerweise immer bis zur Polizeistunde blieb.«

»Ist ihr Vater eigentlich auch hier gewesen?«

»Ich glaube nicht, Sir, aber ich könnte es nicht beschwören.«

Das stimmte mit dem Bericht der örtlichen Polizei überein. Moss hatte Dunnett gesagt, er sei an dem Abend spät nach Hause gekommen; Grace habe sein Essen im Ofen für ihn bereitgestellt gehabt, aber er habe sie nicht gesehen.

»Was ist mit dem Handlungsreisenden? Er war ein Fremder und hat hier übernachtet, da ist Ihnen doch bestimmt sein Kommen und Gehen aufgefallen. Wann hat der denn die Bar verlassen?«

»Ach so, ja. Der ist ganz bis zum Schluß geblieben, daran erinnere ich mich noch. Der hat den Whisky gekippt, als wär's das reine Wasser. Nachdem Grace gegangen war, hat er sich noch mit ein paar anderen Leuten unterhalten. Aber dauernd hat er seine Uhr rausgeholt und geschaut, wie spät es ist. Das war schon ein bißchen merkwürdig, wo er doch bei uns ein Zimmer hatte. Aber anscheinend hat er dann seine Koffer gepackt und hat sich aus dem Staub gemacht, kaum hatte die Gaststätte zu. Ich hab hier aufgeräumt und hab ihn nicht noch einmal gesehen.«

»Können Sie sich zufällig daran erinnern, mit wem er sonst noch gesprochen hat?«

Rita blickte ins Leere und dachte angestrengt nach. »Nein, Sir, tut mir schrecklich leid.«

»Machen Sie sich keine Sorgen, Sie waren mir eine große Hilfe.«

»Nun denn, Sir, wenn Owen Morgan es nicht gewesen ist, dann hoffe ich aber wirklich, daß Sie bald den richtigen Mörder kriegen. Man kann ja nachts schon nicht mehr ruhig schlafen.«

Als Alec durch die kleine Eingangshalle zum Speisesaal ging, kam Petrie gerade in seinem Dinner-Jackett die Treppe hinunter. Typisch: Menschen seines Standes würden sich wohl auch zum Abendessen auf einer Lichtung im Dschungel feinmachen. Alec hingegen hatte keinen Smoking in das ländliche Cheshire mitgenommen. Plötzlich fühlte er sich nicht angemessen gekleidet, aber schließlich aß er auch mit Piper zu Abend, der eine derart überkandidelte Garderobe wahrscheinlich gar nicht erst besaß.

»Hallo, Fletcher«, begrüßte ihn Petrie. »Auf dem Weg zur Futterkrippe? Was dagegen, wenn ich mich Ihnen anschließe?«

»Aber gar nicht, liebend gerne. Nur muß mir mein junger Beamter eventuell beim Essen Bericht erstatten.«

»In Ordnung. Will mich Ihnen nicht aufdrängen, bester Freund.« Doch wirkte Petrie enttäuscht. Er war ein geselliger Bursche, und es war immer nett mit ihm, wenn er nicht gerade den altehrwürdigen Titel seines Vaters vor sich hertrug.

Ein wenig boshaft beschloß Alec, doch einmal auszuprobieren, ob der blaublütige Phillip Petrie sich dazu herablassen würde, mit einem gemeinen Constable zu speisen. »Da kommt Piper ja gerade«, sagte er und wandte sich um, als er Schritte auf sich zukommen hörte. »Vielleicht hatte er ja ebenso großes Pech wie ich und hat mir gar nichts zu erzählen. Dann würde ich mich sehr freuen, wenn Sie mit uns speisen würden.«

Petries Entsetzen war offensichtlich, doch hatte er sich rasch wieder gesammelt und sagte tapfer: »Bestens. Also, junger Mann, gibt es irgend etwas zu berichten?«

Piper klappte der Kiefer hinunter. »N-nein, Sir«, stotterte er und wandte sich dann betrübt Alec zu. »Ich meine, nein, Sir. Ich hab nichts herausgefunden. Wer am frühen Abend herkommt, steht zu Hause offenbar ganz schön unterm Pantoffel. Die schauen vorbei, um vor dem Tee zu Hause noch einen zu heben. Wenn die da nämlich einmal angekommen sind, werden sie nicht wieder rausgelassen. Also waren die auch nicht dabei, als Grace hier war.«

Alec lachte. »Ich hab auch nur Nieten gezogen«, tröstete er Piper. »Vielleicht haben wir ja nach dem Essen mehr Erfolg. Könnte ja sein, daß wir Glück haben. Ich würde es wirklich gerne vermeiden, von Haus zu Haus gehen zu müssen.«

Sie gingen in den Speisesaal. Zuerst fühlte sich Piper offenbar etwas von ihrem Begleiter im Dinner-Jackett eingeschüchtert, doch als Petrie von Fußball und Cricket anfing, beteiligte er sich eifrig am Gespräch. Tatsächlich wußte er weitaus mehr über Sport als Alec, der so immerhin in Frieden sein Mahl zu sich nehmen konnte.

Anschließend ging Petrie mit Alec hinüber in die Bar. »Ein ordentlicher Kerl, Ihr Constable«, sagte er auf dem Weg dorthin. Mittlerweile war der Raum proppevoll und niemand verstummte, als sie eintraten. »Was trinken Sie, verehrter Freund?«

»Darf ich Sie einladen?« fragte Alec. »Den Abend heute zahlt Scotland Yard. Meinen Vorgesetzten muß ich nur erklären, daß ein paar Runden im Lokal immer noch wesentlich billiger sind als Überstunden für eine Horde uniformierter Ortspolizisten zu bezahlen, die von Tür zu Tür gehen.«

»Bourbon mit Soda, gerne. Vielen Dank, mein Bester. Keine Sorge, ich stehe Ihnen bei Ihrer Untersuchung bestimmt nicht im Weg.«

Doch Alecs Befragung blieb ergebnislos, obwohl er viele auf ein Glas einlud. Jeder in der Bar bestritt, das Kommen und Gehen von Grace und George Brown bemerkt zu haben oder überhaupt mit dem Handlungsreisenden gesprochen zu haben. In den Straßen hatten sie auch niemanden bemerkt, abgesehen von den Zechkumpanen, mit denen sie den Pub verlassen hatten. Und den allgemein verabscheuten Waliser wollte schon gar keiner gesehen haben.

Um halb zehn Uhr gab Alec auf. Der Abend war verloren. Bislang hatte er an einem Glas Stout genippt, doch jetzt bestellte er sich einen Whisky beim Hotelbesitzer, der damals genauso wenig bemerkt hatte wie seine Kunden und der jetzt mit Rita am Tresen Dienst tat. Das Glas in der Hand, wandte er sich in der Hoffnung um, er könnte vielleicht jemanden entdecken, mit dem er noch nicht gesprochen hatte.

Da marschierte Daisy herein, und Ben Goodman hinkte hinter ihr her.

Alec sah ihr sofort an, daß sie Nachrichten zu überbringen hatte, und an ihrem Blick erkannte er, daß es schlechte Nachrichten sein mußten. Was zum Teufel dachte sie sich eigentlich dabei, alleine mit einem der Tatverdächtigen auszugehen? Hatte sie vollkommen den Verstand verloren?

Während des trübsinnigen Abendessens auf Occles Hall hatte Daisy sich ständig gefragt, wie sie Alec Bescheid geben könnte, ohne die Sache über das Telephonfräulein herausposaunen zu müssen. Es würde ihm bestimmt nicht besonders gefallen, wenn sie bis zum Morgen damit wartete. Nachdem sie allerdings neulich kundgetan hatte, sie könne sehr wohl auch ohne männlichen Begleitschutz im Gasthof übernachten, konnte sie jetzt wohl kaum davor kneifen, allein den Dorfkrug zu betreten. Nur der Gang im Dunkeln hinunter ins Dorf bereitete ihr Sorgen. Immerhin war hier erst vor kurzem ein Mädchen umgebracht worden. Bobbies unerklärte Abwesenheit bewies noch lange nicht, daß sie die schreckliche Tat begangen hatte. Es könnte genausogut irgendein Verrückter auf der Lauer liegen und auf das nächste Opfer warten.

Alec selbst hatte sie noch gewarnt, vorsichtig zu sein. Sie rang immer noch um eine Lösung – unten anrufen oder den Gang riskieren – als Ben kundtat, daß er sich noch etwas Bewegung verschaffen wollte.

»Ich bin schon den ganzen Tag eingesperrt«, sagte er. »Hätten Sie Lust, mit mir einen kleinen Spaziergang zum *Cheese* hinunter zu machen, Sebastian?«

»Wie gedankenlos von Ihnen«, sagte Lady Valeria kalt. »Sie können doch unmöglich glauben, der arme Junge würde sich freiwillig der vulgären Neugier der Dorfbewohner aussetzen. Sebastian, wie wäre es, wenn du eine Schallplatte auf dem Grammophon abspielst? Wir haben schon so lange keine Musik mehr gehört.«

»In Ordnung, Mummy«, sagte Sebastian ohne große Begeisterung.

Daisy sprang auf. »Ich komm gerne mit, Ben. Kleinen Moment noch, ich hol nur schnell meinen Mantel. Bitte entschuldigen Sie mich, Lady Valeria.«

»Selbstverständlich habe ich auf Ihr Kommen und Gehen keinen Einfluß, Miss Dalrymple.« Die tadelnde Stimme Ihrer Ladyschaft folgte Daisy zur Tür. »Diese modernen Mädchen heutzutage haben aber auch zu seltsame Manieren.«

Verdammte Frechheit, dachte Daisy. Schließlich hatte sich ihre eigene Tochter kurz vor der Ankunft von Scotland Yard einfach aus dem Staub gemacht.

Während sie mit Ben das Haus verließ, entschuldigte er sich lächelnd: »Ich hätte Sie gleich fragen sollen, ob Sie mitkommen möchten. Ich hatte einfach vergessen, daß die modernen Mädchen sich nicht mehr so einschränken lassen wollen, wie es die jungen Damen in meiner Jugend taten. Sie müssen mich ja für einen richtigen alten Philister halten.«

»Aber nicht im geringsten. Ich fürchte, Sie werden mich aber gleich für eine schreckliche Verräterin halten. Ich will eigentlich nur zum Dorfkrug, weil ich unbedingt Mr. Fletcher erzählen muß, daß Bobbie vermißt wird.«

»Vermißt? Lady Valeria hat doch nur gesagt, wir sollten nicht auf sie warten, sie würde heute abend wahrscheinlich erst spät zurückkommen. Du lieber Himmel, Sie glauben doch nicht etwa, daß sie ermor... Nein, damit wären Sie ja kein Verräter.«

»Sie hat ihrer Mutter einen kleinen Brief hinterlassen. Sie ist freiwillig gegangen und kann nicht sagen, wann sie zurückkehrt.«

»Meinen Sie, sie ist ausgebüchst und versteckt sich vor der Polizei? Sie glauben doch nicht, daß sie eine Mörderin ist!«

»Ich möchte es bestimmt nicht glauben. Aber es ist doch möglich, daß sie etwas weiß, was sie nicht erzählen will, oder?«

»Irgend etwas über Sebastian«, sagte Ben mit belegter Stimme.

»Oder über Lady Valeria.« Daisy fiel auf, daß ihre Schritte sich erheblich beschleunigt hatten, als sie am Wintergarten vorbeigingen. Ben konnte kaum mithalten, und so legte sie wieder ein langsameres Tempo ein. »Diese ganze Geschichte ist einfach schrecklich.«

»Tja, das haben Morde so an sich. Sie tun übrigens völlig recht daran, der Polizei alles zu erzählen, was dazu dienen kann, den Mörder zu finden. Und Bobbies Abwesenheit wird man denen sowieso nicht mehr lange verheimlichen können. Als Verräterin brauchen Sie sich wirklich nicht zu fühlen.«

»Danke Ihnen, Ben«, sagte sie beruhigt. »Immerhin weiß ich, daß Mr. Fletcher daraus nicht gleich irgendeinen x-beliebigen Schluß ziehen wird wie dieser schreckliche Dunnett.«

»Sie kennen den Chief Inspector ziemlich gut, nicht wahr?«

»Ja, das kann man so sagen.«

»Er ist ja überhaupt kein typischer Polizist. Nicht, daß ich jemals vorher zu den höheren Rängen des Scotland Yard

Kontakt gehabt hätte. Aber es fällt auf, wie gebildet er ist. Er hat so gar nicht das Schmalspurgehirn der üblichen Hüter des Gesetzes.«

»Er ist ein Gentleman«, eilte Daisy rasch zu Alecs Verteidigung. »Er war zwar nicht in Eton oder Oxford, aber er hat an der Manchester University Geschichte studiert. Jede Wette weiß er genausoviel über England im achtzehnten Jahrhundert wie Sie über das griechische Altertum.«

Sie hörte an seiner Stimme, daß er lächelte. »Vermutlich, und obendrein weiß er noch alles darüber, wie man Kriminalfälle löst. Er ist ganz schön jung für einen Chief Inspector, nicht wahr?«

»Ich kann ja nicht behaupten, daß ich viele Polizeibeamte kenne, aber er ist viel jünger als dieser Dummett, und der ist bloß Inspector.«

»Sie sollten sich diesen Spitznamen für Inspector Dunnett lieber abgewöhnen«, riet Ben ihr lachend, während er das kleine Tor in der Parkmauer öffnete. »Sonst sprechen Sie ihn irgendwann noch mal so an.«

»Eigentlich will ich ihm ja nie wieder über den Weg laufen«, sagte Daisy, während sie auf den Pfad hinausging, »aber sollte ich ihn tatsächlich einmal Dummett nennen, dann bestimmt nicht aus Versehen.«

Im Vorbeigehen warf sie einen kurzen Blick auf die Schmiede. Im Erdgeschoßfenster, neben der Werkstatt, war ein flackerndes Licht zu sehen. Stan Moss war also zu Hause, nicht im Pub, stellte sie erleichtert fest. Eigentlich sollte einem ein trauernder Vater leid tun, aber nachdem sie gesehen hatte, wie er Owen bedrohte, löste er in ihr mehr Schrecken als Mitleid aus.

Kurz bevor sie beim *Cheshire Cheese* ankamen, öffnete sich die Tür der vorne gelegenen Kneipe, und es trat jemand ein. Ein fröhliches Stimmengewirr erklang. Ben öffnete Daisy die Tür, führte sie durch die Kneipe hindurch in die kleine Eingangshalle und von dort aus in die Bar im rückwärtigen Teil des Gebäudes.

Alec stand dort, den Rücken an den Tresen gelehnt. Er sah die beiden sofort und lächelte. Doch dann verwandelte sich sein Lächeln zu einem Stirnrunzeln. Er kam nach vorn, um sie zu begrüßen.

Er nickte Ben knapp zu und fragte Daisy: »Was ist denn los?«

»Ich muß Sie dringend sprechen.« Sie blickte sich im vollen Raum um.

»Nicht hier. Lassen Sie uns in den Speisesaal gehen, der dürfte leer sein. Dürfte ich Sie dann gleich noch um ein Wort bitten, Mr. Goodman?«

»Ich stehe zu Diensten, Chief Inspector.« Ben wirkte völlig erschöpft. Daisy fragte sich, ob dem Spaziergang ins Dorf nicht eher der Wunsch zugrunde gelegen hatte, Occles Hall für eine Weile zu entkommen, als das wirkliche Bedürfnis nach Bewegung.

Phillip gesellte sich zu ihnen. »Sei gegrüßt, Daisy.«

»Hallo. Ich bin gerade auf dem Sprung in den Speisesaal, um mit Mr. Fletcher zu reden.«

»Da komm ich mit«, sagte Phillip prompt.

»Sei kein Esel, Phil. Ich brauche keinen Anstandswauwau und auch keinen Beschützer. In ein paar Minuten sind wir wieder da.«

Während sie mit Alec hinausging, hörte sie, wie Phillip Ben fragte: »Was darf es für Sie sein, verehrter Freund?«

Alec schloß hinter ihnen beiden die Tür zum Speisesaal. »Was ist denn?« fragte er, während er zwei Stühle von einem Tisch herunternahm, die schon zum Putzen hinaufgestellt worden waren.

»Bobbie.« Daisy setzte sich und erzählte, wie sie Lady Valeria die Nachricht ihrer Tochter vorlesen gehört hatte. »Ich finde mich selbst ganz schrecklich. Erst lausche ich an der Tür und dann petze ich gleich alles weiter. Aber ich fand, das müssen Sie unbedingt wissen.«

»Sie haben vollkommen recht, das ist wirklich merkwürdig. Ich werde sofort eine Meldung machen, daß man die Augen nach ihr offenhält. Aber festnehmen sollte man sie nicht gleich, nur, wenn sie versucht, das Land zu verlassen. Könnten Sie sie mir beschreiben?« Er holte sein Notizbüchlein hervor.

»Sie denken nach, und ich denke vor. Das Photo hier hab

ich abgezweigt.« Sie zauberte eine Aufnahme von Bobbie inmitten einer Gruppe von Pfadfinderinnen hervor, die sie vorhin aus Bobbies Zimmer entwendet hatte, als sie ihren Mantel holte. »Das ist die jüngste Aufnahme, die ich finden konnte. Bobbie ist größer als ich und hat blaue Augen. Alec, wenn Sie Ihren Leuten Anweisung geben, sie nicht festzunehmen, heißt das, daß Sie sie nicht eindeutig für die Mörderin halten?«

»Stimmt. Schließlich war sie schon weg, ehe ich sie bitten konnte, sich bei mir abzumelden, wenn sie die Gegend verlassen will. Ich vermute, Sie halten sie auch nicht für die Person, die wir suchen?«

»Nein, das kann ich einfach nicht glauben.«

Alec blickte sie ernst an und sagte streng: »Was bedeutet, daß der Mörder immer noch frei herumläuft und wahrscheinlich sogar hier in der Nähe ist. Was zum Teufel haben Sie sich eigentlich dabei gedacht, nachts alleine mit Goodman herumzuspazieren?«

»Ben?« Daisy starrte ihn erstaunt an. »Ich bin doch bei niemandem so sicher wie bei Ben.«

»Dessen können wir uns mitnichten sicher sein. Piper hat möglicherweise ein Motiv ausgegraben.«

»Doch nicht Ben.« Ihre Augen füllten sich mit Tränen. »Das ist doch einfach schrecklich, diese ganze Geschichte.«

Er nahm ihre Hand und drückte sie voller Wärme. »Fahren Sie zurück nach London. Wär das nicht eine gute Idee?«

»Nein«, sagte sie störrisch. »Das steh ich jetzt bis zum Ende durch.«

Mit einem Seufzen reichte er ihr sein anderes Taschentuch. »Dann sehen Sie um Himmels willen zu, daß Sie wenigstens die grundlegendsten Regeln der Vorsicht beachten, Sie kleiner Dummkopf.«

13

Alecs gereizter Sorge lag tiefe Zuneigung zugrunde. Er beobachtete Daisy dabei, die sich die Augen abtupfte und ihm dabei einen empörten Blick zuwarf.

»Ganz so blöd bin ich auch nicht. Alle auf Occles Hall wußten, daß ich mit Ben einen Spaziergang mache. Da hätte er mir doch nie etwas angetan. Außerdem bin ich bestimmt mindestens genauso kräftig wie er. Deswegen glaube ich auch einfach nicht, daß er Grace in den Garten geschleppt hat. Und ein Loch für die Leiche hätte er erst recht nicht graben können.«

»Er hätte sie auch vom Pfad in den Wintergarten schleifen können, und ein gut gepflegtes Blumenbeet ist vergleichsweise einfach aufzugraben. Vielleicht hat ihm ja auch jemand geholfen.«

»Vergessen Sie nicht, daß er der Sekretär ist und kein Mitglied der Familie. Und was sollte er für ein Motiv haben?«

»Er ist ungefähr eine Woche vor Graces Tod dabei beobachtet worden, wie er mit ihr redete. Sie hat ihn ausgelacht und ist davongelaufen. Ein Mann, dessen Avancen von einem Mädchen lächerlich gemacht werden, das dafür bekannt ist ... es mit der Moral nicht ganz so genau zu nehmen, gehört selbstverständlich auf die Liste der Tatverdächtigen.«

Daisy biß sich auf die Unterlippe. »So ist Ben aber nicht.«

Alec spürte einen Stich von Eifersucht. »Sie kennen ihn doch gerade erst ein paar Tage«, wies er sie knapp zurecht.

»Ich weiß, daß er freundlich und sehr mitfühlend ist.«

Da war er schon wieder, dieser Hinweis auf einen Kummer aus ihrer Vergangenheit, den sie ihm noch nie anvertraut hatte, Ben Goodman aber offenbar schon – denn er war aus ihrer Schicht, obwohl er hier eine so untergeordnete Position innehatte. Alec unterdrückte mühsam seine aufkeimende Eifersucht.

»Es mag ja sein, daß er tatsächlich unschuldig ist«, gab er zu, »aber ich muß mich trotzdem mit ihm unterhalten.«

»Ja, natürlich. Aber Sie werden doch zugeben, daß sich Grace unter diesen Umständen nie mit ihm getroffen hätte. Und er ist nicht gesund genug, um irgendwo herumzulungern und ihr aufzulauern, mögen die Winterabende damals noch so mild gewesen sein.«

»Er ist doch heute abend auch hergekommen, oder? Das Risiko, allein mit ihm im Dunkeln herumzuspazieren, hätten

Sie wirklich nicht eingehen dürfen. Sie hätten doch nur anzurufen brauchen, dann hätte ich Sie abgeholt!«

»Ach, Alec, daran habe ich ja überhaupt nicht gedacht! Ich wollte um jeden Preis verhindern, daß ein Telephonfräulein von Bobbies Flucht erfährt. Stimmt, Ben ist heute abend mit mir hergekommen. Ich fürchte nur, er ist schrecklich müde. Würde es Ihnen etwas ausmachen, uns zurückzufahren? Ich würde sonst Phillip bitten, aber drei Personen wären wahrscheinlich zuviel für sein Auto.«

»Ich nehme Sie gern mit, vorausgesetzt, Goodman legt nicht gleich ein Geständnis ab.« Er erhob sich langsam.

Daisy packte ihn am Arm. »Sie haben mir noch gar nicht gesagt, was Ernie von den Dienstboten herausgefunden hat!«

»Sehr wenig. Die scheinen sich alle nach dem Abendessen in ihren eigenen Zimmern aufzuhalten.«

»Heutzutage erwarten Diener ja auch, daß man sie wie Menschen behandelt. Mutter beschwert sich immer, ihre Leute würden es tatsächlich wagen, mehr als einen halben freien Tag im Monat zu wollen. Gibt es wirklich keine interessanten Neuigkeiten?«

Alec, hingerissen von ihren bittenden blauen Augen, erzählte ihr das bißchen, das Piper in Erfahrung gebracht hatte. »Nur mit dem Chauffeur hat er noch nicht geredet«, schloß er. »Deswegen wissen wir nicht, ob an dem Abend ein Auto unterwegs war. Wissen Sie zufällig, wie viele Automobile die Parslows besitzen?«

»Einen Daimler und einen Morris. Bobbie und Sebastian teilen sich den Morris, aber ich glaube nicht, daß sie besonders häufig damit unterwegs sind.«

Alec richtete sich auf. »Bobbie – Miss Parslow ist jetzt aber irgendwo hingefahren. Hat sie das Auto genommen?«

»Keine Ahnung.«

»Verflixt noch mal, ich muß noch den Chauffeur befragen, ehe ich eine Beschreibung losschicke. Ich fürchte, Ihr Telephonfräulein wird also demnächst doch alles Interessante wissen.«

»Kann man nichts machen.« Daisy seufzte. »Immerhin hab ich's versucht.«

Sie kehrte in die Bar zurück, während Alec zum Telephon ging.

Nach langem Hin und Her war Moody endlich bereit, den Chauffeur Brady ans Telephon zu holen. Über den dreizehnten Dezember wollte Alec nichts von ihm wissen, doch bekam er heraus, daß Miss Parslow tatsächlich den Morris genommen hatte, einen blauen »Oxford« mit spitzer Motorhaube. Hunderte solcher Gefährte waren derzeit auf den Straßen unterwegs. Er notierte sich das Kennzeichen, rief Scotland Yard an und gab dort Anweisung, die Beschreibung des Autos und seiner Fahrerin an alle Polizeistationen weiterzuleiten. Er war sich allerdings durchaus darüber im klaren, daß Miss Parslow sich nur an kleine ländliche Straßen zu halten brauchte oder auf dem Landsitz von Freunden einkehren mußte, um nicht entdeckt zu werden.

War sie die Mörderin? Er wußte es einfach nicht. Daisy hielt sie für kräftig genug und hielt den Beschützerinstinkt ihrem Bruder gegenüber für ein hinreichendes Tatmotiv. Im übrigen war Daisy von Bobbies Unschuld bei weitem nicht so überzeugt wie von Goodmans.

Wenn Miss Parslow nicht bis Sonntag abend zurückkehrte, würde er nicht nur eine Beschattung, sondern eine Festnahme anordnen. Aber bisher gab es noch nicht genügend Hinweise, um eine richtiggehende Fahndung zu rechtfertigen.

Er machte sich auf die Suche nach Ben Goodman.

Der saß mit Petrie bei einem Bier, und die beiden unterhielten sich angeregt. Zu Alecs Überraschung war Daisy nicht bei ihnen. Er blickte sich in der Bar um und sah, daß sie sich mit einem ältlichen Herrn in einem altmodischen Knickerbocker-Anzug unterhielt, seinem wettergegerbten Gesicht nach zu urteilen ein Bauer. Als sie Alec bemerkte, winkte sie ihn zu sich herüber. »Mr. Fletcher, das ist Ted Roper, der Besitzer der Bahnhofsdroschke.«

»Aber mein Enkel fährt ein Motor-Lastauto«, sagte Ted Roper voller Stolz. Seine tiefliegenden Augen zwinkerten Alec schelmisch an. Alec hatte ihn vorher schon befragt, doch mehr als ein »Ja« oder »Nein« war nicht aus ihm herauszubekommen gewesen.

»Mr. Roper war auch an dem Abend hier, als Grace sich mit dem Handlungsreisenden unterhalten hat«, sagte Daisy.

»Ganz wie die Mutter«, sagte Roper plötzlich. »Die ist damals mit einem Künstler ausgebüxt, der das Dorf gemalt hat. So war das mit Elsie Moss. Aber Grace ist ja dann doch offenbar nicht weggelaufen.«

»Graces Mutter ist mit einem Künstler durchgebrannt?« Typisch Daisy, daß sie den schweigsamen alten Kerl zum Erzählen gebracht hatte. »Wann war das denn, Mr. Roper?«

»Ungefähr zu der Zeit, als Gracie vierzehn war und von der Schule kam, meine ich. Jedenfalls war sie schon alt genug, um ihren Vater zu versorgen. Elsie hat das übrigens niemand übelgenommen. Stan Moss war immer schon ein zanksüchtiges Arschloch. Bitte um Verzeihung, Miss. Die beiden hatten einen fürchterlichen Streit, und Elsie hat ihre Koffer gepackt und ist abgehauen.«

»Weswegen sich natürlich alle so sicher waren, daß Grace mit Brown durchgebrannt ist.« Alec hatte sich schon die ganze Zeit gewundert, warum das ganze Dorf so felsenfest davon überzeugt war. »Haben Sie gesehen, wie Grace den Pub verlassen hat?«

»Ja, das hab ich wohl. Hab dem aber überhaupt keine Bedeutung beigemessen, damals.«

»Ist jemand mit ihr zusammen aufgebrochen – oder kurz danach?«

»Ich hab niemanden gesehn, Sir. Sie war ganz allein. Hinterher haben wir uns gedacht, sie hat ihre Siebensachen gepackt und ist dann später zurückgekommen, um sich mit dem Kerl zu treffen.«

»Haben Sie oder hat jemand anders sich mit dem Mann unterhalten?«

»Ich? Iwo!«

»Ach, jetzt kommen Sie schon, Mr. Roper«, ging ihm Daisy um den Bart. »Sie haben mir doch gerade erzählt, mit wem er alles gesprochen hat. Ich kann mich bestimmt noch an den einen oder anderen Namen erinnern. Mr. Fletcher glaubt doch gar nicht, daß einer Ihrer Freunde Grace umgebracht hat. Er hofft nur, daß sie vielleicht etwas gehört haben, was ihm bei der Suche nach dem Vertreter helfen könnte, falls es der Vertreter war. Sie wollen doch auch, daß der Mörder gefaßt wird. Ihre Enkeltochter könnte als nächste dran sein.«

»Nun mal langsam, Fräuleinchen«, knurrte Roper. »Meine Töchter sind anständige Mädchen.«

»Davon bin ich überzeugt. Aber wer weiß, ob der Mörder das auch so sieht und ob es ihn überhaupt interessiert? Ehe Mr. Fletcher nicht herausgefunden hat, wer es war, kann er auch den Grund nicht wissen.«

»Vielleicht war jemand wütend auf Grace, weil sie ihm einen Korb gegeben hat«, schlug Alec vor. Daisy runzelte die Stirn.

»Na, in Ordnung«, sagte Ted Roper. »Walt Ferris, Ned Carney, Peter Jiggs und Albert Bartholomew haben mit ihm gesprochen.« Er zeigte auf die Männer, die alle in der Kneipe saßen. »Und Harry Middlecombe.«

Fehlten nur noch Hinz und Kunz, dann wär das Dorf komplett, dachte Alec. »Was für ein gutes Erinnerungsvermögen Sie doch haben, Mr. Roper«, sagte er mit leiser Skepsis.

»O ja.« Der alte Mann reckte sich voller Stolz und gab dann zu: »Und seither zerreißen sie sich alle über die Sache das Maul.«

Gegenüber Alec hatten sie die Mäuler noch nicht einmal aufbekommen, obwohl er vier der fünf Genannten schon befragt hatte. Voller Hoffnung, Ropers Redseligkeit könnte einen kleinen Stein in dieser Mauer des Schweigens gelockert haben, entschuldigte er sich und versuchte sein Glück mit dem fünften, Peter Jiggs, dem Hauptschweizer von Sir Reginald.

Alec hatte Jiggs schon einmal kurz gesprochen, als er Sir Reginald in der Molkerei aufgesucht hatte. Diesmal fragte er ohne Umschweife, worüber er sich mit Brown unterhalten hatte. Und so kratzte sich Jiggs am Kopf und befand, es sei wohl um das Wetter gegangen. »Im Dezember war es ganz schön milde. Gut für die Weiden. Die Kühe geben mehr Milch, wenn sie Grünzeug fressen, viel mehr als bei Trockenfutter. Dieser Kerl meinte, seine Arbeit geht dann auch leichter, wo er doch dauernd in einem von diesen Automobilen durch die Gegend fahren muß.«

»Ja, genau.« Ned Carney war zu ihnen herübergekommen. Zweifelsohne hatte er gemerkt, daß Ted Roper den Detective auf ihn aufmerksam gemacht hatte. Er schaute Alec mit einem nichtssagenden unschuldigen Blick in die Augen. »Der Kerl hat uns irgendeine Geschichte erzählt, daß er irgendwo bei Cumberland im Schnee steckengeblieben ist. Drei Pferde waren nötig, um sein Automobil aus der Schneewehe zu ziehen.« Er kicherte.

»Da oben in den Bergen gibt es eben immer viel mehr Schnee als hier unten«, sagte Albert Bartholomew, der Sohn eines Pflügers, der es zu etwas gebracht hatte und jetzt als Beamter in Whitbury arbeitete. Immerhin besaß er den Anstand, etwas verlegen dreinzuschauen.

»Schien er sich in der Gegend auszukennen?« fragte Alec.

Die drei Männer blickten sich zweifelnd an. »Aus London ist er gekommen, so war das«, sagte Carney.

»Cheshire war sein Gebiet«, sagte Bartholomew, »und er hat sich wohl die Gegend hier gerne angeschaut, wenn er dazu Zeit hatte. Er hat gesagt, Dorfgasthöfe gefallen ihm besser als feine Hotels. Aber ich bin mir ziemlich sicher, daß er noch nie in Occleswich gewesen war.«

Die anderen beiden schüttelten den Kopf. »Er hat wegen der Kirmes im Dorf und solcher Sachen gefragt«, sagte Jiggs.

»Er sagte, daß er die ›malerischen, ländlichen Lustbarkeiten‹ hier so schön findet«, sagte Bartholomew angewidert.

»Ein Londoner eben«, wiederholte Carney abfällig.

»Was haben Sie ihm erzählt?«

»Kirchenbasar.«

»Pfingstfest.«

»Tag der offenen Tür oben auf Occles Hall, da schließt im Dorf alles.«

»Erntedankfest.«

»Irgend jemand hat was von der Zeit vor dem Weltkrieg erzählt, vom alten Tag der offenen Tür, als man noch den Wintergarten besichtigen konnte«, sagte Bartholomew. »Das wollten Sie doch wissen, nicht wahr, Chief Inspector? Ob er über den Wintergarten Bescheid wußte.«

Das hatte er tatsächlich wissen wollen. Keiner der drei und

auch keiner von den anderen beiden, die Roper genannt hatte, konnte sich daran erinnern, daß etwas über den Wintergarten gesagt worden war. Trotzdem bestand eine ernstzunehmende Chance, daß George Brown erfahren hatte, wo er sich befand und daß er von einer Mauer umgeben war.

Vielleicht hatte er sich tatsächlich mit Grace verabredet, nach London zu fahren. Sie war hinauf ins Haus gegangen, um sich dort heimlich ihre Sachen zu holen. Es war denkbar, daß er sein Automobil am kleinen Törchen geparkt hatte, ihr auf dem Pfad durch den Park entgegengegangen war ...

Nein, eher hatte er auf sie gewartet. Sie verspätete sich – hatte vielleicht ein letzter Versuch, Sebastian zur Heirat zu überreden, sie aufgehalten? Ungeduldig geht Brown den Pfad hoch, trifft in der Nähe des Wintergartens auf sie. Die beiden streiten sich.

Worüber? Vielleicht hatte sie sich umentschlossen und war nur noch zurückgekommen, um ihm das zu sagen. Nach allem, was Alec über sie gehört hatte, wäre das typisch für sie gewesen. Sie hätte den jungen Mann nicht im Ungewissen gelassen. Doch von Browns Charakter wußte er nichts, konnte nicht ahnen, ob eine niedergeschmetterte Hoffnung den Handlungsreisenden zur Gewalt verführt haben könnte.

Rita zufolge hatte er fürchterlich viel getrunken. Vielleicht war das ein Hinweis auf die Mordwaffe. Wer wacklig auf den Beinen ist, braucht einen Spazierstock, wenn er einen schmalen Pfad entlanggehen will. Seit seinem Abenteuer mit der Schneewehe hatte Brown bestimmt einen kräftigen Spazierstock im Auto, für alle Fälle – und bestimmt auch einen Spaten.

Also holt Brown seinen Koffer, fährt zum Tor, mag nicht mehr im Automobil warten, geht den Weg hinauf und trifft auf Grace. Vielleicht geht sie sogar mit ihm in den Wintergarten, damit sie ungestört miteinander reden können. Sie sagt ihm, sie würde doch nicht mit ihm fortgehen. Sie dreht sich um, will in das Haus zurückkehren, bevor abgeschlossen wird – nachdem sie zu bleiben beschlossen hat, will sie natürlich nicht riskieren, vor verschlossener Tür zu stehen –, und da schlägt er zu.

Dieser zeitliche Ablauf war knapp, aber keinesfalls unmöglich. Brown hatte den Gasthof kurz nach halb elf verlassen. Moody schloß die Türen von Occles Hall um elf Uhr fünfundvierzig ab. Das reichte. Er hätte alle Zeit der Welt gehabt, um eine Leiche zu vergraben.

Kein vernünftiges Motiv, dachte Alec. Er würde das alles besser beurteilen können, wenn er Brown erst einmal gesehen hatte. Jetzt jedoch wartete Goodman auf ihn.

Während er die möglichen Motive Browns im Geiste durchgegangen war, stritten sich die Männer vom Dorf, wer eigentlich was gesagt hatte. Er stellte ihnen einige weitere Fragen, die sie mit allem Anschein der Ehrlichkeit beantworteten, wenn ihre Aussagen auch nicht besonders hilfreich ausfielen.

Alle, die an jenem Dezemberabend im *Cheshire Cheese* gewesen waren, hatten die Vorkommnisse von damals wieder und wieder besprochen, seit die Leiche entdeckt worden war. Niemandem war etwas aufgefallen, sonst hätten sie es längst besprochen und wahrscheinlich auch der Polizei mitgeteilt.

Alec war kurz davor, seinen Informanten eine letzte Runde zu spendieren, als Carney sagte: »Dieser Kerl da hat uns nie gesagt, was er überhaupt verkauft. Das werden Sie doch bestimmt wissen, Chief Inspector?«

Einen Moment überlegte Alec. Browns Beruf war jedoch mitnichten ein Geheimnis, und die Chance, daß er jemals nach Occleswich zurückkehren würde, bestand wohl auch nicht. »Er verkauft Damenkorsetts«, ließ er sie wissen.

Diese Auskunft löste eine derart begeisterte Heiterkeit aus – breites Grinsen, schallendes Gelächter und heftiges Schenkelklatschen – daß er sich wünschte, er hätte es ihnen schon viel früher gesagt. Er hätte dann vielleicht nicht auf Daisys Initiative warten müssen, um das Eis zu brechen. Jetzt würde sie ihn natürlich immer an ihre Hilfe erinnern, sollte er noch einmal den Versuch unternehmen, sie aus der Untersuchung herauszuhalten.

Er blickte sich nach ihr um. Kaum hatte er sie an einem Tisch mit Goodman und Petrie entdeckt, rief der Wirt aber schon: »Letzte Runde, meine Herren!«

Für Goodman also zu spät. Der sah auch wirklich erschöpft aus. Ein Angebot, ihn den Hügel hinaufzufahren, würde ihn für den nächsten Morgen bestimmt hilfsbereit stimmen.

Als Alec von dieser Fahrt zurückkehrte, sah er zu seinem Erstaunen, daß Petrie und Piper noch immer in der Bar saßen. Bei einem Schlummertrunk, der an Hotelgäste ausgeschenkt werden durfte, redeten die beiden schon wieder über Sport. Petrie war eine schlichte Seele, ein freundlicher, bescheidener Typ, dem irgendwelche hochherrschaftlichen Vorstellungen übergestülpt worden waren. Aber im allgemeinen mochte er jeden, der ihm über den Weg lief, sogar Menschen wie Stan Moss.

Piper hatte vorhin den Schmied in der Kneipe gesehen, mehr interessante Neuigkeiten hatte er nicht zu berichten. Mit wütendem Gesichtsausdruck sei Moss hineinmarschiert. Als Piper dann auf ihn zuging, wies irgendein besonders hilfreicher Zeitgenosse Moss darauf hin, da käme ein Detective, der im Mordfall Grace ermittelte. Prompt schaute Moss noch grimmiger drein, spuckte auf den mit Sägespänen bedeckten Boden und stolzierte wieder hinaus.

»Und da sag ich noch dem Kerl neben mir: ›Merkwürdig, wo wir doch gerade den Kerl suchen, der seine Tochter ins Jenseits befördert hat.‹ Der meinte, daß Moss die Polizei nicht mag, seit Ihre Ladyschaft sie ihm auf den Hals gehetzt hat. Außerdem ist er wohl der Meinung, Morgan hätte es getan, und er hat Angst, daß wir ihn freilassen. Chief, mir scheint, der mag die Waliser nicht besonders, seit ihm die Frau mit einem Waliser durchgebrannt ist.«

»Der Künstler damals war also ein Waliser? Na, ob es ihm gefällt oder nicht, irgendwann muß ich Moss aber sprechen. Von mir aus auch nach der Beerdigung. Aber morgen gehen wir erst mal nach Occless Hall.«

Daisy wäre immerhin aus dem Weg, während er ihren neuen Freund befragte. Sie hatte angekündigt, jetzt endlich die Molkerei zu besichtigen.

Am nächsten Morgen gab Alec gleich als erstes seinem Vorgesetzten bei Scotland Yard die neuesten Ergebnisse durch.

Es überraschte ihn nicht besonders, daß ihm ein Ultimatum gesetzt wurde, den Fall entweder bis Montag aufzuklären oder ihn an die örtliche Polizei zurückzuverweisen. »Sie haben den Leuten Dampf gemacht«, grunzte Superintendent Crane. »Dazu sind Sie ja auch da. Aber jetzt muß auch endlich mal was passieren.«

Der Tag war verhangen, aber trocken und mild. Während Alec aus dem Hof des Dorfkrugs herausfuhr, blickte er zum Hügel. Es war eindeutig Lady Valerias beeindruckendes, in Tweed gehülltes Hinterteil, das er auf dem Pfad in Richtung Kirche, Pfarrhaus und Schule marschieren sah.

»Ausgezeichnet«, sagte er zu Piper. »Da knöpfe ich mir doch gleich als erstes mal den jungen Parslow vor, solange sie weg ist. Wir nehmen dann gleich seine Aussage und die von Goodman auf, also protokollieren Sie bitte. Sie können dann bei den Dienstboten weitermachen, während ich auf der Beerdigung bin. Wenn Sie noch Zeit haben, fangen Sie dann schon mal an, Ihre Notizen auf der Schreibmaschine von Constable Rudge abzuschreiben. Wir treffen uns um eins zum Mittagessen im *Cheshire Cheese*.«

»In Ordnung, Chief.«

Moody ließ sie mit gewohnt griesgrämiger Miene ein, doch ersparte er sich diesmal jeden weiteren Kommentar. Parslow und Goodman spazierten auf der Terrasse auf und ab, wobei der junge Mann seine ausladenden Schritte dem hinkenden Gang des Sekretärs anpaßte. Vollkommen in ihr Gespräch vertieft, schraken sie beide zusammen, als sie plötzlich Alec bemerkten.

Sie kamen heran, Goodman wirkte resigniert, Parslow erschrocken.

»Ich würde mich gerne noch einmal mit Ihnen unterhalten, Mr. Parslow, wenn Sie nichts dagegen haben. Und dann mit Ihnen, Mr. Goodman.«

Parslow blickte sich verschreckt um. Der Sekretär legte ihm die Hand auf die Schulter und sagte: »Gehen Sie doch am besten in die Bibliothek, Sebastian. Soll ich mitkommen?«

»Mir wäre es lieber, wenn Sie nicht dabei sind, Sir«, sagte Alec mit dem typischen Phlegma eines Polizisten. »Mr. Parslow steht es allerdings frei, die Aussage zu verweigern, solange kein Rechtsanwalt dabei ist.«

»Nein! Ich brauch doch keinen Anwalt.« Der Junge zwang sich zu einem nervösen Lächeln. »Ich komm schon mit, Officer.«

In der Bibliothek setzte sich Alec an seinen Lieblingsplatz hinter den Schreibtisch und erklärte, daß Piper Notizen machen würde, die dann maschinengeschrieben zur eigentlichen Aussage zusammengefaßt würden. Piper setzte sich hinter den Tatverdächtigen an den Bibliothekstisch. Jeder Gesprächspartner hätte bald seine unauffällige Gegenwart vergessen, wenn er nicht über eine unglaubliche Selbstbeherrschung verfügte, und die hatte gerade Parslow nicht.

Alec ging mit ihm noch einmal die ganze traurige Geschichte durch, die er schon am vorangegangenen Tag erzählt hatte. Die einzige wesentliche Veränderung war, daß er jetzt Sebastians Besuch in Goodmans Schlafzimmer erwähnte, wobei er diese Veränderung ganz beiläufig einflocht.

»Warum haben Sie das eigentlich nicht schon gestern erwähnt?«

Parslow wurde rot. »Es erschien mir nicht relevant. Ben braucht kein Alibi. Er hat doch ganz offensichtlich nichts mit Graces Tod zu tun.«

»Was relevant ist und was nicht, entscheide immer noch ich, Mr. Parslow, und was offensichtlich ist und was nicht, ebenso.«

»Ben kann es nicht getan haben, er hat gar nicht die Kraft dazu.« Sebastian behauptete allerdings nicht, daß Goodman kein Motiv hatte, bemerkte Alec interessiert. »Also, gut. Ich wollte Ihnen einfach nicht erzählen, daß meine Mutter sich geweigert hat, ihn mitzunehmen, wo ihn doch ein weiterer englischer Winter umbringen könnte.« Kaum waren die Worte aus seinem Mund, huschte ein Ausdruck des Entsetzens über sein Gesicht, als hätte er diesen Gedanken noch nie in Worte gefaßt. Die Farbe wich ihm aus den Wangen, und er wirkte kränklich und blaß.

»Na bitte, es geht doch.« Alec verriet sich durch nichts. Die Antwort war nachvollziehbar, wenn man bedachte, daß Parslow nicht glaubte, ein Alibi für sich selbst zu benötigen. Ganz zufrieden war er allerdings noch nicht, doch hatte er keine Ahnung, in welche Richtung er jetzt vorstoßen sollte. »Es heißt, es wäre nicht das erste Mal gewesen, daß Sie Lady Valeria zu dem Thema angesprochen haben. Wohl eher ein allerletzter, verzweifelter Versuch, da sie Ihre Abreise nach Frankreich unerwartet vorverlegt hatte. Warum hat sie das eigentlich getan?«

Parslow zuckte seine breiten Schultern. »Die Absichten meiner Mutter sind unergründlich, und erklären tut sie nie etwas. Ich glaube, daß sie mich von Grace wegbringen wollte. Sie kann gelegentlich etwas schwierig sein«, sagte er verlegen, »aber sie tut ja alles nur zu meinem Besten.«

»Zum Beispiel Grace beseitigen‹.«

Die Möglichkeit, daß Lady Valeria den Mord begangen haben könnte, war schon einmal aufgekommen. Diesmal schüttelte ihr Sohn nur müde den Kopf. »Ich weiß nicht. Das würde man seiner eigenen Mutter doch nicht zutrauen, oder?«

Alec erinnerte sich an seine eigene freundliche, ein bißchen umständliche Mutter, die für ihn und Belinda den Haushalt führte, seit seine Frau Joan während der Grippe-Epidemie von 1919 gestorben war. Wenn sie jemanden umbringen würde, dann nur durch zu starkes Verhätscheln. Lady Valeria war da ein ganz anderes Kaliber. Doch konnte er Parslows Aussage nachvollziehen.

»Was meinen Sie denn, wie sie das Grace-Problem in den Griff bekommen wollte?«

»Ach, indem sie ihr Geld zahlt. Das hatte mir Bobbie ja auch geraten. Ich war aber nicht überzeugt, daß das klappen würde.«

»Weil Grace fest entschlossen war, Sie zu heiraten?«

»Weil Stan Moss fest entschlossen war, uns soviel Ärger zu bereiten, wie es nur ging.«

»Ach so, Stan Moss.« Alecs Interesse daran, sich mit dem Schmied zu unterhalten, wuchs zusehends. Er blickte auf die Uhr, was ihn wiederum an eine weitere Frage erinnerte. »Was haben Sie eigentlich zwischen zehn Uhr, als Ihr Diener das

Zimmer verlassen hat, und halb zwölf Uhr, als Sie in das Zimmer Ihrer Mutter gegangen sind, gemacht?«

Es war eine naheliegende Frage, aber Parslow wurde sehr nervös. »N-nichts Besonderes.«

»Sie haben nicht versucht, Lady Valeria zu überreden, Ben Goodman mitzunehmen?«

»Ach so, ja, richtig.« Warum wirkte er bloß so erleichtert? »Das hatte ich ja ganz vergessen. Ich bin hinunter zum Salon gegangen. Nur bin ich nicht eingetreten, weil meine Mutter und Bobbie sich stritten.«

»Worüber?«

»Ich hab nur laute Stimmen gehört. Ich habe sie nicht belauscht.«

»Um wieviel Uhr war das?«

»Gleich, nachdem Thomkins gegangen ist. Zehn Uhr, sagten Sie?«

»Wenn Sie den beiden nicht zugehört haben, kann das ja nicht so lange gedauert haben. Was haben Sie dann gemacht?«

»I-ich bin wieder hochgegangen und hab ein bißchen herumgetrödelt. Ich wollte meiner Mutter etwas Zeit lassen, sich wieder zu beruhigen, bevor ich mit ihr rede. Also hab ich darauf gewartet, daß die Diele vor ihrem Zimmer knarrt. Ich ... ich weiß, ich hab noch nach einem Manschettenknopf gesucht, von meinem Lieblingspaar, das ich mitnehmen wollte. Thomkins kann manchmal verflucht unordentlich sein.«

In seinem Ton lag mehr Inspiration als wirkliche Erinnerung. Was zum Teufel hatte er wirklich gemacht? Alec konnte Parslow einfach nicht glauben. Alec glaubte nicht, daß er im fraglichen Zeitraum seine Geliebte ermordet und verscharrt hatte. Schließlich konnte er sich darauf verlassen, daß seine Mutter und seine Schwester seine Probleme mit Grace schon lösen würden, und das war sicherlich auch ganz in seinem Sinne. Außerdem hatte er schlicht und ergreifend nicht den Mut zu einer solchen Tat.

Aber irgend etwas verschwieg er doch. Möglicherweise wußte Goodman etwas.

»Vielen Dank, Mr. Parslow, das reicht fürs erste. Wir werden Ihre Aussage zu Papier bringen. Ich werde Sie dann anschließend bitten, sie zu lesen und zu unterschreiben. Dann können Sie auch alle Änderungen und Zusätze machen, die Sie wünschen.«

»Bestens, Chief Inspector.« Als Sebastian aufstand, schien ihm vor Erleichterung fast schwindlig zu werden. »Ich helfe Ihnen gerne weiter, wenn ich kann. Sie war ja eigentlich ein ordentliches Mädchen. Jetzt schick ich Ihnen mal Ben herein, in Ordnung? Sie werden sehen, er hat nichts damit zu tun.«

Goodman war trotz seiner schwachen Konstitution eine viel gefestigtere Persönlichkeit. Er kam mit einem gelassenen, freundlichen Lächeln in die Bibliothek gehumpelt, doch fiel Alec sein wacher, angespannten Blick auf. Aber wer war schon in der Lage, eine Morduntersuchung von Scotland Yard ohne sichtbare Beunruhigung durchzustehen?

Alec hatte Goodmans Abneigung gegen »Versteckspielchen« noch in deutlicher Erinnerung, und so sprach er ihn direkt an: Er sei mit Grace gesehen worden und möge das bitte erklären.

»Ich hab sie gewarnt, Chief Inspector. Hab ihr gesagt, daß Lady Valeria über Leichen gehen würde, um zu verhindern, daß ihr Sohn ein Serviermädchen heiratet.«

»Sie wußten, daß Grace ihn heiraten wollte?«

»Sebastian hatte mir das erzählt.«

»Auch, daß er versprochen hatte, sie zu heiraten?«

Goodman zuckte zusammen. Das also war es, was Sebastian vor Ben geheimhalten wollte – aber was sollte ihm das denn ausmachen?

»Nein, das wußte ich nicht«, sagte er betrübt. »Sebastian ist ... überempfindlich und ohne Entschlußkraft, aber was soll man bei dieser Erziehung auch anderes erwarten?«

»Es steht mir nicht zu, über ihn zu urteilen. Von seinem Versprechen wußten Sie also nichts. Aber Sie haben befürchtet, daß er Graces beharrlichem Drängen nachgeben könnte, und daß Ihre Ladyschaft dann die Sache in die Hand nehmen würde?«

»Ganz genau.«

»Vielleicht waren Sie aber auch selbst in das Mädchen verliebt, haben einen Annäherungsversuch gemacht, und sie hat sich über Ihre Avancen lustig gemacht.«

Ben lachte mit offensichtlich echtem Amüsement. Alec verstand, warum Daisy ihn attraktiv fand.

»Ach, Chief Inspector, widerspenstige Frauen waren für mich noch nie ein Problem, das kann ich Ihnen versichern. Da müßte es mir wirklich sehr schlecht gehen, wenn ich der Geliebten vom Sohn meines Arbeitgebers nachstellen würde.«

»Das muß ich Ihnen wohl glauben«, gab Alec lächelnd zu. Verdammt, wie er diesen Typen mochte. »Sie verstehen, wir müssen einfach jedem Hinweis nachgehen.«

»Ich beneide Sie auch nicht um Ihre Aufgabe, genausowenig wie um Ihre Erfahrung beim Royal Flying Corps.«

»Mir geht es durchaus gut dabei. Aber lassen sie uns jetzt einmal etwas weiter zurückgehen. Parslow hat Ihnen sein Versprechen an Grace verheimlicht. Jetzt verheimlicht er mir etwas. Haben Sie irgendeine Ahnung, was das sein könnte?«

»Ein Geheimnis, Chief Inspector?« fragte Goodman leichthin, aber er wirkte nervös. »Der arme Sebastian ist es wohl so sehr gewöhnt, selbst die kleinsten Dinge vor seiner Mutter geheimzuhalten, daß vermutlich schon eine bloße Befragung ausreicht, um ihn wie einen Schuft erscheinen zu lassen.«

»Wahrscheinlich will er dann eher Lady Valeria als mir verheimlichen, was er zwischen zehn und elf Uhr dreißig am dreizehnten Dezember gemacht hat«, sagte Alec ärgerlich.

»Sehr wahrscheinlich.«

»Sie wissen es nicht?«

»Nein.« Hatte er vor dieser klaren Antwort nicht einen Moment gezögert? Ohne Zweifel war auch Goodman darauf aus, Parslow vor seiner Mutter zu beschützen. Zum Teufel mit dieser Frau!

»Sie haben Grace gesagt, daß Lady Valeria über Leichen gehen würde, um eine Ehe zu verhindern. Haben Sie das auch so wörtlich gemeint?«

»Ob ich Ihre Ladyschaft für fähig halte, jemanden zu ermorden? Ehrlich gesagt kann ich das nicht ausschließen. Ich will hoffen, daß ich nicht aus einer persönlichen Abneigung heraus spreche. Lady Valeria hat ... nicht gerade Tugenden, aber gewisse Qualitäten, die man einfach bewundern muß. Sie ist nicht kapriziös; sie tut nichts ohne guten Grund. Und es geht ihr immer um Sebastians Wohl – wobei man nicht unbedingt immer ihrer Meinung sein muß, wenn sie entscheidet, was das Beste für ihn ist. Wenn sie geglaubt hat, daß Grace für ihn eine Gefahr darstellte, die nur durch ihren Tod abgewendet werden könnte ... aber ich kann mir nicht vorstellen, daß die Lage schon so ausweglos war.«

»Wissen Sie, wann sie die Abreise an die Riviera vorverlegt hat, und warum das so plötzlich geschah?«

»Sie hat mir am Nachmittag Anweisung gegeben, bei Cook's Reisebüro anzurufen und die Buchungen zu ändern, ohne sonst jemandem davon zu erzählen. Lady Valeria erklärt den Dienstboten ihre Entscheidungen für gewöhnlich nicht, aber genausowenig erklärt sie sie ihrer eigenen Familie, das sei der Gerechtigkeit halber auch gesagt. Miss Parslow und ich nahmen an, sie wollte Sebastian aus einer schwierigen Lage herausholen. Es ging ihm sehr schlecht.«

»Ach ja, Miss Parslow. Wäre sie denn in Ihren Augen eines Mordes fähig?«

»Bobbie? Du lieber Gott, nein. Das wäre ja nun alles andere als *comme il faut*.« Der ironische Unterton verriet starke Zuneigung.

»Aber sie ist urplötzlich verschwunden, kaum war ich hier angekommen. Ich hätte Sie gerne gestern abend schon gefragt, ob Sie wissen, wo sie hingefahren ist.«

»Ich weiß weder, wo sie hingefahren ist, noch warum sie überhaupt verschwunden ist. Aber von Ihrer Ankunft und von der Wiederaufnahme der Untersuchung wußte sie jedenfalls nichts. Miss Parslow ist eine sehr vernünftige junge Frau.«

»Die einfach verschwunden ist, ohne ihrer Familie Bescheid zu sagen.«

»Ohne es ihrer Mutter zu sagen.«

»Schon wieder Lady Valeria. Ich werd sie mir heute nachmittag noch einmal vornehmen, aber jetzt muß ich zur Beerdigung.« Alec schob seinen Stuhl zurück und stand auf. »Wie ich höre, wird die Familie nicht vertreten sein.«

»Nein«, sagte Goodman bedauernd, und fügte dann trocken hinzu: »Ihre Ladyschaft ist heute morgen auch zum Pfarrhaus gegangen, um sich zu vergewissern, daß Mr. Lakes Vorstellungen für den Gottesdienst auch den ihren entsprechen. Nicht, daß er dem besonders viel Bedeutung beimessen wird.«

»Nein? Tapfer, der Mann! Vielen Dank für Ihre Hilfe, Mr. Goodman.« Ganz war er jedoch mit dem Sekretär noch nicht fertig. So sehr Daisy dem Mann auch trauen mochte – Alec war sich doch ziemlich sicher, daß Ben Goodman etwas zu verbergen hatte, genau wie Parslow.

14

Nur ungerne wollte Daisy zusehen, wie Ben auf die Vorhaltung reagierte, Grace habe ihm einen Korb gegeben. Daher hatte sie noch nicht einmal versucht, Alec zu überreden, sie mitzunehmen. Statt dessen hatte sie sich mit dem darüber hocherfreuten Sir Reginald verabredet, seine Molkerei zu besichtigen. Doch jetzt wollte sie wissen, wie Bens Aussage ausgefallen war. Eiligen Schrittes ging sie hinauf zum Haus.

In der Bibliothek war er nicht. Sie ging zum Gelben Salon und trat eilig ein. Doch dann blieb sie urplötzlich stehen, und schlug unwillkürlich die Hand vor den Mund, um ein erschrockenes Aufkeuchen zu unterdrücken.

Ben saß in einem Sessel am Kamin, und Sebastian kauerte auf einem Schemel zu seinen Füßen. Er hielt das Gesicht in den gekreuzten Armen verborgen, die auf Bens Schoß ruhten. Ben hatte einen Arm um Sebastians bebende Schultern gelegt, und mit der anderen Hand strich er ihm über das goldene Haar.

Die zärtliche Liebe, die in Bens Gesicht leuchtete, ließ Daisy einen überraschten Atemzug tun. Während sie wie festgefroren in der Tür stand, schaute Ben auf. Sein Gesichtsausdruck verwandelte sich, nun lag darin traurige Resignation.

»Da kommt Miss Dalrymple, Sebastian«, sagte er sanft.

Sebastian hob sein vom Weinen aufgewühltes Gesicht und streckte seine Hand nach der von Ben aus.

Rasch schloß Daisy hinter sich die Tür. »Sie sind ...«, fing sie an. Doch dann unterbrach sie sich, denn es fiel ihr keine höfliche Form ein, wie sie diese Frage stellen konnte.

»Wir lieben uns«, sagte Sebastian trotzig.

»Das erklärt so manches.« So viele kleine Merkwürdigkeiten fügten sich plötzlich in ihrer Erinnerung zusammen. Mit weichen Knien ging sie durch das Zimmer, um sich ihnen gegenüber auf das Sofa fallen zu lassen. »Es muß ja einfach gräßlich sein, das dauernd verstecken zu müssen.«

»Ich hab mich schon an das Versteckspiel gewöhnt«, sagte Ben trocken. »Aber für Sebastian ist es die Hölle. Sind Sie jetzt entsetzt?«

»Ich wohne in Chelsea. Da leben lauter ... ungewöhnliche Menschen«, erklärte Daisy gelassen. Sie hatte auf Gesellschaften schon einige Männerpaare kennengelernt. Aber irgendwie war es doch noch etwas anderes, wenn man plötzlich feststellte, daß die Neigungen von einem engeren Bekannten in diese Richtung gingen. »Weiß Lady Valeria davon?«

»Sie hegt jedenfalls einen Verdacht.« Bens Mund hatte sich zu einem strengen Strich verzogen. Er wirkte dadurch noch weniger attraktiv als sonst. »Sie hat Sebastian die Affäre mit Grace aufgezwungen. Wahrscheinlich wollte sie beweisen, daß ihr Verdacht unbegründet war.«

»Das kannst du so nicht sagen, Ben. Und in jedem Fall war sie es nicht ganz allein«, sagte Sebastian reuig. »Ich wollte mir selbst ja auch beweisen, daß ich nicht ... anders bin. Aber es ist nun mal so. Ich war schon soweit, mir das selbst einzugestehen, als Grace mir sagte, daß sie schwanger ist. Und dann fing der ganze Ärger ja erst an.«

»Es muß ja eine riesige Erleichterung für Sie gewesen sein, nach Antibes zu flüchten,« sagte Daisy.

»Das wäre es vielleicht gewesen, wenn Ben nur mitgekommen wäre. Ich bin vor Sorge um ihn schier verzweifelt. Als Bobbie geschrieben hat, daß Grace mit einem Unbekannten durchgebrannt ist, wollte ich gleich nach Hause, aber ...«

»Bobbie hat Ihnen das geschrieben?«

»Ja. Sie schreibt eigentlich eher selten Briefe, aber sie wußte, wie nah mir diese Sache ging.«

»Wann hat sie diesen Brief geschrieben?«

»Ach, ungefähr eine Woche, nachdem wir abgereist sind. Es dauert immer ein paar Tage, bis uns der Dorfklatsch erreicht, und sie hat bestimmt noch ein oder zwei Tage gewartet, um ganz sicher zu sein, daß Grace nicht doch wieder auftaucht.«

Daisy bemerkte Bens Amüsement. Fragend schaute sie ihn an, eine Augenbraue hochgezogen.

»Fletcher hat ja eine sehr talentierte Schülerin.«

Sie errötete. »Verzeihen Sie.«

»Ist schon in Ordnung, es macht mir nichts aus, Ihnen das zu erzählen«, sagte Sebastian. »Es ist doch eine riesige Erleichterung, endlich einmal offen über das Ganze reden zu können.« Er lehnte sich an Bens Knie an.

»Das freut mich, aber ... Ben, Sie wissen doch, daß ich das Mr. Fletcher erzählen muß?«

In seinem Blick lagen Müdigkeit und Schmerz. »Ich weiß«, sagte er leise. »Aber Ihr Detective ist ein kluger Mann. Der würde es ohnehin bald herausfinden. Und mir wäre lieber, wenn Sie es ihm sagen, und nicht ich.«

»Er wird bestimmt nicht ... Nein, da kann ich mir nicht sicher sein«, gab Daisy niedergeschlagen zu. »Ich glaube allerdings, daß Alec genug von der Welt gesehen hat, um Ihnen wegen so etwas nicht das Leben schwerzumachen. Wenn der Mord an Grace nicht wäre ...«

Ben nickte. »So, wie die Dinge stehen, haben Sie keine andere Wahl, als es ihm zu sagen.«

»Ich werd versuchen, ihn zu überreden, daß er es niemandem weitererzählt«, versprach sie.

Mittlerweile ging es Sebastian sogar schon besser als Ben. Die Farbe war in seine Wangen zurückgekehrt, und er sah weniger verweint aus. »Wieso wollen Sie das mit Bobbies Brief eigentlich wissen, Daisy?« fragte er neugierig.

»Weil es mir äußerst unwahrscheinlich erscheint, daß sie Ihnen diesen Brief geschrieben hätte, wenn sie die Mörderin wäre. Denn man mußte doch damit rechnen, daß Sie sofort nach Hause kommen und geradewegs in eine Morduntersuchung platzen. So früh konnte sie noch nicht wissen, daß die Luft hier für Sie rein war. Deswegen kann sie Grace nicht umgebracht haben. Nicht, daß ich auch nur eine Sekunde geglaubt hätte, sie wäre es gewesen.«

»Jedenfalls hat meine Mutter sich geweigert, nach Hause zu fahren. Liebe Zeit!« Sebastian griff sich in den wirren blonden Schopf und stöhnte auf. »Somit ist es ja noch wahrscheinlicher, daß sie ...«

Schwere Schritte vor der Tür brachten ihn zum Schweigen. Schnell sprang er auf und setzte sich zu Daisy auf das Sofa. Als Lady Valeria hereinmarschiert kam, diskutierten die drei angeregt die klassische griechische Architektur – und Daisy hatte gerade eine großartige Idee gehabt.

Zunächst mußte sie diese jedoch für sich behalten. Lady Valeria blieb bei ihnen sitzen, bis sich alles zum Mittagessen in das Speisezimmer aufmachte. Außerdem hatte Daisy beschlossen, daß sie lieber warten sollte, bis sie Alec davon überzeugt hatte, daß Ben und Sebastian an Graces Tod unschuldig waren.

Sie fragte sich, ob er wohl sehr schockiert wäre über das, was sie über die beiden herausgefunden hatte. Nein, einen Polizisten konnte man so leicht nicht schockieren. Doch hoffte sie, er würde die beiden deswegen nicht mißachten. Sie war selbst etwas überrascht, als sie feststellte, daß sie Ben immer noch genauso mochte und Sebastian auch ganz nett fand, wenn er sich zusammenriß. Ganz offensichtlich verband die beiden eine tiefe Zuneigung.

Alec würde sie doch nicht festnehmen? Selbst wenn er das wollte, müßte er Beweise eines »devianten sexuellen Verhaltens« beibringen. Reichte es für diesen Tatbestand etwa schon aus, Gefühle zuzugeben? Sie wollte einfach nicht glauben, daß er so bigott wäre.

Am Telephon konnte man so etwas nicht gut besprechen. Wenn er nicht bald nach Occles Hall zurückkehrte, würde sie hinunter zum Gasthof gehen.

Alec kam früher als erwartet wieder im Gasthof an. Das einzig Bemerkenswerte an Graces Beerdigung war die Tatsache gewesen, daß ihr Vater in speckiger Arbeitskleidung und mit wütendem Gesichtsausdruck erschienen war. Stan Moss geleitete den Sarg seiner Tochter nicht zum Grab, was Alec fast zu spät begriffen hätte. Als er an der Straße ankam, ließ der Schmied schon seinen kleinen, altersschwachen Lastwagen an.

Alec brüllte über den Lärm des Motors hinweg: »Ich würde mich gerne mit Ihnen unterhalten, Mr. Moss.« Er streckte seine Hand durch die Fensteröffnung, die keine Glasscheibe mehr hatte, und zeigte seine Kennkarte vor. »Scotland Yard.«

Moss starrte ihn wütend an, doch nahm er immerhin den Fuß vom Gaspedal. Das Röhren wurde leiser, jetzt war nur noch ein lautes, hustiges Klopfen zu hören. »Ihr dämlichen Schnüffler aus London glaubt wohl, ihr könntet's besser als die Polizei vor Ort? Der Waliser war's!«

»Haben Sie ihn denn gesehen?«

»Ich bin doch an dem Abend erst spät nach Hause gekommen, wissen Sie das denn nicht?«

»Und warum glauben Sie dann, daß Morgan Ihre Tochter umgebracht hat?«

»Das liegt doch auf der Hand. Der Storch hat sie ins Bein gebissen, und ob es nun seins war oder nicht, ihm hat das als Grund gereicht.«

»Sie wußten, daß Grace mit dem jungen Parslow eine Affäre hatte?«

»Vielleicht, vielleicht auch nicht.«

»Man hat mir zu verstehen gegeben, daß Sie sie sogar dazu ermuntert haben, ihn zu verführen.«

Das trotzige Gesicht von Moss verfärbte sich scharlachrot. »Das ist eine gottverdammte Lüge!« brüllte er. »Hören Sie mal, Freundchen, ich kann hier nicht den ganzen Tag verplaudern. Ich habe zu tun.« Er gab Gas und löste die Bremse.

»Ich muß Sie aber noch einmal sprechen«, rief Alec, bevor er rasch die Hand von der Tür nahm und zurücksprang. Das Lastauto röhrte den Hügel hinunter. Alec schaute ihm nach.

Er war felsenfest davon überzeugt, daß der Schmied gelogen hatte. Moss hatte seine Tochter in diese Affäre hineingeschubst. Doch machte ihn das noch lange nicht zu ihrem Mörder. Vielmehr hatte er allen Grund, sie für seine Zwecke am Leben zu erhalten.

Ärgerlich ging Alec zur Kirche, um mit dem Pastor zu sprechen. Als Mr. Lake ihm sagte, Mittwoch abends sei Chorprobe, spürte er Hoffnung in sich aufblitzen. Doch die Proben endeten immer um neun, also eine gute Stunde vor dem Zeitpunkt, an dem Grace zuletzt lebend gesehen worden war. Mal wieder eine Sackgasse.

Kurz bevor er ging, wandte Alec sich noch einmal um. »Owen Morgan singt nicht etwa im Chor? Die Waliser sind doch berühmt für ihre Stimmen.«

»Und für ihren Methodisten-Glauben, Chief Inspector. Ich glaube, Morgan ist am Sonntag oft zu Fuß nach Whitbury in die Kirche gegangen. Nach allem, was man so hört, war er ein ordentlicher Junge, und ich freue mich sehr, daß Sie den Fall noch einmal aufgegriffen haben.«

Dieser Pastor war ein wirklicher Christenmensch und dazu noch ein unerschrockener Mann, das spürte Alec.

Stan Moss hingegen schien davon überzeugt zu sein, daß die Polizei den Mörder seiner Tochter bereits festgenommen hatte. Vielleicht würde er ja seine Meinung ändern, sobald er erfuhr, daß seine Feindin Lady Valeria mittlerweile auch zu den Tatverdächtigen gehörte. Alec mußte ihn einfach noch einmal sprechen.

Allerdings war es im Moment dringlicher, eine Aussage von Lady Valeria Parslow zu bekommen, außerdem von Miss Roberta und von George Brown.

Im *Cheshire Cheese* las er noch einmal den dürftigen Bericht der örtlichen Polizei durch. Ihm fiel auf, was Ben Goodman bei der gerichtlichen Untersuchung des Todesfalls gesagt hatte: Lady Valeria habe ihm Anweisungen gegeben, Grace zu entlassen, sollte sie zurückkehren. Wann hatte sie ihm das gesagt? Entweder ging Ihre Ladyschaft davon aus, daß das Mädchen durch seine Flucht alle Ansprüche gegenüber Sebastian verloren hatte, oder sie wußte, daß sie Grace nie wieder sehen würde. Welche dieser beiden Varianten entsprach der Wirklichkeit? fragte sich Alec.

Er rief Sergeant Shaw an, um noch ein paar Punkte zu klären. Ernie brachte einen Bericht, der ebenfalls noch durchgesprochen werden mußte. Graces Hab und Gut befand sich immer noch in ihrem Schlafzimmer auf Occles Hall, tat er kund. Aber es handelte sich nur um ihre schwarzen Kleider mit weißer Schürze für den Dienst, weswegen sich niemand darüber gewundert hatte.

Irgend etwas daran war aber merkwürdig, fand Alec. Ehe er jedoch dem Gedanken weiter nachgehen konnte, fuhr Piper fort:»Und der Chauffeur schwört, daß sich am Abend des dreizehnten Dezember niemand ein Automobil genommen hat.«

»Da ist er sich ganz sicher?«

»Ja, Chief. Sein Zimmer liegt direkt über der Garage, die in die Stallungen eingebaut wurde. Er war den ganzen Abend dort, weil er ja am nächsten Tag nach London fahren sollte.«

»Gibt es irgendwelche Zeugen? Irgendwelche Anzeichen, daß er sich für Grace interessiert hat?«

»Zeugen haben wir nicht, Chief, aber er ist mit einem Mädchen in Whitbury verlobt, und er will unbedingt vermeiden, daß Ihre Ladyschaft das erfährt. Ich hab mir ihren Namen und die Adresse geben lassen, falls wir das überprüfen müssen.«

»Gut gemacht, Ernie. Lassen Sie uns mal einen Happen essen gehen, ehe Sie nach Crewe los müssen. Ihren Bericht lese ich später.«

Im Speisesaal waren die beiden völlig allein. Petrie besuchte auf Wunsch seiner Mutter eine alte, entfernte Cousine.

»Ist doch merkwürdig, Chief, daß dieser langhaarige Kerl nicht mehr da ist. Ich meine, wo doch Miss Parslow auch vermißt wird und überhaupt.«

»Liebe Zeit, das ist mir gar nicht aufgefallen. Stimmt, Sie hatten neulich gesagt, daß die beiden sich kennen.«

»Ich hab mich beim Abtippen von meinen Notizen erinnert«, sagte Piper bescheiden. »Glauben Sie, der ist mit ihr abgereist?«

»Das hätte ich nicht übersehen dürfen. Alle Welt sucht nach einer Frau, nicht nach einem Paar. Mrs. Chiver«, fragte er die Wirtin, die gerade die Suppe hereintrug, »ist unser Dorfpoet schon abgereist?«

»Mr. Wilkinson, Sir? Der hat noch mal drei Nächte gebucht, und er hat einen Koffer hiergelassen. Er hat gesagt, er wäre vielleicht ein oder zwei Nächte fort. Sie glauben doch nicht, daß er die Zeche geprellt hat, Sir?« Sie schaute ihn sorgenvoll an.

»Nein, bestimmt nicht«, beruhigte er sie, »aber wir sollten mal lieber diesen Koffer anheben, daß er nicht leer ist.«

»Aber erst nach dem Mittagessen, Sir. Die Koteletts liegen gerade in der Pfanne.«

»Und die sollen genießbar bleiben. Der Koffer läuft uns ja auch nicht weg.« Und sollte Mr. Wilkinson weggelaufen sein, dann würde er in dieser halben Stunde auch nicht wesentlich weiter kommen. Die Wirtin ging, und Alec sagte Piper: »Wenn der Koffer leer ist oder nur irgendein unnützes Zeug enthält, dann werde ich auch nach ihm fahnden lassen. Aber er muß sich ja nur die Haare schneiden lassen, um ganz anders auszusehen. Mir scheint allerdings eher, als hätte er schlicht die Zeche geprellt. Wahrscheinlich hat seine Abreise nichts mit Miss Parslow zu tun.«

In dem kleinen Lederkoffer befanden sich jedoch nur lauter Bücher, einige erstaunlich ordentlich gefaltete Hemden und ein billiger, aber anständiger Straßenanzug. Alec hatte das Gefühl, Wilkinson sei eine falsche Fährte, daß seine Bekanntschaft mit Miss Parslow eher beiläufig war und daß er keinesfalls mit Grace etwas zu tun hatte. Lady Valeria war Grund genug für jede Geheimniskrämerei, die ihre Treffen umgeben mochte.

Er machte sich auf den Weg hinauf nach Occles Hall, nachdem Piper mit dem Austin losgefahren war, um Tom Tring in Crewe abzuholen. Die Wolken am Himmel hatten einen gelblichen Farbton angenommen, was in Verbindung mit der deutlich kühler gewordenen Luft auf Schnee hindeutete. Alec hoffte, der Wetterumschwung würde auf sich warten lassen, bis sein teures Dienst-Automobil wieder wohlbehalten in Occleswich angekommen war.

Trotz des winterlichen Wetters spielten dick eingemummelte Kinder in den Vorgärten einiger Cottages. Die meisten rannten an den Zaun und starrten ihn an, als er an ihnen vorbeiging. Ein besonders wagemutiges kleines Mädchen winkte sogar, und als er zurückwinkte, lief sie kichernd und kreischend mit ihren Spielgefährten ins Haus. Das Geschäft nebst Postamt war am Sonnabendnachmittag geschlossen, und so waren nur wenige Erwachsene unterwegs. Der eine oder andere nickte und lächelte, als sich ihre Wege kreuzten, andere jedoch ignorierten ihn.

Die Schmiede wirkte wie ausgestorben, und niemand kam an die Tür, als er klopfte. Aus reiner Neugierde ging er einmal herum, wobei er sich vorsichtig zwischen den Haufen von rostendem Schrott einen Weg suchte. Der Hof hinter dem Cottage war ebenfalls vollgestellt. Eine relativ große Fläche dort war frei von Metallgegenständen; dort stellte Moss wohl seinen Lastwagen ab. Möglicherweise war das auch sein Arbeitsplatz für die eine oder andere Reparatur, mit der man ihn beauftragte. Ein Traktor an der Hintertür der Schmiede war offensichtlich gerade in Arbeit, und eine abgenutzte Egge hatte eine glänzende, neugeschmiedete Tragstange. Der Schmied war jedoch weit und breit nicht zu sehen. Alec ging weiter.

Als er sich Occles Hall näherte, zerstreute ein eisiger Wind die Wolken. Er war froh, als er in die Wärme des Hauses eintrat.

»Miss Dalrymple möchte Sie sprechen, Sir«, sagte Moody widerwillig, »und zwar noch ehe Sie sich mit irgend jemand anderem unterhalten. Die Dame ist im Roten Salon. Wenn Sie mir bitte hier entlang folgen wollen.«

Noch bevor Moody die Tür öffnete, hörte Alec schon das Klappern der Schreibmaschine, deren Tastatur energisch traktiert wurde. Regelmäßig unterbrach das »Ping« des Zeilenendsignals das rhythmische Geräusch.

Daisy saß an einem Schreibsekretär aus dem frühen neunzehnten Jahrhundert und war nur als Schattenriß vor dem Fenster zu erkennen, wo sie auf ihre Maschine einhämmerte. Sie hielt inne und blinzelte durch das dunkle Zimmer zu ihm hin.

»Alec? Geben Sie mir noch eine Sekunde, ich will nur noch den Absatz zu Ende schreiben.«

Der Butler war auf leisen Sohlen wieder entschwunden. Alec grub in seiner Tasche nach einer Streichholzschachtel und zündete ein paar Gasleuchten an. Das Gemälde über dem Kaminsims wirkte plötzlich ganz lebendig, eine grausige Szene von feuernden Kanonen, mit Leichen britischer Soldaten und halbnackter Eingeborener, die allenthalben verbluteten. Alec drehte sich von dem Bild weg.

»Gräßlich, nicht wahr?« Während sie das Papier aus der Schreibmaschine herauszog, schenkte Daisy ihm ein eher angestrengtes Lächeln.

»Schrecklich, aber wahrscheinlich auch schrecklich heroisch.«

»Wahrscheinlich.« Sie kam um den Schreibtisch herum. »Wenn wir uns hier hinsetzen und die Sessel nur ganz bißchen herumdrehen, müssen wir es nicht anschauen.«

»Stört es Sie, wenn ich rauche?« Bei ihrem Kopfschütteln holte er seine Pfeife und den Tabaksbeutel hervor. »Was gibt's, Daisy? Dieses viktorianische Gemetzel reicht doch nicht, um Sie aus der Fassung bringen.«

»Ich muß Ihnen nur etwas sagen. Und das ist etwas schwierig. Könnten Sie bitte einen Augenblick Ihren Röntgenblick abschalten?« bat sie.

»Entschuldigung. Typische schlechte Polizistenangewohnheit.« Er stopfte seine Pfeife und zündete sie an. »Goodman, stimmt's?« fragte er zwischen den Zügen.

»Wie haben Sie das schon wieder erraten?«

»Weil Sie ihn unter Ihre Fittiche genommen haben, genau wie seinerzeit Lady Wentwater. Und weil ich weiß, daß er irgend etwas verschweigt.«

»Mit dem Mord hat es nichts zu tun, Alec, ehrlich. Er ist ... Sie wissen doch von diesen Männern, die keine Frauen mögen?«

»Du liebe Zeit, das ist es also! Goodman und Parslow? Natürlich! Kein Wunder, daß der arme Junge im Moment so durcheinander ist.«

»Sie lieben sich. Sie müssen die beiden jetzt doch nicht festnehmen, oder?«

»Wenn überhaupt, werden Menschen wegen ihrer Taten festgenommen, nicht wegen ihrer Neigungen, und ein Fehlverhalten ist mir nicht angezeigt worden. Aber es muß Ihnen klar sein, daß damit jeder von ihnen ein ausgezeichnetes Motiv hätte, Grace loszuwerden zu wollen. Goodman war bestimmt eifersüchtig, und Parslow konnte das Risiko nicht eingehen, tatsächlich zu einer Ehe gezwungen zu werden. Parslow war doch der Vater von dem Kind? Hat wohl zu beweisen versucht, daß er nicht ist, was er eben doch ist?«

»Ja«, sagte Daisy betrübt, »ich weiß, es sieht für beide schlecht aus. Aber ich bin überzeugt, das einzige, was die beiden geheimgehalten haben, war ihre Beziehung.«

»Keiner von ihnen hat für die Zeit zwischen zehn und elf Uhr an dem Abend ein Alibi«, betonte Alec, während er die Aussagen der beiden im Geiste noch einmal durchging. »Es sei denn ... Ja, das würde natürlich eine Menge erklären ... Es sei denn, daß die beiden zusammen waren. Aber die Aussage des einen über den anderen kann ich nicht akzeptieren, und wenn sie zusammen waren, dann können sie auch genausogut gemeinsam den Mord begangen haben. Ich muß Goodman und Parslow sprechen – und zwar gemeinsam.«

»Lassen Sie mich dabeisein, Alec, wenn die beiden nichts dagegen haben. Ich führe auch das Protokoll.«

Er überlegte einen Moment. »In Ordnung. Höchst ungewöhnlich, aber die haben sich Ihnen ja schon anvertraut. Und Piper muß so was nicht unbedingt hören. Außerdem holt er gerade Tom in Crewe von der Bahn.«

»Sergeant Tring kommt?« Sie strahlte. »Da freu ich mich aber. Den mag ich gern.«

Während er zum Kamin ging, um an der Klingelschnur zu ziehen, bedachte Alec Daisys Fähigkeit, noch im größten Aufruhr Freude an den kleinen Dingen zu haben. Genauso war Joan gewesen. Mitten in einem Zeppelin-Luftangriff hatte sie sich über eine blühende Narzisse freuen können.

Moody schlurfte hinein und wurde geschickt, die beiden Männer herzubitten. Daisy ging an den Schreibtisch, um sich Notizblock und Bleistifte zu holen.

»Wie kommt es bloß, daß Sie so vernünftig reagieren?« fragte Alec, der ihr gefolgt war und jetzt ihre Schreibmaschine auf einen Nebentisch stellte. »Ich hätte gedacht, die meisten Frauen Ihres Standes wüßten überhaupt nicht, daß solche

Neigungen existieren. Ich bin überzeugt, daß die Frauen der Mittelschicht so was nicht wissen; so zum Beispiel meine Mutter.« Er setzte sich an den Schreibtisch.

»Na ja, private Internatsschulen, und dann hatte ich einen Bruder – manche Dinge bekommt man einfach mit. Und außerdem wohne ich ja mitten in der Bohème, das dürfen Sie nicht vergessen.«

»Aber Ihre Gelassenheit erstaunt mich doch, wo es ja hier um einen Ihrer Freunde geht.«

»Es war schon ein gewisser Schock, aber schließlich sind die beiden immer noch dieselben Menschen, die sie vorher auch schon waren. Ich glaube nicht, daß sie etwas dafür können, also kann man nicht sagen, daß es widernatürlich wäre, oder? Das ist doch so, als würde man jemandem Vorwürfe machen, weil er schielt oder frühzeitig eine Glatze bekommt.« Nachdenklich begutachtete sie ihn. »Trotzdem bin ich froh, daß Sie noch keine Glatze haben.«

»Was heißt hier noch nicht?« fragte er in gespieltem Entsetzen, und sie lachten immer noch, als Parslow und Goodman eintraten.

Beide Männer wirkten beunruhigt. Goodman hinkte rasch zu ihnen und sagte ironisch: »Ich gehe davon aus, daß Sie uns nicht gleich ins Gefängnis abtransportieren, Chief Insp...« Seine Worte wurden von einem rauhen, schmerzhaften Husten unterbrochen, und er krümmte sich vornüber.

Parslow eilte zu ihm und nahm ihn am Arm. »Das ist diese Eiseskälte hier«, erklärte er nervös. »Überall zieht es. Komm und setz dich ans Feuer, Ben.«

»Ja, bitte tun Sie das«, sagte Alec. Mit Bedauern legte er seine Pfeife beiseite, die gerade so schön Feuer gefangen hatte. Doch der Rauch wäre ohne Zweifel Gift für vom Gas zerfressene Lungen. Dieser Gedanke an Goodmans Kriegserfahrung wischte die letzten Reste von Skepsis fort, die er sorgfältig vor Daisy verborgen hatte. Außerdem überraschte es ihn, wie liebevoll der junge Adonis seinen kriegsgeschädigten Freund umsorgte. Die Beziehung war überhaupt nicht so einseitig, wie er es sich vorgestellt hatte.

Daisy war Parslow zu Hilfe geeilt, um Goodman in einen

Sessel am Kamin zu plazieren. Mit Schrecken sah Alec das entschlossene Leuchten in ihren Augen, als sie Parslow etwas ins Ohr flüsterte. Der hingegen wirkte erst erstaunt, dann begeistert und träumerisch, und schließlich spiegelten seine Augen dieselbe Entschlossenheit wider. Alec hätte fast laut aufgestöhnt. Was in aller Welt führte sie jetzt schon wieder im Schilde?

Er sollte sie lieber wegschicken, ehe sie weiter ihr eigenes Spielchen spielte. Statt dessen traf ihn ein bittender blauer Blick, und er hörte sich selbst fragen: »Sie haben doch nichts dagegen, wenn Miss Dalrymple Ihre Aussagen protokolliert?«

»Aber nicht im geringsten«, sagte Parslow mit fester Stimme. Er holte einen lederbezogenen Flachmann aus der Tasche, schraubte den Verschluß ab und hielt ihn Goodman an die blassen Lippen. Ein paar Schlucke, und auf seine kreidebleichen Wangen kehrte etwas Farbe zurück. Goodman lehnte den Kopf an die hohe Lehne des Sessels, sagte aber kein Wort. Parslow nahm sich einen Stuhl mit gerader Rückenlehne und setzte sich neben ihn, wobei er ihm tröstend eine Hand auf den Arm legte.

Alec setzte sich ihnen gegenüber, während Daisy sich an den Schreibtisch begab. »Nun denn«, begann er, »wir werden das, was Miss Dalrymple mir gerade erzählt hat, als bekannt voraussetzen und von da aus fortfahren. Möchten Sie Ihre Aussage in irgendeiner Hinsicht verändern, Mr. Parslow?«

»Ja. Ben und ich waren am dreizehnten Dezember zwischen zehn und elf Uhr die meiste Zeit zusammen. Ich bin in die Bibliothek gegangen und … es war das erste Mal, daß wir über … das alles gesprochen haben. Darüber, was wir einander bedeuten«, fügte er hinzu und reckte dabei das Kinn empor.

»Warum haben Sie mir nicht gesagt, daß Sie sich gegenseitig ein Alibi geben können?«

»Das ist meine Schuld, Chief Inspector.« In Goodmans schwacher Stimme schwang Reue mit. »Ich hielt es für wichtiger, zu verbergen, daß wir … den Wunsch haben, beieinander zu sein. Ich fand, wir müßten einander kein Alibi geben, wo doch keiner von uns beiden Grace umgebracht hat. Meine

Begegnung mit Inspector Dunnett hat mich nicht gerade darauf vertrauen lassen, daß ich in einem Polizisten Intelligenz oder gar Scharfblick begegnen würde.«

Alec erwiderte dieses Kompliment mit einem gelassenen Nicken.

»Ich hab's versiebt«, sagte Parslow. »Ich konnte mich nicht daran erinnern, was wir vereinbart hatten. Sollte ich erzählen, daß ich anschließend in Bens Zimmer war, um ihm vom Entschluß meiner Mutter zu berichten, oder nicht? Das wird wohl Ihren Verdacht erregt haben.«

Er wirkte unbesorgt, sogar zuversichtlich, und hatte nichts mehr von diesem unruhigen, leicht schreckhaften Jungen an sich. Es schien, als hätte er tatsächlich nichts so sehr gefürchtet, als daß sein Verhältnis mit Goodman aufgedeckt werden könnte. Mit Graces Tod hatte seine Angst nichts zu tun gehabt. Nun war der gefürchtete Moment gekommen, und er war nicht halb so schrecklich, wie er es sich ausgemalt hatte. Diese Sorgen hatte er nicht mehr, und das bestärkte Alec in seinem – zugegebenermaßen im Grunde wackeligen – Glauben an das Alibi der beiden.

Diese neue Selbstsicherheit jedoch war etwas ganz anderes. Die war erst seit Daisys Flüstern bemerkbar. Was zum Teufel hatte sie nur gesagt?

Alec seufzte. »Soweit ich das beurteilen kann, sind Sie beide aus dem Schneider. Allerdings muß ich Sie bitten, Occles Hall vorerst nicht zu verlassen, ohne mich zu informieren.«

»Wir büchsen schon nicht aus.« Parslow zog eine Grimasse. »Ein Ausreißer in der Familie reicht doch schon. Du lieber Gott, ich wünschte wirklich, ich wüßte, wo Bobbie hingefahren ist, und warum. Mit Grace kann das nichts zu tun haben, Chief Inspector. Davon bin ich fest überzeugt.«

»Weiß Ihre Schwester über Sie und Mr. Goodman Bescheid?«

»Nein, bestimmt nicht. Bobbie ist ein richtiger Sportskamerad, aber sie ist viel zu direkt, um irgend etwas wahrzunehmen, was ihr nicht unmittelbar unter die Nase geschoben wird. Genau wie mein Vater, nur ist der noch schlimmer:

Der nimmt die Dinge nicht einmal wahr, wenn man sie ihm direkt unter die Nase hält. Von der Sache mit Grace hatte Bobbie keine Ahnung, ehe ich es ihr nicht erzählt habe.«

»Und Lady Valeria?«

»Ich glaube, die hatte einen gewissen Verdacht«, sagte Parslow nachdenklich, »sogar schon, ehe ich mir selber darüber im klaren war. Das erklärt auch, warum sie mich immer so eingesperrt hat, seit ich von der Schule abgegangen bin. Sie wollte mich wohl vor mir selbst beschützen. Und Grace ... Ich hab darüber nachgedacht, was Sie neulich gesagt haben, daß sie mir immer meinen Schlummertrunk und den Early Morning Tea gebracht hat. Ob meine Mutter sie wohl auf mich angesetzt hat, um mich doch noch umzukrempeln?«

»Vielleicht wollte sie sich genau das beweisen, was Sie sich - so stelle ich es mir jedenfalls vor – auch selbst beweisen wollten«, schlug Alec sanft vor. »Grace hat Morgan erzählt, daß Ihre Ladyschaft sie sehr dazu ermuntert hat, Sie zu verführen – wie auch ihr Vater.«

»Moss? Nur um uns Ärger zu bereiten?« Das machte Parslows neue Gelassenheit denn doch wieder zunichte. »Ach, du lieber Gott!« stöhnte er auf und bedeckte das Gesicht mit den Händen. Jetzt war Goodman an der Reihe, Trost zu spenden. Bald hatte sich der Junge genügend erholt, um wieder zu sprechen: »Die arme Grace hatte ja überhaupt keine Chance, nicht wahr? Verstehen Sie, ich hatte sie durchaus gern, obwohl ich sie nicht geliebt hab.«

Alec nickte. »Ich vermute, die Zweifel Ihrer Mutter sind der Grund, warum sie um keinen Preis Mr. Goodman nach Südfrankreich mitnehmen wollte. Es lag nicht nur an ihrem schwierigen Charakter. Ich bin nur überrascht, daß sie ihn nicht stante pede entlassen hat.«

Goodman sagte trocken: »Das hätte doch bedeutet, daß sie sich die Neigungen ihres Sohnes eingestehen muß.«

»Ach so, natürlich. Wußte eigentlich noch jemand anderes Bescheid, oder hatte jemand einen Verdacht?«

»Thomkins, mein Diener. Er wußte von der Sache mit Grace, aber nichts von Ben und mir.«

Das hatte Ernie Piper nicht mitbekommen, dachte Alec. Was hatte er noch alles verpaßt? Tom würde mit der Befragung der Dienerschaft noch einmal ganz von vorn anfangen müssen.

Die Antworten auf seine restlichen Fragen bestätigten alle eher die Unschuld der beiden an Graces Mord. Schließlich fragte er Goodman nach dem Grund von Lady Valerias Anweisung, Grace sofort nach ihrer Rückkehr zu entlassen.

Ben Goodman überlegte. »Das war am Morgen danach«, sagte er langsam. »Grace war vor der Abreise nach Südfrankreich nicht da, um Ihrer Ladyschaft das Frühstück zu servieren.«

Da konnte sie also das Gerücht noch nicht gehört haben, daß Grace mit einem Vertreter durchgebrannt war – ein weiterer interessanter Punkt, der gegen Ihre Ladyschaft sprach. Ansonsten gab es nichts Neues, und nichts, was den Verdacht auf Lady Valeria oder ihre Tochter lenkte. Aber auch nichts, was sie völlig entlastete. Diese beiden blieben in der Tat mit George Brown Alecs Hauptverdächtige.

»Danke sehr«, sagte er schließlich. »Ich stehe nicht kurz davor, Sie ins Gefängnis zu verfrachten, und gegenwärtig sehe ich keinen Grund, Ihr Geheimnis irgendwie weiterzutragen, auch nicht meinem Sergeant gegenüber. Mit Lady Valeria werde ich allerdings offen sprechen müssen.«

»Das läßt sich wohl kaum mehr verhindern. Aber ich wäre Ihnen dankbar, wenn Sie ihr diese Nachricht überbringen könnten«, sagte Parslow ehrlich.

»Allerdings muß ich Sie warnen. Wenn Sie bei einem Gerichtsprozeß eine Zeugenaussage machen müssen, kann ich das in meinem Bericht nicht verschweigen.«

»Haben Sie vielen Dank, Mr. Fletcher«, sagte Goodman, der sich mit Parslows Hilfe mühsam aus seinem Sessel hochhievte. »Sie haben sehr großes Verständnis gezeigt. Ich weiß, daß Sie Ihr Bestes für uns tun.« Nach einem kurzen Zögern streckte er die Hand aus, die Alec herzlich schüttelte.

Parslow, der Goodman stützte, hatte keine Hand frei, um sie zu schütteln, doch auch er dankte Alec. Während die beiden sich zur Tür wandten, zwinkerte er Daisy zu, und die grinste zurück.

Alec war fest entschlossen, sie nach dem Getuschel von vorhin zu befragen, aber jetzt wollte er dringend Lady Valeria sprechen. Endlich hatte er etwas, womit er sie zur Zusammenarbeit zwingen konnte. Er zog an der Klingel.

»Lady Valeria?« fragte Daisy.

»Ja, wenigstens hoffe ich das.«

»Die wird nicht zulassen, daß ich im Zimmer bleibe. Wie schade! Zu gerne würde ich ihr Gesicht sehen, wenn Sie die Katze aus dem Sack lassen.« Sie überlegte einen Moment. »Nein, das ist nicht fair. Es wird schrecklich für sie.«

»Erstaunlich, daß Parslow nicht die Fassung verloren hat, als ich verkündete, es ihr sagen zu müssen. Wird sie nicht in die Luft gehen vor Ärger?«

»Wahrscheinlich, aber das ist er ja gewöhnt. Das ist eben das Problem, wenn man gleich bei jeder kleinen Sache in die Luft geht. Wenn dann etwas wirklich Wichtiges passiert, dann hat man keine Munition mehr in Reserve.«

»Stimmt. In jedem Fall wird sie aber Goodman hinauswerfen.«

»Ach, das macht doch jetzt auch nichts ...« Sie unterbrach sich, als Moody hereingeschlurft kam.

»Bitte sagen Sie Lady Valeria, daß ich sie kurz sprechen möchte«, sagte Alec.

Im Ausdruck des Butlers verbanden sich auf merkwürdige Weise Triumph und Bedauern. »Ihre Ladyschaft ist zu einer Vorstandssitzung fort, Sir. In Chester. Die Kampagne gegen das Anwachsen der Kriminalität, die der Bischof leitet, so hab ich mir sagen lassen.«

Daisy platzte fast vor Lachen.

15

»Die Kampagne gegen das Anwachsen der Kriminalität, die der Bischof leitet«, wiederholte Daisy kichernd, während der Butler beleidigt aus dem Roten Salon hinausstolzierte und die Tür mit etwas mehr Nachdruck schloß, als es sich für seinen Berufsstand eigentlich gehörte. »Es wäre doch ein

Skandal, wenn man die Erste Vorsitzende wegen Mordes festnehmen müßte!«

Alec stöhnte auf. »Sie ist da die Erste Vorsitzende?«

»Sonst würde sie wohl kaum in einem Vorstand mitwirken. Und ich denke, kein Komitee in der Grafschaft würde es wagen, sie nicht darum zu bitten. Ach, Alec, was bin ich froh, daß Ben und Sebastian aus der Sache heraus sind.«

»Sie sind noch nicht vollständig entlastet«, warnte er sie. »Aber im Grunde glaube ich ihnen. Neulich war mir ja auch schon klar, daß die beiden gelogen haben. Also hoffe ich, daß ich jetzt auch meinem Instinkt trauen kann, daß sie die Wahrheit sagen.«

»Ich hab mich gerade an etwas anderes erinnert. Als wir die arme Grace gefunden haben, wirkte Ben auf mich erleichtert. Das wäre er nicht gewesen, wenn er es getan hätte oder wenn er sich nicht ganz sicher sein konnte, daß Sebastian es nicht getan hat. Ich vermute, er hat immer befürchtet, Grace könnte vielleicht doch zurückkehren und wieder für Ärger sorgen.«

»Das spricht auch wieder für die beiden. Goodman scheint mir tatsächlich für so etwas nicht kräftig genug zu sein, und Parslow hat sich, was die Lösung seiner Probleme betrifft, offenbar völlig auf seine Mutter und seine Schwester verlassen.«

»Ja, das wird sich aber ändern«, prophezeite sie fröhlich.

»Daisy, was führen Sie schon wieder im Schilde? Denken Sie bloß nicht, ich hätte nicht gesehen, wie sie Parslow ins Ohr flüsterten. Also los, raus damit.«

Sie schüttelte den Kopf. »Ich wollte es Ihnen schon sagen. Aber dann haben Sie eben angekündigt, Sie würden Lady Valeria die Sache mit Ben und Sebastian erzählen. Es hat nichts mit Grace zu tun, das verspreche ich Ihnen. Aber Sie könnten es verwenden, um Lady Valeria zum Reden zu bringen, und je länger sie von dieser Sache nichts weiß, desto besser.«

»Zum Henker mit dieser Frau! Mir würde es größtes Vergnügen bereiten, sie festzunehmen, Kampagne gegen das Anwachsen der Kriminalität hin oder her. Aber wenn ich jetzt nichts aus ihr herausbekomme und das nur an Ihrem Geheimnis liegt ...« Alec wirkte verärgert, während er sich mit den Fingern durchs Haar fuhr. »Verflixt noch eins, warum hab ich mich nicht an meine eigenen Prinzipien gehalten? Hab ich mir nicht schon damals geschworen, daß ich nie wieder auf dienstlicher Basis etwas mit Ihnen zu tun haben wollte?«

Daisy war verletzt. »Wenn ich Sie nicht angerufen hätte, dann wären Sie überhaupt nicht hier«, machte sie ihm klar.

»Was wesentlich angenehmer wäre! Ach herrje, verzeihen Sie, Daisy, aber wenn ich schon wieder dem Assistant Commissioner erklären muß, wieso eine Untersuchung in die Hose gegangen ist ...«

»Schon gut. Also: Ich verrate Ihnen, was ich Sebastian vorgeschlagen habe, falls Sie bei Lady Valeria keinen Erfolg haben – sagen wir morgen nach der Kirche?« Und jetzt war es an der Zeit, ihn daran zu erinnern, wie nützlich sie war. Sie wedelte ihm mit dem Notizbuch vor der Nase herum. »Soll ich die Notizen abschreiben, die ich gerade gemacht hab?«

Er grinste sie ironisch an. »Ist wohl besser, wenn Sie das machen. Sie behaupten doch immer, Ihre Variante der Kurzschrift kann außer Ihnen niemand lesen. Nein, warten Sie noch einen Moment.« Er holte einen Packen Papier aus der Tasche. »Ich hab die Aussagen von heute morgen mitgebracht, damit die beiden sie unterschreiben können. Wäre es wohl möglich, daß Sie die auch noch einmal abschreiben? Und dabei die neuen Angaben so einfügen, daß die Ausflüchte, die sie Piper gegenüber gemacht haben, nicht allzu deutlich werden? Ich möchte die Eigenheiten Ihrer Freunde nicht unnötig breittreten.«

»Gott segne Sie, Alec!« Rasch unterdrückte sie den Wunsch, ihm die Arme um den Hals zu werfen und ihn auf die Wange zu küssen. »Sie sind in dieser ganzen Sache einfach schrecklich nett gewesen. Natürlich kann ich das tun. Schließlich bin ich Journalistin.«

»Dann erinnern Sie sich auch bitte immer daran, daß das Tatsachen sein sollen und kein Roman«, knurrte er. Er seufzte auf. »Nun denn, nachdem ich weder an Lady Valeria noch an Miss Parslow herankomme, werde ich hinunter zur Molkerei gehen. Mal sehen, ob Sir Reginald sich mittlerweile an irgendwas Brauchbares erinnert. Der Mann lebt ja in seiner ganz eigenen Welt.«

»Er wäre sicher glücklicher in einer Welt, auf der es nur Kühe gibt, der liebe alte Kerl. Sie haben doch einen Mantel mitgenommen, oder? Und diesen grünen und orangenen Schal, den Belinda für Sie gestrickt hat? Draußen ist es kalt.«

Amüsiert von so viel Fürsorge, überließ Alec sie ihren Schreibarbeiten.

Sie las die Aussagen durch, wie sie Piper zusammengefaßt hatte. Bei den ersten Unterredungen mit Ben und Sebastian war sie selbst noch zugegen gewesen. Die einzigen Notizen, die damals gemacht wurden, waren die wenigen Punkte gewesen, die Alec rasch hingekritzelt hatte. Dann war er am Morgen die Sache noch einmal durchgegangen, wobei Piper protokolliert hatte, und jetzt kamen noch Änderungen und Hinzufügungen. Kein Wunder, daß Alec mißtrauisch gewesen war! Sie war froh, daß sie die Wahrheit ans Licht gebracht hatte.

Sie lachte, als sie Bens Erwiderung auf den Vorwurf las, er habe Grace nachgestellt. Jetzt war natürlich klar, warum widerspenstige Frauen noch nie ein Problem für ihn gewesen waren.

Sie holte ihre Schreibmaschine vom Nebentisch zurück, auf den Alec sie gestellt hatte, und fing mit der Arbeit an.

Die zweite Aussage, sorgfältig redigiert, war fast fertig, als Alec zurückkehrte. »Nichts«, berichtete er düster. »Sir Reginald hat mich wie einen alten Freund begrüßt und sich an meinen Namen erinnert, nicht jedoch an meine eigentliche Aufgabe. Lady Valeria ist noch nicht zurück. Ich geh jetzt runter zum *Cheshire Cheese*. Tom ist sicherlich schon da. Vielleicht bekomme ich ein paar neue Ideen, wenn ich das Ganze noch einmal mit ihm bespreche.«

Daisy beendete rasch den letzten Absatz und überreichte ihm ihre Arbeit, für die er sich aufrichtig bedankte. »Beste Grüße an Sergeant Tring«, sagte sie, als er sich zum Gehen wandte. »Kommen sie später noch einmal zurück?«

»Das weiß ich noch nicht. Hängt davon ab, was ich über George Brown erfahre. Sollte ich nicht auf der Jagd nach ihm sein, wäre dann morgen früh ein guter Zeitpunkt, um Lady Valeria abzufangen, was meinen Sie?«

»Vor der Kirche wird sie bestimmt nirgendwo hingehen«,

versicherte sie ihm, »und sie gehört sicher nicht zu den Menschen, die auf den letzten Drücker aufstehen. Gregg hat gesagt, daß das Frühstück sonntags um acht Uhr dreißig serviert wird.«

»Vielleicht fühlt sie sich ja morgen besonders fromm und will eine Beichte ablegen«, sagte er hoffnungsvoll.

Alec ging. Daisy widmete sich wieder ihrem Artikel über Occles Hall. Es ging gut voran, und sie war mittendrin, als Moody eintrat, vor lauter Wut über ihr Gelächter vorhin noch steifer als sonst, und sie ans Telephon bat.

»Sei gegrüßt, meine Liebe.« Phillip war am Apparat. »Hör mal, hast du vielleicht Lust, heute abend ins Kino zu gehen? In Whitbury läuft *Robin Hood*. Mit Douglas Fairbanks, den kennst du doch. Die Filme mit ihm sind doch meistens ganz in Ordnung.«

»Liebend gerne, Phil, aber ich glaube, das würde wirken, als wollte ich das sinkende Schiff verlassen.«

»Nun komm schon, du reist doch ohnehin am Montag ab.«

»Stimmt. Und Douglas Fairbanks reizt mich schon ziemlich. Paß mal auf, vielleicht wirkt es nicht ganz so ungezogen, wenn ich Sebastian frage, ob er auch mitkommen will. Ben kommt bestimmt nicht mit, dem geht's heute ganz schlecht.«

»Und das ist auch gut so. Ich meine, es tut mir leid, daß er krank ist und so weiter, aber verflixt, du weißt doch, wie wenig Platz in dem alten Gefährt ist.«

»Ich hab nichts dagegen, mich hinten auf den Notsitz zu quetschen. Es wird doch keinen Schnee geben, oder?«

»Ich denke nicht. Die Wolken sind fast alle weggepustet. Es wird später nur schrecklich kalt, vermute ich. Laß uns doch zur Frühvorstellung gehen, meine Liebe, wenn du rechtzeitig fertig wirst. Und leih dir mal lieber ein paar Decken aus.«

»Dann werd ich auf jeden Fall Sebastian fragen müssen. Man kann nicht einfach so mit fremden Decken verschwinden.«

Das fand Phillip auch. Sie machten eine Zeit aus, und Daisy ging los, um Sebastian zu fragen. Er war von der Idee begeistert.

»Ben hat gerade ein Bromidpulver genommen und sich ins

Bett gelegt«, sagte er. »Wenn wir Glück haben, dann sind wir schon weg, ehe meine Mutter nach Hause kommt.«

»Das wäre großartig. Könnten Sie Moody sagen, daß wir zum Abendessen nicht da sein werden? Und organisieren Sie uns doch ein paar Decken, sonst erfrieren wir noch. Und ich muß jetzt noch schnell meinen Artikel fertigschreiben.«

Es wurde ein wunderbarer Abend. Wie herrlich es war, von zwei gutaussehenden Männern begleitet zu werden, auch wenn der eine ein alter Jugendfreund und der andere Männern zugetan war! Und Douglas Fairbanks war in absoluter Bestform.

Nach dem Film kauften sie sich Fish and Chips und aßen direkt aus dem Zeitungspapier. Phillip und Daisy lachten Sebastian aus, der an diesem so primitiven Genuß, der ihm sonst verboten war, besonderes Vergnügen hatte.

Es war fast halb zehn, als der tapfere Swift wieder die Auffahrt von Occles Hall hinauffuhr. Als sie um die Kurve bogen, sahen sie rote Schlußlichter vor sich leuchten.

»Du liebes bißchen«, sagte Sebastian. »Der Daimler ist das nicht. Und dafür, daß der Chief Inspector uns aufsucht, ist es doch ein bißchen spät? Meine Güte, das ist der Morris! Bobbie ist zurück!«

Die roten Lichter verschwanden in Richtung der Stallungen, während Phillip weiter zum Haupteingang fuhr. Sebastian zog umständlich seine langen Beine vom Vordersitz, half Daisy aus dem winzig kleinen Notsitz heraus und lud Phillip ein, noch auf einen Drink hineinzukommen.

»Nein«, sagte Daisy fest. »Ihre Mutter steht wahrscheinlich ohnehin schon kurz vor der Explosion, weil Sie ohne Erlaubnis ausgegangen sind, und jetzt ist Bobbie gerade zurückgekommen. Das letzte, was Lady Valeria jetzt gebrauchen kann, ist ein weiterer Fremder im Haus. Jedenfalls wissen wir jetzt, daß Bobbie nicht wegen Grace ausgebüchst ist. Phillip, fahr doch bitte los und sag das sofort Mr. Fletcher.«

»Geht in Ordnung«, sagte Phillip, hilfsbereit wie immer. Die Arme voll mit hoch aufgetürmten Decken gingen Daisy und Sebastian ins Haus. »Sagen wir meiner Mutter wegen Bobbie Bescheid?« fragte Sebastian nervös, als sie die Stapel auf einem Stuhl in der langen Halle deponierten. »Sie wird noch ein paar Minuten brauchen, um das Auto unterzustellen.«

»Das kommt darauf an, wie edelmütig Sie sich heute fühlen. Wenn Sie es ihr gleich sagen, wird das wahrscheinlich einen Teil ihrer Wut von Ihnen ablenken. Wir können aber auch hier warten, bis Bobbie sich zu uns gesellt, um uns dann gemeinsam in die Höhle der Löwin zu wagen. Oder wir gehen hinein und geben ihr die Gelegenheit, schon einen Teil ihrer Empörung an Ihrer doch läßlichen Sünde auszulassen – und an meiner, vermute ich – ehe Bobbie sich ihr stellt.«

»In Ordnung, gehen wir rein.« Sebastian richtete sich auf und schritt auf den Salon zu. Im letzten Moment drohte er fast, seinen Mut wieder zu verlieren und fragte: »Aber von den Fish and Chips müssen wir ihr nichts erzählen, oder?«

Er ergab sich in seine Strafpredigt wie ein kleiner Junge. Wie Daisy es erwartet hatte, konzentrierte sich Lady Valerias Wut nicht auf das irrende Schaf, sondern auf diejenige, die es vom rechten Weg abgebracht hatte. Sebastian gelang es, ihre Schimpfkanonade etwas abzumildern, indem er sie mit einem Bericht über den Film unterbrach.

Leise und traurig sagte Sir Reginald zu Daisy: »Haben Sie vielen Dank, meine liebe Miss Dalrymple, daß Sie dem Jungen ein bißchen Spaß ermöglicht haben.«

Sebastian mußte sich nicht sehr lange über Robin Hood verbreiten. Bobbie trat ein, kompakt und solide in einen Fahranzug gezwängt. Sie sah müde und gleichzeitig aufgeregt aus.

Und hinter ihr trat der langhaarige Dichter in den Raum.

»Mummy, das ist Ferdinand Wilkinson«, tat sie kund. »Dodo, altes Herz, das ist meine Mutter, Lady Valeria, und das sind Daddy und mein Bruder Sebastian und Daisy Dalrymple. Erinnerst du dich? Ich hab dir schon von Daisy erzählt.«

Mr. Wilkinson gönnte der versammelten Gesellschaft ein sanftes Lächeln und verbeugte sich leicht vor Lady Valeria. »Guten Abend«, sagte er. »Ich freue mich, Robertas Familie kennenzulernen. Jeder ihrer Freunde ist auch ein Freund von mir.«

Er verhielt sich vorbildlich: Seine Sprache war gebildet und seine Stimme gut moduliert, obwohl nichts sonderlich Poetisches darin lag.

»Sie nennen sie also Roberta«, kommentierte Lady Valeria eisig und begutachtete ihn von oben bis unten, von seinem zerwuschelten Kopf über den braun gemusterten Fair-Isle-Pullover und die abgewetzte Knickerbockerhose bis hin zu seinen abgeschabten Schuhspitzen. Sie wandte sich zu Bobbie. »Und wer, bitte, ist Mr. Wilkinson?«

»Er kommt aus Derbyshire. Ich hab ihn letzten Sommer kennengelernt, als ich mit den Pfadfinderinnen zum Wandern im Peak District war. Wir haben uns gleich von ...«

»Und was ist Mr. Wilkinson?« fragte Valeria verächtlich.

»Dodo ist Dichter, Mummy. Keine Sorge, er ist nicht irgend so ein sentimentaler Waschlappen, der sich in Klischees ergießt. Er hat mir ein wunderschönes Gedicht geschrieben, in dem ich Boadicea, die Königin der Kriege bin.« Offensichtlich fiel ihr vor lauter Verliebtheit das sich langsam lila verfärbende Gesicht ihrer Mutter nicht auf. Bobbie nahm Mr. Wilkinsons Hand. »Wir heiraten nämlich.«

»Und wovon wollt ihr leben?« spielte Lady Valeria ihren Trumpf aus. »Kommt bloß nicht auf die Idee, daß ich euch unterstütze.«

»Bobo hat eine Stelle gefunden«, sagte Mr. Wilkinson und schaute seiner Verlobten innig in die Augen. Offensichtlich ahnte er nichts von der Bombe, die ohne Zweifel gleich über ihrer beider Häupter bersten würde.

Endlich einmal war Lady Valeria zu entsetzt, um mehr als nur ein Quieken von sich zu geben.

»Deswegen sind wir weggefahren«, erklärte Bobbie. »Die Gelegenheit kam ganz plötzlich, und ich mußte einfach zugreifen. Es war eine Stellenanzeige in *Town and Country*, Daisys Zeitschrift also, als Sportlehrerin an einer Mädchenschule in der Nähe von Cheltenham anzufangen. Nicht das Cheltenham Ladies' College, sondern eine kleinere Schule, Waybrook heißt sie.«

»Nie davon gehört!«

Bobbie machte einfach weiter. »Die Anzeige war auch in der *Times*, also wußte ich, daß die Stelle noch nicht besetzt war. Die brauchten dringend jemanden – die letzte Sportlehrerin ist einfach tot auf dem Hockeyfeld umgefallen. Auf dem Schulgelände gibt es auch ein Cottage zum Wohnen. Jedenfalls hab ich angerufen. Die haben mich gleich gebeten, zum Vorstellungsgespräch zu kommen, und eingestellt haben sie mich jetzt auch! Ist das nicht einfach großartig? Ich soll so bald wie möglich anfangen. Ich konnte doch niemandem sagen, wohin ich fahre, weil ich genau wußte, daß Mummy sich fürchterlich aufregen würde.«

»Was für eine bodenlose Frechheit!« explodierte Lady Valeria jetzt. »Eine Stelle! Meine Tochter geht arbeiten wie eine billige Bedienung! Wie eine schlampige Schreibmaschinentippse.« Sie wandte sich zu Daisy und brüllte los: »Das ist alles Ihre Schuld. Sie haben sich mit Ihren monströsen modernen Manieren in einen glücklichen Haushalt eingeschlichen, haben eine Tochter getriezt, treulos ihre Mutter zu verlassen und einen mittellosen Poeten zu heiraten ...«

»Bewundernswerte Alliteration«, sagte Mr. Wilkinson ein wenig zu laut.

Seine zukünftige Schwiegermutter blickte ihn wütend an, doch wurde sie von Daisy unterbrochen, noch bevor sie seine moralischen Ansichten, seine Angewohnheiten, seine Kleidung, seine beruflichen Aussichten und seine Abstammung in der Luft zerreißen konnte.

»Sie schmeicheln mir, Lady Valeria«, sagte sie zuckersüß. »Die Tochter einer Mutter mit einem derart starken Willen kann unmöglich einen so schwachen Charakter haben, daß ich sie zu etwas bringen könnte, was sie nicht selber will.«

»Erzählen Sie doch nicht, Sie hätten sie nicht mit Ihrem Unabhängigkeitsquatsch ermutigt, sich aufzulehnen!«

»Wenn ich das getan habe, dann nur durch mein Beispiel.« Daisy versuchte, sich zu erinnern, was sie Bobbie damals eigentlich gesagt hatte. Ihr war mehr ihr Mitleid denn irgendwelche Ermutigung in Erinnerung, aber sie hatte keine Lust, das jetzt Lady Valeria gegenüber auszuwalzen. »Ich hatte nicht die geringste Ahnung, daß Bobbie nach einer Stelle sucht. Als ich sah, daß sie *Town and Country* liest, hab ich mir sogar eher eingebildet, daß das wegen meines Artikels war.«

»Ihr Artikel! Sie glauben doch hoffentlich nicht, ich würde zulassen, daß Sie den Müll veröffentlichen, den Sie über Occles Hall zusammengeschmiert haben.«

»Occles Hall gehört Daddy«, wies Bobbie sie zurecht. Sir Reginald küßte sie auf die Wange und schüttelte gleichzeitig Mr. Wilkinson die Hand. Lady Valeria dürfte nach dieser Szene wohl einige Schwierigkeiten haben, sich darüber zu beklagen, der Dichter habe nicht formell um die Hand ihrer Tochter angehalten.

»Gute Nacht allerseits«, sagte Sir Reginald und sah sich lächelnd um, während er aus dem Zimmer schwebte.

In der kurzen Pause, in der ihm seine Gattin wütend hinterherstarrte, fragte Sebastian beiläufig: »Ich muß schon sagen, Schwesterherzchen, erst mal Glückwünsche und so weiter, und habt ihr eigentlich schon gegessen?« Ein Glitzern in seinen dunkelblauen Augen verriet, daß er die Situation schrecklich amüsant fand.

Bobbie grinste ihn an. »Ja, danke, Bastie, wir haben auf dem Weg ein Päuschen gemacht.«

»Prachtvoll. Gratuliere, verehrter Freund«, sagte er und schüttelte Mr. Wilkinson nun ebenfalls die Hand. »Sie haben rechtzeitig erkannt, wie wichtig es ist, mein Schwesterchen immer gut im Futter zu halten. Ein Glas Brandy oder vielleicht einen Zirz Scotch? Oder soll ich Moody in den Keller schicken, uns eine Flasche Feier-Limonade zu holen, mein Herz?«

»Nein, dem armen alten Moody werden so spät am Abend bestimmt schon die Füße weh tun. Und Daddy ist ja auch schon zu Bett gegangen. Laß uns doch den Champagner für morgen zum Mittagessen aufheben.«

»Champagner!« schnaufte Lady Valeria. »Das ist doch kein Anlaß zum Feiern, Sebastian. Deine Schwester ist schlicht von allen guten Geistern verlassen.«

»Liebe Zeit, das geht jetzt aber wirklich ein bißchen weit!«

»Und ohne Zweifel ist sie nur deswegen so völlig aufgelöst, weil sie feststellen mußte, daß ihre Familie von Miss Dalrymples Freund Zwitscher von Scotland Yard heimgesucht wurde.«

»Scotland Yard?« Bobbie keuchte entsetzt auf. »Wovon in aller Welt quatschst du da eigentlich, Mummy?«

»Ich quatsche nicht, Roberta. Diese Angelegenheit werden wir morgen früh besprechen. Ich will inständig hoffen, daß du bis dahin wieder bei Vernunft bist. Gute Nacht, Sebastian.«

Ihr Sohn küßte sie pflichtergebenst auf die dargebotene Wange, und sie rauschte hinaus. Die anderen Anwesenden ignorierte sie. Hatte sie damit die Schlacht aufgegeben, fragte sich Daisy, oder zog sie sich zurück, um noch einmal Kräfte zu sammeln? Weder das eine, noch das andere würde zu ihr passen. Lady Valeria konnte unmöglich zahm geworden sein. Wuchsen ihr die Ereignisse etwa langsam über den Kopf?

Sebastian ließ sich prustend in einen Sessel fallen: »Boadicea!« krähte er. »Das ist ja großartig!«

»Sei nicht albern, Bastie. Daisy, was soll das heißen, Scotland Yard ist hier?«

Ehe Daisy antworten konnte, sagte Mr. Wilkinson nachdenklich: »Richtig, Boadicea paßt nicht. Die Ode muß ich rauswerfen. Atalanta. Das trifft's. Ein Sonett, vielleicht. Apfel so golden ... Sonnenschein, der holde ... oder vielleicht doch lieber freies Versmaß?«

»Ist er nicht einfach klasse, Daisy?« flüsterte Bobbie. »Wer war Atalanta?«

»Ich glaube, sie war ein wunderschönes Mädchen, das immer im Wettlauf gewonnen hat. Ich muß schon sagen, er scheint dir ja richtig verfallen zu sein, mit Haut und Haar.«

Bobbie errötete. »Normalerweise schreibt er über Stahlfabriken und Kohlebergwerke und solche Sachen, schrecklich modern. Von Männern, die im Schweiße ihres Angesichts ihren Lebensunterhalt verdienen und so weiter.«

»Macht es ihm denn gar nichts aus, daß er vom Schweiße deines Angesichts ernährt wird?« fragte Daisy. Sofort wurde ihr die Taktlosigkeit dieser Frage bewußt, und sie hoffte, daß sie nicht kritisch klang, wo sie doch eigentlich nur neugierig war.

»Ach, ein Gedichtband von ihm ist schon erschienen, der

bringt ein paar Pfund ein. Du wirst ihn bestimmt kennen; er veröffentlicht seine Sachen als Fred Wilkes. In Waybrook hat man ihn auch gleich gefragt, ob er nicht englische Literatur unterrichten will. Das macht sich nämlich bestens im Schulprospekt, wenn man im Lehrerkollegium einen Dichter hat, dessen Werke veröffentlicht werden. Es wird uns also bestens gehen. Daisy, jetzt klär mich mal auf. Jemand von Scotland Yard ist hier?«

»Hast du das nicht gewußt? Er ist am Abend vor deiner Abreise angekommen. Und Mr. Wilkinson hat sogar im selben Raum mit ihm gefrühstückt. Aber er schien danach in irgendein Gedicht versunken zu sein.«

»Dann ist ihm das wohl nicht aufgefallen. Dieser Zwitscher ist wegen Grace hier? Aber Owen Morgan ist doch gerade erst festgenommen worden.«

»Fletcher«, sagte Daisy streng. »Detective Chief Inspector Fletcher.« Sie erklärte die Lage. »Verstehst du, damit hat dein Ausbüchsen ganz schön verdächtig gewirkt.«

Bobbie brüllte vor Lachen. Sebastian, der den ahnungslosen Mr. Wilkinson mit Reimen wie Herz auf Schmerz, Liebe auf Triebe und Wipfel auf Zipfel neckte, kam zu ihnen herüber. »Was ist denn so lustig?« fragte er.

»Daisys Chief Inspector glaubt, ich hätte der armen Grace eins über die Rübe gegeben, weil ich mich im falschen Moment aus dem Staub gemacht hab.«

»Das ist wirklich nicht komisch, Bobbie. Ich meine, ich bin ja durchaus froh, daß du zurückgekommen bist, da wird er dich nicht mehr verdächtigen, aber damit sehen die Dinge für unsere Frau Mutter allerdings viel schlimmer aus.«

»Für Mummy?« fragte Bobbie verwirrt.

»Sie hatte genau dasselbe Motiv wie du. Und dann wird sie doch immer so wütend. Das Schlimmste an der Sache aber ist, daß sie partout nicht mit Fletcher reden will.«

»Ach verflixt! Es hat keinen Sinn, sie überreden zu wollen. Sie nimmt einfach nicht Vernunft an.« Ein schrecklicher Gedanke überkam sie. »Bastie, du glaubst doch nicht ...«

Sebastian zuckte hilflos mit den Achseln. »Ich weiß es nicht. Ich weiß es einfach nicht.«

»Was können wir denn machen?«

»Das einzige, was man da machen kann«, sagte Daisy, »ist, Mr. Fletcher die Wahrheit zu sagen und zu hoffen, daß es der Handlungsreisende George Brown war.«

»George Brown befindet sich derzeit in Carlisle«, gab Alec die Nachricht an Tom Tring weiter, nachdem Scotland Yard sich endlich gemeldet hatte.

»Hundertdreißig, hundertvierzig Meilen von hier entfernt, Chief, mindestens«, sagte der Sergeant, der eine Karte mitgebracht hatte. »Und Sie wissen ja, wie die Straßen im Lake District nach dem Winter sind.«

»Und bei Ihrem Gewicht und diesen riesigen Schlaglöchern – die Federung im Automobil steht so eine Strapaze einfach nicht durch. Aber glücklicherweise ist das Browns letzte Station im hohen Norden, und er fährt morgen früh nach Lancaster.«

»Das ist nicht mehr als siebzig, achtzig Meilen entfernt.« Trings Schnurrbart zitterte zufrieden. »Und schön flach auf der ganzen Strecke.«

»Trotzdem, Tom, ich werd Sie hierlassen, damit Sie sich noch mal die Diener von Occles Hall vorknöpfen. Ernie hat zwar ordentliche Arbeit geleistet, aber er hat nicht Ihre Erfahrung und kann nicht so gut mit Menschen umgehen wie Sie. Wir fahren morgen als erstes hoch zum Herrenhaus und sehen zu, daß wir Ihre Ladyschaft dazu zwingen, endlich mit uns zu reden. Sollte sie nicht zufällig ein Geständnis ablegen, werde ich dann mit Ernie nach Lancaster fahren. Kommen Sie, ich lad Sie zum Trost auf ein Glas ein.«

»Schönen Dank auch, Chief, aber das gönn ich mir später. Ich glaube, jetzt würde ich erst mal gerne ein Schwätzchen mit Mr. Chiver da drüben halten. Wirte sehen häufig mehr, als sie selber wissen, und mir scheint, das ist mal wieder einer von denen, die sich von mir besser rumkriegen lassen als von Ihnen.«

»Sehr wahrscheinlich.« Lachend beobachtete Alec seinen riesigen Sergeant, wie er die Bar mit seinen erstaunlich leisen Schritten durchquerte und einen vertrauten Schwatz mit dem Gastwirt begann.

Leider war Tring jedoch nicht schlauer geworden, als sie sich zum Abendessen aufmachten. Anschließend ging er mit Piper in die Kneipe, um dort sein Glück zu versuchen. Damit war Alec, der in der Bar einen Whisky zu sich nahm, von wohlgesonnenen wie ablehnenden Dorfbewohnern umgeben, als Phillip Petrie dort hineinplatzte.

»Fletcher, Sie glauben nicht, was ich für eine Nachricht für Sie habe!« Alle Köpfe im Raum drehten sich ruckartig zu ihm. »Daisy hat mich gebeten, Ihnen zu sagen ...«

»Nicht hier, alter Freund!« Gerade noch rechtzeitig unterband Alec die Offenbarung, nahm Petrie am Arm und führte ihn hinaus in die kleine Eingangshalle. Brennend neugierige Blicke lagen auf ihnen. Er zog die Tür hinter sich zu. »Was ist denn?«

»Liebe Zeit, damit wäre ich ja fast vor dem gemeinen Volk herausgeplatzt. Tut mir leid, ich bin ja wirklich ein Idiot. Sie können sich freuen, Fletcher, Miss Parslow ist zurückgekehrt.«

»Miss Parslow? Verflucht, da habe ich ja schon wieder eine Verdächtige weniger.«

Es stellte sich heraus, daß Petrie nicht viel mehr wußte, als das: Der Morris Oxford war nach Occles Hall zurückgekehrt. Alec befand, an diesem Abend sei es nun doch zu spät, um irgend etwas zu unternehmen. Morgen würde er jedoch gleich als erstes Miss Parslow vernehmen. Er hoffte, sie würde ihm, ob wissentlich oder unwissentlich, weitere Munition gegen Lady Valeria liefern.

Am Morgen blühten am Schlafzimmerfenster Eisblumen, die unter den Strahlen der aufgehenden Sonne glitzerten. Nach dem Frühstück – bei dem Tom Trings Appetit Mrs. Chiver begeisterte – fuhren die drei Männer nach Occles Hall hinauf.

Alec schickte seine Beamten direkt zum Dienstboteneingang. Er hätte es vorgezogen, wenn Piper jetzt Protokoll führte und Tring mit seiner massigen Präsenz das Gewicht des Gesetzes illustriert hätte, doch hatte er schließlich versprochen, seine Leute nicht in das Verhältnis zwischen Goodman und Parslow einzuweihen, wenn es sich vermeiden ließe.

Als Moody ihm die Eingangstür öffnete, bat er darum, mit

Daisy sprechen zu können. Er brauchte von ihr alle Informationen, die sie über Miss Parslows Abwesenheit haben mochte, ehe er die junge Dame befragte.

Während der Butler schlecht gelaunt vor sich hin brummelte, der Sonntag sei schließlich der Tag des Herrn, führte er Alec in den Roten Salon. Wenige Minuten später kam Daisy herein, eine Tasse Tee in der Hand.

»Hab ich Sie vom Frühstück weggeholt?« fragte er. »Das tut mir leid.«

»Nein, ich war sozusagen schon fertig, brauchte nur noch meine zweite Tasse. Aber es kann auch sein, daß das hier schon meine dritte Tasse ist, da bin ich mir nicht sicher. Sie wollen doch nicht etwa Lady Valeria hier drin sprechen? Das ist doch so, als würde man einem Stier das rote Tuch zeigen. Und dieses Bild wird ihr nur blutrünstige Ideen eingeben!«

Alec blickte die burgunderroten Wände an und sah zur bluttriefenden Schlachtenszene. Er zog eine Grimasse. »Ich weiß nicht, ob es einen solchen Unterschied machen wird. Wenn Sie mich fragen, dann liegt die Schwierigkeit eher darin, sie überhaupt so weit zu bekommen, daß Sie sich mit mir unterhält.«

16

»Daisy, würde es Ihnen etwas ausmachen, heute für mich Protokoll zu führen?«

»Ganz im Gegenteil! Seien Sie doch nicht albern. Sie wollen wirklich, daß ich das tue?« Sie konnte es kaum fassen, nachdem er ihr doch immer wieder gesagt hatte, sie solle sich nicht einmischen. »Sie brauchen wohl Schutz vor Lady Valeria?«

»Jetzt seien Sie mal nicht albern«, erwiderte Alec. »Wegen Parslow und Goodman. Ich hatte doch versprochen, daß ich diskret mit der Sache umgehen würde.«

»Ach so, ja. Aber Bobbie müssen Sie das doch nicht sagen, oder? Sie hat keine Ahnung. Ich hab Sebastian gesagt, daß es ja seiner Seele guttun mag, ihr das zu sagen, aber daß es ihr vielleicht bessergeht, wenn man sie damit nicht belastet.«

»Ich schau mal, was sich machen läßt. Aber ich kann nichts

versprechen. Kommt darauf an, wie bereitwillig sie mit uns zusammenarbeitet. Meinen Sie nicht, sie wird es früher oder später sowieso herausfinden?«

»Nein«, sagte Daisy selbstzufrieden. »Zum einen wohnt sie nämlich demnächst nicht mehr hier.«

Er gab ein schweres Seufzen von sich und sagte resigniert: »Also, was haben Sie jetzt schon wieder angestellt?«

»Dafür kann ich das Lob – oder, aus der Sicht ihrer Mutter, die Schuld – nicht auf mich nehmen. Aber meine so großartige Karriere hat Bobbie davon überzeugt, daß es nicht das Ende der Welt bedeutet, wenn man arbeiten geht. Sie hat schon eine Stelle gefunden, und was noch toller ist, sie heiratet bald. Können Sie sich noch an diesen jungen Künstlertypen aus dem *Cheshire Cheese* erinnern?«

»Und ob! Ich hatte mir gerade überlegt, ihn auch zur Fahndung auszuschreiben, als Petrie erzählte, daß Miss Parslow zurückgekehrt ist. Also raus damit! Erzählen Sie mir endlich, was hier gespielt wird.«

Sie erzählte ihm Bobbies Geschichte, wobei sie sich die Eingebung des Poeten bis zuletzt aufhob. Alec lachte. »Ob Boadicea oder Atalanta – ich kann es kaum erwarten, Ihre Freundin kennenzulernen«, sagte er. »Nach allem, was ich von Wilkinson gesehen und gehört habe, ist ihm die Anwesenheit der Metropolitan Police wahrscheinlich noch nicht einmal besonders aufgefallen.« Er zog an der Klingelschnur.

Während Moody sich die Bitte Alecs anhörte, setzte Daisy sich mit dem Notizbuch und den Bleistiften, die Alec für sie mitgebracht hatte, an den Schreibtisch. Bobbie kam herein, trotz des geblümten blauen Sonntags-Seidenkleides eher eine Boadicea als eine Atalanta. Sie marschierte geradewegs auf Alec zu und schüttelte ihm die Hand.

»Freut mich, Sie kennenzulernen, Mr. Fletcher«, sagte sie energisch. »Daisy hat mir schon viel von Ihnen erzählt.«

Fast hätte Daisy laut losgelacht, als sie den Ausdruck auf Alecs Gesicht sah. So hatte man sich als Tatverdächtige einfach nicht zu benehmen. Bobbie selbst ließ dann ein schnaufendes Gelächter vernehmen, als sie sich in einem Sessel vor dem Kamin niederließ.

»Keine Sorge, sie hat mir nur vorgeschwärmt, was für ein unglaublich guter Detective Sie sind. Tut mir schrecklich leid, daß ich einfach so abgezwitschert bin, aber ich dachte, die Polizei sei schon längst fertig mit ihrer Arbeit. Ich hab nicht begriffen, daß unsere Jungs hier so völlig versagt haben. Wenn ich gewußt hätte, daß der Ball jetzt im Spielfeld von Scotland Yard ist, dann wäre ich zwar bestimmt trotzdem gefahren, aber ich hätte Ihnen bestimmt vorher Bescheid gesagt«, fügte sie ehrlich hinzu.

»Miss Dalrymple hat mir die Gründe ihrer Abwesenheit erklärt«, sagte Alec trocken. »Damit müssen wir uns also nicht befassen. Sie wird übrigens Protokoll führen.«

»Bestens! Daisy ist einfach schrecklich schlau, nicht wahr? Diese ganze Sache mit dem Schreiben. Ich vermute, Sie wollen jetzt wissen, was ich an dem Abend gemacht habe, als Grace verschwunden ist.«

»Wir werden ein bißchen früher ansetzen, Miss Parslow, und zwar mit der Affäre, die Ihr Bruder mit Grace hatte.«

»Von der wußte ich nichts, jedenfalls nicht, bis er mir davon erzählt hat. Solche Sachen fallen mir einfach nie vorher auf«, sagte Bobbie entschuldigend. »Außerdem bin ich fünf Jahre älter als er, für mich ist er immer noch mein kleiner Bruder. Mir war überhaupt noch nicht aufgegangen, daß er sich schon für Mädchen interessiert.«

Daisy vermied es, Alecs Blick zu begegnen.

»Verstehe. Fahren Sie bitte fort.«

»Na ja, es war ziemlich eindeutig, daß der arme Bastie wie auf heißen Kohlen saß. Das hab selbst ich erkannt. Ich hab ihn also gefragt, was denn los ist. Da hat er mir erzählt, daß Grace schwanger ist und ihn unbedingt heiraten will. Das hat mich natürlich umgehauen. Ich hab ihm gesagt, die Sache würde ich für ihn regeln, und er solle sich keine Sorgen machen.«

»Sie würden sich Graces schon entledigen.«

»Klar, theoretisch hätte ich sie ermorden können«, sagte Bobbie unverblümt, »aber das ist mir überhaupt nicht in den Sinn gekommen. Schließlich konnte ihn das Mädchen ja nicht an den Altar zwingen. Er hatte nur entsetzliche Angst, daß

Mummy es herausfinden würde. Also hab ich ihm gesagt, er soll doch sein eigenes Geld nehmen und Grace ausbezahlen. Ich hab ihm sogar angeboten, den Boten zu spielen, weil er Grace nicht sehen wollte. Da ist Mummy dann reingekommen und hat mich beschuldigt, ich würde ihn schlecht behandeln. Na, das hat mir zwar nicht so besonders gefallen, aber so was lasse ich einfach an mir abprallen. Nur wollte Bastie das nicht auf mir sitzenlassen. Er hat ihr also die ganze Geschichte erzählt, und dann hab ich es ihr überlassen, die Dinge wieder ins Lot zu bringen, bis ...« Sie hielt inne.

Alec hakte nach. »Bis?«

»Bis zu dem Abend damals. Der Abend vor ihrer Abreise mit Bastie nach Antibes. Bastie war immer noch ganz durcheinander. Grace hatte ihm erzählt, daß Stan Moss ihn wegen des nicht eingehaltenen Eheversprechens verklagen wollte. Mummy hatte anscheinend noch nichts unternommen. Als sie dann sagte, daß sie eine Woche früher abreisen würden, dachte ich, sie würde darauf setzen, daß sich die ganze Sache von alleine löst. Aber nachdem Moss jetzt auch den Finger in der Sache drin hatte, konnte das doch unmöglich so hinhauen. Also hab ich sie mir nach dem Abendessen geschnappt, und natürlich haben wir uns gestritten.«

»Um wieviel Uhr?«

»So gegen zehn, würde ich mal sagen. Sie war vorher mit Ben in der Bibliothek gewesen. Daddy war schon zu Bett gegangen.«

»Was hat sie Ihnen gsagt?«

»Sie meinte, sie hätte schon alles arrangiert, das Problem wäre längst gelöst, und ich sollte meine Nase nicht in Angelegenheiten stecken, die mich nichts angehen.«

»Sie hat Ihnen nicht gesagt, was das für Arrangements waren?«

»Nein. Mummy erklärt einem nie irgend etwas.«

»Sie hatten auch keine Vermutung, was sie getan hat – oder was sie vorhatte?«

»Ich hab mir auf jeden Fall nicht vorgestellt, daß sie Grace um die Ecke bringen könnte. Mummy kann fürchterlich anstrengend sein, aber sie ist keine Mörderin.«

»Aber Sie haben doch eben auch gesagt, daß Sie für ihren Bruder durchaus einen Mord begehen könnten.« Alec ließ nicht locker. »Würden Sie behaupten wollen, daß Lady Valeria das Wohlergehen ihres Sohnes weniger am Herzen liegt?«

Daisy sah, wie Bobbies quadratisches, wettergegerbtes Gesicht blaß wurde. »Nein«, sagte sie mit offensichtlichem Unbehagen, und dann platzte es aus ihr heraus: »Aber Mord! Ich meine, so was tut man doch nicht!«

Sie warf Daisy einen hilfesuchenden Blick zu. Die vertiefte sich rasch wieder in ihre Notizen, damit Alec nicht etwa argwöhnte, sie wolle sich aufs neue einmischen.

»In Ordnung, Miss Parslow«, sagte er, »wenn wir einen Mord erst einmal ausschließen, hat es Sie dann nicht erstaunt, daß Ihre Mutter Grace nicht wenigstens entlassen hat?«

»Ja, in der Tat. Vermutlich dachte sie, solange sie bei uns angestellt ist, hat sie sie wenigstens noch etwas unter Kontrolle. Natürlich hat es Bastie unheimlich aufgeregt, daß sie weiter hier oben gearbeitet und gewohnt hat, aber dann sind die beiden ja sowieso abgereist. Ich dachte, Stan Moss würde wohl nicht viel anstellen können, während Bastie weg ist, also würde ich die Dinge einfach auf sich beruhen lassen und schauen, ob sich nicht doch alles in Wohlgefallen auflöst.«

»Wie lange hat Ihr Streit mit Lady Valeria damals gedauert?«

Bobbie zuckte mit den Achseln. »Ein paar Minuten. Fünf oder zehn. Es hat keinen Sinn, sich mit Mummy zu streiten, und ich hätte es auch besser wissen sollen. Sie hat sowieso immer recht, und wie ich schon sagte, erklären tut sie nie etwas.«

»Was haben Sie anschließend getan?«

»Na ja, ich hatte danach die Nase ziemlich voll, also hab ich einen Spaziergang gemacht.«

Daisy stöhnte innerlich auf. Nicht nur hatte Bobbie kein Alibi, sondern sie gab auch noch zu, daß sie genau zur Tatzeit draußen unterwegs gewesen war.

»Und wo sind Sie spazieren gegangen?« fragte Alec gespielt beiläufig.

»Runter zur Molkerei und dann über die Felder in Richtung Fox Green. Da gibt es jede Menge Pfade ohne allzu viele

Bäume, so daß man sich nachts sehr gut orientieren kann. Der Mond hat immer mal wieder ein bißchen durch die Wolken hindurchgeschienen, und außerdem hab ich eine Taschenlampe mitgenommen.«

»Sie sind nicht in die Nähe des Dorfs gegangen?«

»Fox Green?« Bobbie wirkte verwirrt. »Nein. Das ist ein winziger Ort, nur ein paar Häuser um einen Dorfanger herum. Außerdem wollte ich Bewegung und keine Gesellschaft.«

»Ich meine Occleswich.« Er seufzte. »Ich hatte gehofft, daß Ihnen da vielleicht etwas aufgefallen wäre. Um wieviel Uhr sind Sie nach Hause gekommen?«

»Ich hab gehört, wie die Kirchturmuhr Mitternacht schlug, als ich gerade am Haus angekommen bin.«

»Sie sind nicht beim Wintergarten vorbeigekommen?«

»Nein, ich bin an der Molkerei vorbeispaziert, auf demselben Weg, auf dem ich hingegangen bin. Meine Güte, ist das etwa die Zeit, als Grace umgebracht wurde? Oder vergraben?«

»Das wissen wir nicht, Miss Parslow. Nach zwei Monaten ist es schwer, darüber genaue Aussagen zu machen.«

»Das will ich Ihnen wohl glauben. Ganz schön schwieriges Spiel für Sie«, sagte Bobbie mitfühlend.

Alec stellte ihr noch einige weitere Fragen und sagte dann: »Vielen Dank für Ihre Hilfe, Miss Parslow. Ich erlaube mir noch, Sie zu Ihrer Stelle zu beglückwünschen, und wünsche Ihnen alles Gute für die Zukunft.«

Sie strahlte ihn an. »Danke sehr, Mr. Fletcher, das ist sehr nett von Ihnen. Möchten Sie jetzt meinen Verlobten sprechen?«

»War er denn am dreizehnten Dezember hier in der Gegend?«

»Nein, er war zu Hause in Derbyshire.«

»Möglicherweise müssen wir das noch überprüfen, aber ich bezweifle es. Nein, ich muß jetzt Lady Valeria sprechen. Wissen Sie, wo sie ist?«

»Normalerweise sitzt sie sonntags nach dem Frühstück und vor der Kirche in der Bibliothek. Sie ist so erzogen worden, daß man am Sonntag Predigten liest, und die Angewohnheit ist ihr geblieben. Auf dem Weg zur Kirche erzählt sie uns dann immer von den Volltrotteln, deren Predigten man druckt. Soll ich ihr sagen, daß Sie sie sprechen möchten?«

»Vielen Dank, nein. Wir gehen zu ihr.«

»Lieber Sie als ich«, sagte Bobbie fröhlich und ging von dannen.

»Sie glauben nicht, daß sie es gewesen ist«, sagte Daisy, während sie ihr Notizbuch und die Bleistifte zusammenpackte.

»Nein. Sie wäre vielleicht durchaus in der Lage dazu. Aber niemals wäre sie so trickreich, mich von der Fährte abzubringen, indem sie freiheraus zugibt, daß sie zur fraglichen Zeit in der Landschaft herumgeschlendert ist.«

»Ich glaube nicht, daß Bobbie herumschlendert. Die marschiert. Sie steht also immer noch auf Ihrer Liste von Tatverdächtigen, obwohl Sie ihr glauben.«

»›Sie kennen meine Methoden, Watson.‹« Er folgte ihr aus dem Zimmer. »Jetzt ist Ihre letzte Chance, sich vor einer Konfrontation mit dem Drachen in Sicherheit zu bringen, Daisy.«

»Vor Lady Valeria hab ich keine Angst. Wenn Sie protestiert, und das wird sie tun, würden Sie mich dann bitte erklären lassen, warum ich Sie anstelle eines Polizisten begleite? Sie wird mich unverschämt finden, aber bei Ihnen könnte man das als Drohung auffassen, und das würde sie um so mehr aufbringen.«

»In Ordnung. Ich bin allerdings überzeugt, daß sie jetzt schon tobt!« Alec öffnete die Tür zur Bibliothek.

Lady Valeria saß in einem Windsor-Stuhl am Fenster, eine ernste, dunkelblau gekleidete Gestalt. Mürrisch blickte sie auf das Buch in ihrem Schoß hinab. Ebenso mürrisch sah sie dann Daisy und Alec an. »Nun, Miss Dalrymple?« erkundigte sie sich kalt.

»Sie erinnern sich bestimmt an Detective Chief Inspector Fletcher, Lady Valeria. Er möchte Ihnen einige Fragen stellen.«

»Das hab ich schon gehört. Ich habe dem, was ich neulich sagte, nichts hinzuzufügen. Ihre unverschämte Untersuchung werde ich mit keiner Antwort würdigen, Herr Zwitscher.«

»Das ist selbstverständlich Ihr gutes Recht, Ma'am«, sagte

Alec, ohne auf die Verstümmelung seines Namens einzugehen. »Angesichts der Dinge, die ich seit unserem letzten Gespräch erfahren habe, muß ich Sie dann aber bitten, mich zu einem Polizeirevier zu begleiten.« Das war reiner Bluff. Er hatte nicht mehr gegen sie in der Hand, als Dunnett gegen Morgan.

»Was Sie erfahren haben! Was haben Sie denn mit Ihren üblen Nachforschungen erfahren?«

Der Bluff hatte immerhin teilweise funktioniert. Sie versuchte jetzt nicht mehr, ihn einfach abzutun. »Ich stelle hier die Fragen, Lady Valeria«, sagte er.

Sie gab nach und wandte sich Daisy zu. »Sie sind nichts als eine neugierige Natter, die sich als Gast verkleidet hier eingeschlichen hat, Miss Dalrymple, oder auch umgekehrt, aber was ich zu sagen habe, kann Sie mitnichten etwas angehen.«

»Gegenwärtig, Lady Valeria, habe ich mich als Stenographin der Polizei verkleidet.« Daisys Stimme blieb auf bewundernstwerte Weise ruhig. »Mr. Fletcher benötigt ein Protokoll dieses Gesprächs. Selbstverständlich kann man jederzeit den Constable rufen lassen, aber wir sind davon ausgegangen, daß Sie lieber jemanden dabei haben möchten, der schon alles weiß, was es über Sebastian zu wissen gibt.«

Der ziegelrote Teint Ihrer Ladyschaft wurde bleich. »Alles?« krächzte sie.

»Alles«, sagte Daisy gnadenlos.

»Meiner Meinung nach ist es aber nicht nötig, das an die Öffentlichkeit zu tragen«, sagte Alec und gab sich größte Mühe, versöhnlich zu klingen. Ihm tat die Frau einfach leid. Was noch wichtiger war: Er hoffte, sie würde aufhören, ihn zu verteufeln. Aus Vorsicht fügte er jedoch hinzu: »Zunächst, meine ich. Meine Beamten sind sehr diskret, aber je weniger Menschen darüber Bescheid wissen, daß ...«

»Setzen Sie sich, setzen Sie sich doch bitte, lieber Mr. Fletcher«, unterbrach sie ihn hastig, um nicht die Worte hören zu müssen, die noch gekommen wären. »Ich kann mir doch nicht dauernd den Hals nach Ihnen verrenken. Was Sie da entdeckt haben wollen, weiß ich natürlich nicht. Ich gebe zu, daß mein Sohn eine Affäre mit dieser intriganten Schlampe hatte und ihr ein Kind gemacht hat, aber schließlich müssen sich die jungen Männer doch irgendwo die Hörner abstoßen.«

Daisy machte sich schon in Kurzschrift Notizen und setzte sich rasch an den langen Bibliothekstisch. Lady Valeria bemerkte sie überhaupt nicht mehr.

Es war offensichtlich, daß sie eine Vermutung über die Neigungen ihres Sohnes hatte, so sehr sie das auch leugnen mochte. Offenbar hatte sie gehofft, die Schwangerschaft des Mädchens wäre der Beweis, daß dieser Verdacht nicht stimmte. Alec beschloß, die Frage, ob sie Grace zu dieser Affäre ermutigt habe, würde ihn jetzt nicht weiterbringen. Lieber wollte er gleich zu den wesentlichen Dingen kommen, ehe sie sich wieder verschloß.

»Mr. Parslow hat Ihnen erzählt, daß er Grace nach ihren Drohungen versprochen hat, sie zu heiraten. Sie haben ihm daraufhin gesagt, daß sie mit Grace schon fertig würden. Was meinten Sie damit?«

»Selbstverständlich war mein erster Gedanke, sie zu entlassen. Leider konnte ich sie nicht zwingen, auch sofort die Grafschaft zu verlassen. Aber sie hatte mir zu verstehen gegeben, daß ihr Vater an die Presse gehen würde, sollte man ihr kündigen. Und da wir gerade bei Drohungen sind: Es ist Ihnen vermutlich bekannt, daß Moss angeblich vorhatte, wegen des nicht eingehaltenen Eheversprechens zu klagen, sollte Sebastian seine Tochter nicht heiraten.«

»Angeblich?«

»Er wollte natürlich in Wirklichkeit nur Geld. Das ist doch alles, wofür sich diese Kleingeister interessieren.«

»Man hat mir gegenüber angedeutet, daß er sich noch mehr dafür interessierte, Ihnen Ärger zu bereiten«, sagte Alec trokken.

»Ach, bestimmt hätte er sich gefreut, wenn der Erbe von Occles Hall ein sexbesessenes Serviermädchen geheiratet hätte oder wenn die Angelegenheit vor Gericht gekommen wäre. Der Mann ist ein wirklicher Widerling. Aber solche Leute kenne ich. Mir war sofort klar, daß ich mich von ihm freikaufen konnte.«

Alec war von ihrem anscheinend unbewußten Talent zur

alliterativen Beleidigung fasziniert. »Haben Sie Grace Geld geboten?« fragte er.

»Ich hab ihr eine erkleckliche Summe angeboten, sollte sie freiwillig gehen. Die Schlampe hat das Angebot zunächst angenommen. Aber dann ist sie zurückgekommen und hat gesagt, ihr Vater würde sich damit nicht zufriedengeben. Zu dem Zeitpunkt habe ich beschlossen, Sebastian ohne weitere Vorankündigung von hier fortzubringen. Er brauchte einen Tapetenwechsel. Nach unserer Rückkehr, dachte ich, würde man Graces Zustand wahrscheinlich schon sehen. Und dann wären diese beiden Erpresser bestimmt gewillt, wesentlich weniger Geld zu akzeptieren.«

Diese Logik schien zwar etwas fragwürdig, doch ließ Alec es dabei bewenden. »Grace wußte nicht, daß Sie am vierzehnten Dezember abreisen wollten?«

»Sie muß an der Tür gelauscht haben, als ich Mr. Goodman angewiesen habe, Cook's anzurufen und die Buchungen zu ändern. Jedenfalls hab ich mir das so gedacht, als ich später hörte, daß sie mit einem Vertreter durchgebrannt war.«

»Wann war das?«

»Ich kann Ihnen kein genaues Datum nennen. Roberta hat Sebastian geschrieben, als wir in Antibes waren. Damals hatte sie noch nicht jegliches Gefühl von Familienzusammengehörigkeit verloren.«

»Und doch haben Sie vor Ihrer Abreise Mr. Goodman Anweisung gegeben, Grace zu entlassen, sollte sie wieder auftauchen.«

»Selbstverständlich. Sie hatte sich als unzuverlässig erwiesen. Man kann es doch nicht einreißen lassen, daß die Dienstboten nach einem freien Abend einfach wegbleiben. Ganz schlechtes Beispiel für die anderen. Außerdem bin ich davon ausgegangen, daß die Nachricht von unserer Abreise sie überzeugen würde, daß aus mir bestimmt nichts mehr herauszuquetschen war.« Lady Valerias Tonfall bitterer Befriedigung war überzeugend.

»Es hat Sie nicht erstaunt, daß sie keinen letzten Versuch unternommen hat, noch einmal Geld aus Ihnen herauszuschlagen, nachdem sie von Ihrer Abreise gehört hatte?«

»Von seinen Hausangestellten kann man keine logischen Entscheidungen erwarten. Ich war froh, daß das Problem so leicht gelöst war.«

»Durch den Tod«, sagte Alec knapp.

»Junger Mann, ich wußte nicht, daß sie tot war«, zischte sie.

»Aber irgend jemand wußte es doch.«

»Niemand aus meiner Familie!«

»Das wird sich noch herausstellen.« Dieser kleine Hinweis würde sie sicherlich bei der Stange halten, weiter mit ihm zusammenzuarbeiten. »Bitte erzählen Sie mir, was Sie am Abend des dreizehnten Dezember gemacht haben.«

»Unmöglich kann ich mich zwei Monate danach noch daran erinnern!«

»Andere haben es auch gekonnt. Das war der Abend vor Ihrer Abreise nach Frankreich. Sie haben Ihre Koffer gepackt?«

»Meine Dienerin hat das getan. Eines kann man von Gregg wirklich sagen: Sie weiß, was sie zu packen hat, ohne daß man jeden Schritt beaufsichtigen muß. Ich war nach dem Abendessen in der Bibliothek, wo ich Mr. Goodman Anweisungen erteilt habe. Dann bin ich in den Salon gegangen. Das war so um zehn Uhr herum. Ich kam nämlich gerade rechtzeitig, um Sir Reginald eine gute Nacht zu wünschen. Zu der Zeit zieht er sich gemeinhin zurück. Ja, zehn Uhr.«

»Wer war noch im Salon?«

»Meine Tochter Roberta. Genau, ich weiß noch, daß ich sie gefragt habe, wo ihr Bruder ist, und daß sie mich aus heiterem Himmel angegriffen hat. Roberta ist sehr impulsiv und glaubt immer, sie wüßte alles besser. Ich habe mich immer bemüht, ihr diese schlechte Eigenschaft abzugewöhnen.«

Daisys unterdrückte ein Prusten. Alec tat, als hätte er es nicht gehört, doch Lady Valeria wandte sich um und fixierte die Übeltäterin mit einem gletscherkalten Starren. Daisy, den Kopf tief über das Notizbüchlein gesenkt, bemerkte es überhaupt nicht.

»Wie lange dauerte Ihre ... ähm ... Unterredung mit Miss Parslow an, Lady Valeria?« fragte Alec hastig.

»Unterredung! Ich hab ihr schlicht und einfach verboten,

sich einzumischen, da ich die ganze Sache im Griff hatte. Eine Minute oder zwei. Nicht länger.«

Mochte nun ihre oder Miss Parslows Zeitangabe genauer sein, mit diesem Streit hatten die beiden noch lange kein Alibi. »Und was dann?« fragte er.

»Ich bin im Salon geblieben. Ich habe wohl gelesen, bis ich zu Bett gegangen bin. Aber wann das genau war, kann ich bei Gott nicht sagen.«

»Sie haben niemanden gesehen?«

»Niemanden, soweit ich mich erinnern kann. Heutzutage fühlen sich die Dienstboten ja schon mißbraucht, wenn man erwartet, daß sie nach dem Abendessen noch ein paar Handgriffe machen. Es ist schwer genug, welche zu bekommen, und dann muß man zusehen, daß sie auch bleiben. Ach so, nachdem ich in mein Zimmer gegangen war, kam Sebastian noch einmal, um mir ... um mir gute Nacht zu wünschen.«

Alec hielt es nicht für notwendig, dem wahren Grund für Parslows Besuch in ihrem Schlafzimmer nachzugehen. Lady Valeria und ihre Tochter hätten beide alle Zeit der Welt gehabt, Grace aufzulauern, ein Streitgespräch mit ihr zu führen, sie umzubringen und ihren Leichnam in der lockeren Erde des Blumenbeetes zu verscharren. Keine von beiden wäre in diesem labyrinthischen Haus vermißt worden, in dem die Dienstboten in ihren Aufenthaltsräumen saßen und die Familienmitglieder alle ihrer eigenen Wege gingen. Möglicherweise hätte Ihre Ladyschaft noch einmal hinausgehen müssen, um die Angelegenheit zu einem Ende zu bringen, nachdem sie zu angemessener Zeit ihre Gegenwart im Schlafzimmer dokumentiert hatte. Aber diese kleine Komplikation war noch lange kein Grund, sie von der Liste zu streichen.

Die beiden hatten jedenfalls ein überzeugenderes Motiv als Owen Morgan, den Graces Tod in tiefe Trauer gestürzt hatte. Allerdings traf eines sowohl auf Morgan als auch auf die beiden Damen zu: Sie alle hätten gewußt, daß man die Leiche todsicher finden würde, sobald der Garten in Blüte stand, wenn nicht schon vorher.

»Nun denn«, zischte Lady Valeria. »Sind Sie jetzt fertig, Pintscher? Ich muß mich für die Kirche fertigmachen.«

»Das ist für jetzt erst einmal alles, Ma'am, aber ich muß Sie warnen. Diesen Fall werde ich, sofern er nicht vorher gelöst wird, morgen wieder an die örtliche Polizei übergeben. Superintendent Higginbotham werde ich nachhaltig empfehlen, einen Mann mit dem Fall zu betrauen, der weniger leicht einzuschüchtern ist als Inspector Dunnett. Der Verantwortliche wird die Berichte über alles erhalten, was ich hier festgestellt habe.«

Lady Valeria erbebte – ob aus Wut oder Entsetzen: es war ein beeindruckender Anblick. »Alles?«

»Alles«, bestätigte Alec. »Wenn Sie also noch etwas auszusagen haben, dann können Sie mir dies jetzt mitteilen oder meinen Sergeant ansprechen. Er ist entweder im *Cheshire Cheese* oder in den Aufenthaltsräumen Ihrer Dienerschaft zu finden.«

»Sie belästigen meine Dienstboten immer noch!« brüllte sie, und ihr Gesicht verfärbte sich knallrot, als sie auf die Füße sprang. »Sie barbarischer Bedrängler! Ich habe nichts weiter zu sagen.« Sie stürmte aus der Bibliothek, und ein wütender Blick traf dabei Daisy.

»In der Kirche wird sie mir ja wohl nicht an die Gurgel springen«, sagte Daisy hoffnungsvoll. »Gott sei Dank kommt Phillip zum Mittagessen. Ich zwinge ihn einfach, den ganzen Nachmittag hierzubleiben, und heute abend versteck ich mich dann in meinem Zimmer und tippe das alles für Sie ab. Verflixt, ich würde das gerne noch mit Ihnen besprechen, aber jetzt muß ich auch nach oben und mich für die Kirche fertigmachen.«

»Für mich ist es an der Zeit, nach Lancaster zu fahren.« Alec erklärte knapp, was es mit George Browns Reiserei auf sich hatte. »Wir werden vielleicht erst sehr spät zurückkehren, aber Tom ist ja da, wenn sie ihn brauchen. Seien Sie vorsichtig, Daisy. Es ist ja schön und gut, immer mal ein paar Witzchen zu reißen, aber es war ein Fehler, Lady Valeria zu erzählen, daß auch Sie über ihren Sohn Bescheid wissen.«

»Ich nehm jedenfalls keine Einladung an, mit ihr einen netten kleinen Spaziergang zu unternehmen«, versprach Daisy.

Damit mußte er sich zufriedengeben. Nach einer kurzen

Besprechung mit Tring, der selbstverständlich in der Küche zum Sonntagsschmaus eingeladen worden war, fuhr er mit Piper im Austin gen Lancaster.

Es war ein wunderbarer Tag für eine Fahrt mit offenem Verdeck: frisch, aber sonnig. Die unschöne Strecke durch das Industriegebiet zwischen Warrington und Preston bot quasi als Entschädigung geteerte Straßen. Sie machten in einem Pub am Wegesrand Mittagspause und erreichten Lancaster um Viertel vor drei.

Scotland Yard hatte der Polizei von Lancashire ihre Ankunft angekündigt, so daß keine großen Erklärungen nötig waren, als sie sich im Hauptquartier der Grafschaft meldeten. Alec erkundigte sich nach dem Weg nach Caton. In dem Dorf, so hatte George Brown es seiner Firma angekündigt, würde er übernachten.

Einige Minuten später hielten sie vor dem *The Crook o'Lune Inn*. Der Vertreter war noch nicht eingetroffen. Alec wies Piper an, die Stellung zu halten, und ging los, sich den eigentlichen Crook o'Lune anzuschauen, eine Biege im Fluß, der Turner ein Dankmal gesetzt hatte, wie es die Gastwirtin formulierte. Ohne Zweifel war es hier im Mai, wenn die Bäume belaubt waren und ein Teppich von Glockenblumen die Ufer bedeckte, besonders hübsch.

Brown tauchte auf, als die Dämmerung gerade anbrach. Er war Mitte dreißig, ungefähr so alt wie Alec, und sah auf eher schmierige Art gut aus. Er war korpulent – man ahnte schon die Fettleibigkeit späterer Jahre. Als die Gastwirtin Alec den Mann zeigte, zog er den Bauch ein und schwor sich im stillen, in Zukunft mehr Sport zu treiben.

Alec ging auf ihn zu, Piper im Schlepptau, als er an den Fuß der Treppe kam. »George Brown? Von der Clover ...«

»Nun seien Sie mal ein Menschenfreund, mein Bester«, sagte er in überheblichem Tonfall, durch den dennoch der Cockney-Akzent durchzuhören war. »Das müssen wir ja nicht gleich in der ganzen Welt herumposaunen. Was kann ich für Sie tun?«

Alec zeigte ihm seine Kennmarke. »Scotland Yard. Wir möchten uns kurz mit Ihnen unterhalten, Sir.«

Brown schaute entsetzt drein, und einen Augenblick lang

schien er eine ganze Reihe vergangener Sünden vor seinem inneren Auge Revue passieren zu lassen. Doch er wirkte eher verwirrt als wirklich schuldbewußt, als er sagte: »Wir sollten wohl lieber in mein Zimmer hinaufgehen, Chief Inspector.«

Oben warf Brown seinen Mantel auf das Bett und setzte sich daneben. Alec nahm den einzigen Stuhl im Raum, und Piper stand an der Tür, Notizbuch und Bleistift gezückt.

»Sie haben am dreizehnten Dezember letzten Jahres im *Cheshire Cheese* in Occleswich übernachtet, Sir?« fragte Alec.

»Dezember? Das ist in den Unterlagen vom letzten Jahr. Ich weiß nicht – das *Cheshire Cheese*?« Er wurde blaß. »Liebes bißchen, das ist dieses Mädchen. Deswegen sind Sie hier, was? Die vom Gärtner umgebracht worden ist?«

»Grace Moss. Man hat Sie dabei beobachtet, wie Sie sich in der Bar mit ihr unterhalten haben, und man dachte, sie wäre mit Ihnen davongelaufen.«

»Grace, genau, so hieß sie. Ich konnte mich nur erinnern, daß es irgendein religiöser Name war, kein biblischer, sondern Prudence oder Patience oder so ähnlich. Hab in der Zeitung davon gelesen, und da hab ich mir gesagt, das ist die eine, die nicht zurückgekommen ist. Genau die ist es.«

»Die nicht zurückgekommen ist?«

»Die Leute haben geglaubt, sie wär mit mir durchgebrannt, ehrlich, ja? Das ist ja ein Witz. Nicht, daß ich es nicht darauf angelegt hätte, das geb ich gerne zu. Ich will mal ehrlich mit Ihnen sein, mein Freund. Ich hab ihr das Übliche erzählt. Sie wissen schon, Freund in der Filmbranche, sie wär genau der Typ Mädchen, den die immer suchen. Dann hat sie mir gesagt, sie wär vom Storch gebissen worden, und ...« Seine Stimme erstarb.

»Und Sie haben ihr erzählt, Sie kennen einen Arzt, der ihr da helfen kann.«

»Das hab ich wohl gesagt, mein Freund, aber das stimmte natürlich nicht, ehrlich.« Sein Doppelkinn zitterte vor Angst. »Ich wollte doch nur ihr Vertrauen gewinnen, verstehen Sie. War auch kein ganz junges Ding mehr, mindestens zwanzig. Eigentlich schon alt genug, um zu wissen, was die Stunde geschlagen hat. Ich dachte, wir machen uns ein paar schöne

Tage, amüsieren uns ein bißchen, und dann zahl ich ihr die Fahrkarte zurück nach Hause zu Muttchen, wenn sie will. Die paar Pfund hab ich auch noch übrig. Sie ist dann auch losgezogen, um ihre Sachen zu holen, aber nie wieder aufgetaucht. Also hab ich mich schnell aus dem Staub gemacht. Konnte ja nicht wissen, ob ihr Vater oder ihr Bruder es jetzt auf mich abgesehen hatten.«

»Um wieviel Uhr haben Sie sich denn aus dem Staub gemacht?«

»Als die Kneipe zumachte. Sie hat gesagt, sie wär in zehn Minuten wieder da. Nach einer halben Stunde dachte ich, es hat keinen Sinn mehr, zu warten. Ehrlich gesagt machte mir das auch ein bißchen Sorgen, daß sie schwanger war. Da hab ich lieber meine Koffer geholt und bin gefahren. Eigentlich wollte ich nach London durchfahren, das war meine nächste Station, verstehen Sie. Aber ich hatte schon ein paar Gläser intus, und als ich an einem Gasthof vorbeigekommen bin, in dem noch Licht brannte, hab ich da für die Nacht haltgemacht.«

»Wo?«

»Du liebe Zeit, bester Freund, ich hab doch das Buch vom letzten Jahr nicht dabei.«

»Denken Sie nach, Mann!«

Schwer atmend, schloß Brown die Augen und dachte nach. Dann kam ihm die Erleuchtung, und sie öffneten sich wieder. »Ich hab im Auto eine Karte.«

Alec schickte Piper mit ihm hinunter, die Karte zu holen. Die Geschichte klang glaubwürdig. Der Mann war ein Frauenheld, aber kein Mörder. Er mußte seine Methode, das Vertrauen junger Mädchen zu gewinnen, schon an zahllosen frustrierten Dorfmädchen ausprobiert haben, und hatte wahrscheinlich schon zahllose Körbe erhalten. Der hätte bestimmt ein Alibi.

Irgendwas war da ... was hatte er denn eben gesagt ...

Brown platzte wieder in das Zimmer und wedelte mit der Karte. »Ich weiß es wieder, Chief Inspector. Newport, das *Royal Victoria Hotel*. Eigentlich nicht die Art von Laden, der mir besonders gut gefällt, aber in der Not frißt der Teufel

Fliegen, was? Ich kam gerade noch zur rechten Zeit. Da lief gerade irgendeine Veranstaltung, so daß erst um Mitternacht geschlossen wurde. Meine Unterschrift steht bestimmt im Gästebuch.«

Piper schlug die Karte auf und überprüfte die Entfernung von Occleswich bis Newport. »Um die dreißig Meilen, Chief.«

Dreißig Meilen. Brown hatte Occleswich gegen zwanzig vor elf verlassen und war kurz vor Mitternacht in Newport angekommen. Er war anfänglich auf schmalen, ihm unvertrauten Landstraßen gefahren, und auf der Überlandstraße hatte er wahrscheinlich nach dem vielen Whisky, den er schon getrunken hatte, das Tempo gedrosselt

Und selbst wenn er wie der Teufel da entlanggesaust wäre, hätte er keine Zeit gehabt, Grace zu ermorden und zu verscharren.

Frustriert sagte Alec: »Wir werden das natürlich im *Royal Victoria* überprüfen, Mr. Brown. Was hat Grace Ihnen an dem Abend von ihrer Situation erzählt? In was für einer Laune war sie?«

Doch der Vertreter konnte sich nicht weiter an Grace erinnern, noch nicht einmal an ihre Haarfarbe. Wie Alec erwartet hatte, war sie eines von Dutzenden von hübschen Mädchen in Dutzenden von Landgasthöfen, denen er mit unterschiedlichem Erfolg nachgestellt hatte. Alec konnte ihn nur warnen und ihm klarmachen, was es bedeutete, Minderjährige mit falschen Versprechungen von zu Hause fortzulocken.

Auch in anderer Hinsicht war Brown keine große Hilfe: Die anderen Männer in der Bar waren ihm nicht besonders aufgefallen. Als er seine Koffer geholt und mit dem Auto durch das Dorf gefahren war, war niemand mehr unterwegs gewesen. »Deswegen übernachte ich so gerne in kleinen Dörfern, Chief Inspector. Nichts, was einen bis in die Puppen wachhält, abgesehen natürlich von einem willigen Zimmermädchen.« Er zwinkerte. »Da kann ich früh aufstehen. Nur so kommt man im Geschäft voran.«

Alec seufzte, bedankte sich und bat ihn, der Polizei von Chester täglich mitzuteilen, wo er sich gerade befand. Die beiden Detectives machten sich wieder auf den Weg.

»Wenn sein Alibi stimmt, dann ist er doch aus der Sache raus, nicht wahr, Chief?« fragte Piper.

»Ja«, grunzte Alec und versuchte, trotz der schlechten Sicht einigermaßen zügig vorwärtszukommen. »Immerhin wissen wir jetzt, daß Grace tatsächlich vorhatte, wegzulaufen. Verdammt noch mal, ich sehe rein gar nichts. Der Atem gefriert ja innen auf der Windschutzscheibe. Ich muß das Fenster aufmachen.« Er hielt den Wagen am Straßenrand.

Mit Einbruch der Dunkelheit war es deutlich kühler geworden, und es war furchtbar anstrengend, zu fahren. Alec mußte sich ganz auf die Straße konzentrieren und konnte der Bedeutung von Graces geplanter Abreise von Occleswich nicht weiter nachgehen. Das Eis auf der Straße machte die Fahrt zur reinsten Qual, und sie kehrten verspätet und furchtbar müde ins *Cheshire Cheese* zurück, nachdem sie auf halber Strecke zum Abendessen angehalten hatten.

Alec berichtete Tom Tring von der ausführlichen Unterhaltung mit George Brown.

»Sieht so aus, als wäre er aus dem Schneider, was, Chief?« grummelte der Sergeant. »Ich hab mich auch schon gewundert, wo er denn dieses Laken aufgetrieben haben soll, ohne daß seine Wirtin ein Riesengeschrei darum macht.«

»Das Laken! Lieber Himmel, das hab ich ganz vergessen. Der Bericht des Arztes hat es erwähnt, und auf den Photographien war es zu sehen, aber Dunnett hat es in seinem Bericht nicht aufgeführt. Nur ist das für mich keine Entschuldigung.«

Taktvollerweise hielt sich Tom zurück und schwieg. »Mrs. Twitchell, die Haushälterin, schwört jedenfalls Stein und Bein, daß keines ihrer Laken fehlt, und die muß es ja wohl wissen. Der Hauptgärtner Bligh hat mir Morgans Laken gezeigt, die bestehen zum größten Teil aus Flicken und gestopften Stellen. Er sagt, daß keines fehlt. Natürlich entlastet das niemanden endgültig, und ich glaub auch nicht, daß Dunnett das Laken behalten hat, aber ...«

»Aber ich hätte es verdammt noch mal nicht übersehen dürfen! Wo also ... Stan Moss! Kein Mensch hat ihn nach seinen Laken gefragt, aber da war noch was anderes ... Verflucht, ich bin zu müde, um drauf zu kommen, aber ich muß ihn unbedingt morgen früh sprechen, und wenn wir ihn quer durch die Grafschaft jagen müssen.«

»Ab ins Bettchen, Chief, und du auch, Kleiner.« Tom scheuchte die beiden die Treppe hinauf.

»In Ordnung«, sagte Alec, »aber wecken Sie uns morgen bitte rechtzeitig.«

Er fiel sofort in tiefen Schlaf. Mitten in der Nacht wurde er wach, weil ihm zwei Dinge im Kopf herumgingen und förmlich Alarm klingelten.

Erstens: Grace hatte nichts als ihre Serviermädchen-Uniformen in ihrem Zimmer auf Occles Hall gehabt. Zweitens: Sie hatte Brown versprochen, in zehn Minuten mit ihren Sachen zurück zu sein. Was für ein absolut dämlicher Volltrottel er doch gewesen war, nicht zu begreifen, daß sie vom Gasthof zur Schmiede gegangen war, nicht nach Occles Hall!

Stan Moss brauchte seine Tochter – solange sie ihm ihren Lohn abgab, für ihn kochte und saubermachte, und mit seiner Intrige gegen Lady Valeria konform ging. Doch jetzt wollte Grace weglaufen ...

Obwohl selbst eine solche Erkenntnis Alec nicht wach halten konnte, hatte er doch am Morgen einen Plan gefaßt. Rasch erklärte er den anderen, was er sich überlegt hatte, während er sein Frühstück eilig hinunterschlang.

»Also, obwohl ich Brown und Lady Valeria noch nicht endgültig für unschuldig erklären kann«, schloß er, »weist doch alles auf Moss hin.«

»Hui!« Piper gab ein lautes, erleichtertes Seufzen von sich. Als Alec und Tom ihn erstaunt anstarrten, wurde er rot. »Na ja, Chief, Sie haben gestern abend als letztes gesagt, sie müssen unbedingt Moss sprechen, und ich konnte überhaupt nicht einschlafen, weil ich dauernd daran denken mußte, daß er nie da ist. Also bin ich aufgestanden und zu Mr. Petrie ins Zimmer gegangen. Der hat sich nicht gerade gefreut, als ich ihn aufgeweckt hab, aber er hat mir zugehört. Ein richtiger Gentleman ist das. Jedenfalls hat er mir erklärt, wie ich das Lastauto von Moss lahmlege, ohne einen wirklichen Schaden anzurichten, aber doch so, daß man eine ganze Weile braucht, bis man rausgekriegt hat, was damit los ist. Und dann bin ich losgezogen und hab das eben so gemacht.«

»Widerspricht allen Regeln«, tadelte Alec ihn grinsend. »Gut gemacht, Ernie.«

»Und wie?« fragte Tom.

»Ich hab Mr. Petrie versprochen, daß ich das niemandem verrate, Sergeant«, sagte Piper tugendhaft.

»In Ordnung«, sagte Alec. »Da Sie sich jetzt als Automobil-Experte ausgewiesen haben, Ernie, werden Sie sich den Austin vornehmen und Browns Alibi überprüfen. Wenn es nichts taugt, rufen Sie sofort bei Scotland Yard an und lassen ihn abfangen. Und dann kommen Sie wieder zurück. Tom, wir beide knöpfen uns Moss vor, aber zuerst will ich alleine mit ihm reden. Routinebefragung – mit etwas Glück wird er nicht gleich ahnen, was dahintersteckt und ein bißchen offener sein. Ich will ein Geständnis, ob es nun von ihm kommt oder von Ihrer Ladyschaft. Wir haben immer noch keine richtigen Beweise. Rufen Sie in Chester an und bitten Sie darum, daß man da ein Polizei-Automobil bereitstellt. Ich will nicht, daß die jetzt schon kommen. Ich kann mich auch irren, dann will ich wenigstens nicht ganz wie ein völliger Idiot dastehen. Ach so, und wo Sie gerade dabei sind, sagen Sie denen bitte, sie sollen Morgan freilassen. Rufen Sie von Rudge aus im Abschnitt an, und kommen Sie bitte eine Viertelstunde nach mir hoch zur Schmiede.«

»Geht in Ordnung, Chief«, bestätigte Tring.

Alec ging die verlassene Straße entlang. Heute war Markttag in Whitbury, hatte die Gastwirtin gesagt. Der Laden hatte jedoch nicht geschlossen, und unvernünftigerweise ging er dort hinein, um sich Tabak zu kaufen. Mr. Taylor, dessen Frau wie alle anderen Damen von Occleswich zum Markt gefahren war, zwang ihm eine Unterhaltung auf, aus der er sich nur unter größten Schwierigkeiten lösen konnte, ohne unhöflich zu sein. Dann schaute er noch im Polizeirevier nebenan vorbei, um Tom zu benachrichtigen, daß er aufgehalten worden war.

Als Alec zur Schmiede kam, hörte er schon aus deren hinterem Teil lautes, polterndes Fluchen. Er unterdrückte ein

Lächeln. Als er um den Schmiedeherd herumkam, sah er den massigen Schmied neben seinem altersschwachen Lastwagen kauern und aus dem Tank Benzin ablassen. Stinkende Dämpfe hingen schwer in der Luft.

Moss war tatsächlich ein genialer Mechaniker, wenn er jetzt schon herausbekommen hatte, was nicht in Ordnung war. Alec war wohl gerade rechtzeitig gekommen.

»Fletcher, Scotland Yard. Wir haben uns neulich kennengelernt. Ich hab noch einige Routinefragen zu Ihrer Tochter.«

Der Mann wurde stocksteif und wandte sich noch nicht einmal um. »Was'n?« knurrte er.

»Wieviel Geld hofften Sie von Lady Valeria zu erpressen, als Sie ihr mit einem Prozeß wegen gebrochenen Eheversprechens drohten?«

»Geld!« Er wandte den Kopf und spuckte aus. »Ich wollte nur ein Stück Papier, auf dem steht, daß ich hier eine Benzin-Abfüllstation einrichten darf.«

»Und ohne Grace hatte selbst das keine Aussicht auf Erfolg, nicht wahr?«

Schweigen.

»Sie sagten, Sie wären an dem Abend, an dem sie verschwunden ist, spät nach Hause gekommen. Um wieviel Uhr und woher kamen Sie?«

»Was geht Sie das denn an? Ich bin doch ein freier Mensch.«

»Wo waren Sie und um wieviel Uhr sind Sie nach Hause gekommen?« insistierte Alec.

»Ich war drüben im *Dog and Bone* in Whitbury«, sagte der Schmied mürrisch. »Die Zeit weiß ich nicht mehr. Hab schließlich keine Uhr, so ist das.«

»Dann lassen wir mal die Uhrzeit. Sie kamen genau in dem Moment an, als Ihre Tochter ...«

Mit einem undeutlichen Aufschrei wirbelte Moss herum, wobei er sich zu seiner ganzen Länge aufrichtete. Obwohl er nicht groß war, hatte er die Statur eines Gorillas.

»Ja, ich hab die kleine Zicke umgebracht«, brüllte er. »Wollte mich verlassen, genau das wollte sie, genau wie Ihre Zicke von Mutter. Aber mich werdet ihr nicht aufknüpfen!« Er schnappte sich eine rostige Radachse von einem Schrotthaufen neben sich und warf sich auf Alec, den Arm weit ausgeholt.

Alec sprang zurück. Mit einem Fuß landete er in einer Öllache und stolperte, die Arme hilflos in der Luft rudernd, und die Achse sauste auf ihn herab.

17

»Na, halleluja«, sagte Daisy und wedelte mit dem Brief, der mit der ersten Post des Morgens gekommen war. »Endlich steht mir Mutter einmal bei.«

»Sie steht dir bei?« fragte Bobbie. »Hör mal, Dodo, nur selber essen macht satt, du alter Vielfraß. Bastie, hast du da etwa die Marmelade an deinem Ellbogen versteckt?«

»Nein, Pflaumenmus.«

Daisy reichte ihr die Marmelade. »Sie schreibt, ihr Gärtner würde sowieso demnächst in Rente gehen, und deswegen will sie Owen Morgan einstellen. Ist das nicht großartig? Sir Reginald hat mir schon versprochen, ihm ein gutes Zeugnis zu geben. Ich werd mal gleich Mr. Fletcher anrufen und fragen, wann er freigelassen wird.«

»Und fragen Sie doch auch, wann wir freigelassen werden«, sagte Sebastian.

»Wird gemacht«, versprach sie.

Während sie zum Telephon ging, hatte sie eine großartige Idee. Auf dem Weg nach London mit Phillip könnte man Owen doch nach Worcestershire mitnehmen – das war auch nur ein kleiner Umweg. Owen war kein Riese, und es würde ihm bestimmt nichts ausmachen, sich auf den Notsitz zu quetschen. Sie würde im Dower House übernachten, was Mutter bestimmt freuen würde, und Phillip könnte nach Malvern hinüberfahren und seine Familie am Abend besuchen.

Mrs. Chiver kam ans Telephon des *Cheshire Cheese*.

»Chief Inspector Fletcher, bitte«, bat Daisy.

»Er ist gerade weggegangen, Miss«, sagte die Wirtin. »Wollte zur Schmiede, hab ich ihn sagen hören. Soll ich ihm schnell noch einmal hinterherlaufen?«

»Nein, danke. Ich geh einfach auch hin.« Bei dem ganzen Müll da unten mußte es doch einfach einen Ort geben, von dem aus sie seiner Unterredung mit Stan Moss lauschen könnte, ohne selbst gesehen zu werden. Nur beeilen mußte sie sich.

Glücklicherweise trug sie ein warmes Tweedkostüm und feste Schuhe. Sie hielt sich gar nicht erst damit auf, ihren Mantel zu holen, sondern sauste gleich aus dem Haus und den Pfad hinunter zum Dorf. Als sie am Wintergarten vorbeikam, fragte sie sich zum hundertsten Mal, welcher Idiot eine Leiche so verstecken würde, daß man sie auch auf jeden Fall fand.

Und zum ersten Mal wußte sie die Antwort darauf: Jemand, dessen Garten keinen Platz mehr bot, der nichts darin heranzüchtete als rostiges Metall.

Unmöglich – Stan Moss konnte doch nicht seine eigene Tochter umgebracht haben. Der Gedanke war unerträglich. Und selbst der Schmied, sosehr ihn auch die Technik interessieren mochte, mußte als Mann vom Lande doch wissen, daß ein umgegrabenes Beet ohne sorgfältige Neubepflanzung keine Blumen hervorbringen konnte.

Natürlich wußte er das, begriff Daisy dann entsetzt. Das hatte er doch gerade gewollt. Er konnte Lady Valeria nicht ausstehen, und was könnte seiner Feindin größeren Ärger bereiten, als wenn man in ihrem Garten eine ermordete Hausangestellte entdeckte?

Daisy konnte es einfach nicht fassen. Fast genauso zynisch war es allerdings, den Leichnam seiner Tochter nutzbringend »einzusetzen«, nachdem man sie in einem wahnsinnigen Wutausbruch erschlagen hatte. Sebastian hatte doch erzählt, er wäre überrascht, daß Moss und Lady Valeria sich noch nie geprügelt hatten; Bobbie hatte gesagt, seine Wutausbrüche seien entsetzlich; Daisy selbst hatte gehört, wie er Owen bedrohte.

Und Alec war gerade auf dem Weg dorthin, um ihm Fragen zu stellen – Fragen, die genau diese Wut wecken würden.

Daisy rannte los. Selbst, als sie sich erinnerte, daß er doch von Tom Tring begleitet wurde, lief sie weiter, den Pfad entlang, durch das Tor, über die kleine Straße. Sie bog keuchend um die Ecke des heruntergekommenen Cottages ...

Dort hörte sie ein undeutliches Gebrüll, und dann schrie eine belegte Stimme, die sie von der gerichtlichen Untersuchung wiedererkannte: »Ja, ich hab die kleine Zicke umgebracht! Wollte mich verlassen, genau das wollte sie, genau wie Ihre Zicke von Mutter. Aber mich werdet ihr nicht aufknüpfen!«

Sie verlangsamte ihre Schritte gerade genug, um sich eine verbogene Anlaßkurbel zu schnappen, und sauste weiter. Der Knüppel sauste schon auf Alec nieder, als sie Moss eins über den Kopf zog.

Er fiel um wie ein gefällter Baum und blieb reglos liegen.

Alec lag auf dem Rücken, die Augen geschlossen, das Gesicht schneeweiß. Stöhnend faßte er sich mit der rechten Hand an die linke Schulter.

Daisy ließ die Anlaßkurbel fallen und fiel neben ihm auf die Knie.

»Alec«, flüsterte sie, »ich glaub, ich hab ihn umgebracht.«

»Lieber er als ich, mein Racheengel.«

Er versuchte, sich trotz seines schlaff herunterhängenden Armes aufrecht hinzusetzen. Sie half ihm auf. »Ich glaub, mir wird gleich schlecht«, sagte er mit erstickter Stimme.

»Das geht jetzt nicht«, heulte sie auf und legte ihre Hände gleichzeitig auf seine verschwitzte Stirn und auf ihre eigene. »Mir ist nämlich auch schon übel. Oh, Alec, tut es sehr weh?«

»Ehrlich gesagt, gar nicht«, sagte er und klang überrascht. »Mein Arm ist von der Schulter bis in die Fingerspitzen vollkommen taub. Mir geht es nur ganz schrecklich mies.«

»Schock«, diagnostizierte sie. Nicht umsonst hatte sie während des Krieges im Krankenhaus gearbeitet. Sie riß sich zusammen und räumte die Schrottstücke beiseite, auf die er gefallen war. Glücklicherweise war ihm sein weicher Hut auf dem Kopf geblieben und hatte so seinen Hinterkopf geschützt. »Sie müssen sich noch einmal hinlegen und versuchen, den Arm stillzuhalten, selbst wenn er jetzt noch nicht weh tut.«

Er ließ zu, daß sie ihn wieder auf den Boden legte und ihm seinen zusammengefalteten Filzhut als Kissen unterschob.

»Daisy, der hätte meinen Kopf getroffen, wenn Sie nicht gekommen wären.« Er drückte ihr die Hand.

»Und Sie haben mir gesagt, ich soll vorsichtig sein! Wir müssen zusehen, daß Sie es warm haben.« Sanft löste sie ihre Hand aus seinem Griff, zog ihre Jacke aus und bedeckte ihn damit. Dann reichte sie ihm wieder ihre Hand. »Ich hab im Gasthof angerufen, und Mrs. Chiver hat mir gesagt, wo Sie sind. Ich wollte nur einfach lauschen kommen, aber auf dem Weg fügte sich plötzlich alles zusammen. Dann fiel mir ein, wie gefährlich er ist, und da bin ich losgerannt, um Sie zu warnen. Alec, ich muß ihm mal den Puls fühlen und versuchen, die Blutung zu stillen.«

»Wenn er stark blutet, dann ist er noch nicht tot.«

»Ich weiß nicht. Ich hab nicht hingesehen, aber ich hab ihm ganz schön eins über den Kopf gegeben. Ich sollte lieber ...«

Zu ihrer riesigen Erleichterung kam Phillip eilig um die Ecke der Schmiede herumgelaufen. Hinter ihm schnauften Tom Tring und Constable Rudge wie galoppierende Lastpferde.

Phillip blieb stehen und blickte entsetzt auf die Szene, die sich ihm bot. Er war unrasiert, sein blondes Haar stand in allen Richtungen von seinem Kopf ab, seine Weste war falsch herum geknöpft, und er hatte keinen Kragen angelegt, geschweige denn eine Krawatte.

»Du liebe Zeit, Daisy«, rief er aus. »Was ist denn hier passiert?«

Daisy brach in Tränen aus. »Stan Moss hat versucht, Alec umzubringen, und ich glaub, jetzt hab ich Stan Moss umgebracht.«

»Hör mal, mein Herz, nicht weinen.« Er fühlte in seiner Tasche nach einem Taschentuch, fand jedoch keins. »Fletcher ist ja noch am Leben, wenn es ihm auch nicht gerade gut geht. Und selbst wenn du den Kerl da ins Jenseits befördert hast – er hat es nicht anders verdient.«

»Hört, hört«, stimmte Alec zu.

»Er hat Grace umgebracht«, schluchzte Daisy, »seine eigene Tochter. Ich hab gehört, wie er es gesagt hat.«

»Nun denn, dafür wird er wohl baumeln, Miss«, sagte Sergeant Tring, der sich neben dem Schmied hingehockt hatte.

»Übrigens haben Sie dem Henker doch nicht die Arbeit erspart. Unser Freund hier wacht gerade wieder auf, und gleich wird er bestimmt wieder um sich schlagen. Gut, daß ich meine Handschellen mitgebracht habe. Hier, Mr. Petrie, geben Sie doch Miss Daisy mein Taschentuch. Könnte ich wohl Ihres haben, Rudge, um den Kopf von unserem Freund zu verbinden? Sie beißen doch noch nicht ins Gras, oder, Chief?«

»Noch lange nicht, Tom.« Alec hob den Kopf, ließ ihn aber sofort wieder mit schmerzverzerrter Miene sinken. »Petrie, es sind wohl zwei Männer nötig, um mit Moss fertig zu werden. Könnten Sie zum Polizeirevier gehen und für mich in Chester anrufen?« Seine Stimme wurde immer schwächer.

Daisy beugte sich ängstlich über ihn, und Tring sagte: »Fragen Sie nach Superintendent Higginbotham, Sir. Der hält gerade ein Automobil in Bereitschaft. Sagen Sie ihm, wir brauchen außerdem noch eine Ambulanz und einen Arzt.«

»Geht in Ordnung«, sagte Phillip.

»Und nehmen Sie bitte Miss Dalrymple mit«, sagte Alec schwach.

»Nein! Ich geh hier nicht weg, ehe der Arzt nicht gekommen ist.«

»Schicken Sie meine Frau her, Miss«, sagte Rudge. »Die hat ein bißchen Erfahrung als Krankenschwester. Sagen Sie ihr nur, was passiert ist.«

»Bitte, Daisy«, bat Alec sie. »Ich will nicht, daß Sie hier sind, wenn Moss wieder aufwacht. Ich werd in Ihrer Abwesenheit auch bestimmt nicht das Zeitliche segnen, versprochen.«

»In Ordnung, aber ich komme mit Rudge wieder.«

Alec und Phillip wechselten einen Blick.

»Nein, das wirst du nicht, Daisy«, sagt Phillip mit ungewohnter Festigkeit. »Komm schon.«

Er half ihr auf die Beine, und sein Griff an ihrem Arm war genauso fest wie seine Worte, als er sie vom Kampfplatz fortzog.

»Ehrlich, Daisy«, sagte er vorwurfsvoll, während sie die verlassene Straße hinuntergingen, »es schickt sich aber wirklich nicht für eine Dame, sich so in eine Schlägerei hineinziehen zu lassen.«

»So ein Unsinn! Hätte ich vielleicht zusehen sollen, wie Moss Alec umbringt?«

»Um Himmels willen, nein. Aber ich hätte ihn doch auch davon abhalten können. Du hättest nur zu warten brauchen, bis ich komme.«

Da begriff sie, daß er in seiner Eitelkeit verletzt war. »Dafür bist du schließlich zu spät gekommen«, wies sie ihn zurecht.

»Aber ich war ganz schön froh, dich zu sehen. Was in aller Welt hat dich eigentlich zur Schmiede geführt?«

»Mrs. Chiver machte sich Sorgen, als du ihr gesagt hast, du würdest da hingehen, wo doch die Polizei gerade auf dem Weg dorthin war. Sie hat es mir erzählt, während ich gerade im Bett meinen Frühstückstee getrunken habe.«

Daisy blickte ihn an und grinste. »Du bist bestimmt noch nie in deinem Leben so unordentlich gekleidet in der Öffentlichkeit aufgetreten.«

Philipp schaute an sich herunter und faßte an seinen offenen Kragen. »Ich hatte es schließlich eilig«, sagte er peinlich berührt. »Und im übrigen siehst du auch nicht mehr so richtig frisch aus. Kein Mantel, kein Hut, und deine Frisur hat auch schon mal bessere Zeiten gesehen.«

»Mir ist kalt.« Schaudernd verschränkte sie die Arme, und plötzlich war sie fürchterlich erschöpft.

Daisy war froh, als sie im gemütlichen Wohnzimmer der Rudges eine Tasse starken, heißen, viel zu süßen Tee bekam, während Phillip telephonierte und Mrs. Rudge mit Decken, Verbandmaterial und einem Schal als Schlinge zur Schmiede eilte. Sie protestierte noch nicht einmal besonders, als Phillip darauf bestand, sie hinauf nach Occles Hall zu fahren. Doch nahm sie ihm das Versprechen ab, daß er gleich zur Schmiede zurückfahren würde, um sich zu vergewissern, daß dort auch nichts Schreckliches mehr passiert war.

»Ich hol dich um zwei Uhr ab«, sagte er, als er im Torbogen vor der Haupteingangstür hielt. »Wir werden erst spät in der Stadt sein, aber bis dahin dürfte es dir schon wieder besser gehen.«

Nur mit Mühe konnte sie ihre Gedanken von Alecs weißem Gesicht und Moss' regloser Figur losreißen. »Stell dir vor, ich hatte ganz vergessen, daß wir heute abreisen. Phil, könnten wir möglicherweise auf dem Weg zu Hause in Worcestershire übernachten?«

»Selbstverständlich, mein liebes altes Herz.« Er betrachtete sie sorgenvoll. »Nach diesem Schock willst du zu deiner Mutter, was?«

»Na ja, nicht direkt. Aber immerhin hat sie Owen Morgan angestellt. Den nehmen wir auf dem Notsitz mit.«

»Verflixt noch eins, Daisy ...«

»Vielen Dank, lieber Phil.« Sie reckte sich, um ihm einen Kuß auf die Wange zu pflanzen, und flüchtete ins Haus.

In der langen Halle traf sie Moody. »Miss Roberta hat sich schon nach Ihnen erkundigt, Miss«, sagte er miesepetrig. »Sie ist im Damenzimmer.«

Daisys Auftritt dort war eine einzige Sensation. Bobbie kam auf sie zugeeilt. »Daisy, wo in aller Welt bist du nur gewesen? Du gehst los, ein Telephonat zu führen, und als nächstes hören wir von Moody, du wärst aus dem Haus gerast, ohne Mantel, ohne Hut oder sonst irgendwas. Und jetzt hast du nicht einmal mehr deine Kostümjacke an!«

»Ich mußte sie über Alec legen, damit er es warm hat.« Sie zitterte und schlug sich rasch die Hand vor den Mund, denn plötzlich wurde ihr wieder übel.

»Ach du liebes bißchen! Komm und setz dich hin, du bist ja weiß wie die Wand.« Bobbie legte den Arm um sie und stützte sie. »Da, tu mal schnell deinen Kopf zwischen die Knie. Danke sehr, Ben.«

Ben hatte rasch einen Strauß von Mondviolen und Winterkirschen aus einer Vase genommen, mit der er zu Daisy eilte. Einen schrecklichen Moment lang dachte sie, sie würde sie vielleicht wirklich brauchen und sich in der Öffentlichkeit vergessen. Doch da schwindelte ihr schon nicht mehr. Sie holte einige Male tief Luft, und ihr Puls beruhigte sich unter Bobbies Fingerspitzen wieder. So ein Erste-Hilfe-Kurs bei den Pfadfinderinnen war natürlich sehr praktisch, wenn man Sportlehrerin war, dachte sie zusammenhanglos.

»Mir geht es schon wieder besser«, sagte sie und setzte sich auf. Sebastian drückte ihr ein Glas Brandy in die Hand, und sie lächelte ihn zittrig an. »Danke sehr. Entschuldigung, da hab ich wohl ein bißchen geschwächelt.«

»Ach, so ein Quatsch, sei nicht albern«, sagte Bobbie. »Aber wir wollen alle unbedingt wissen, was passiert ist. Wenn es dir schon gut genug geht, um uns das zu erzählen.«

Daisy nahm einen Schluck Brandy, und dessen Feuer verscheuchte den letzten Rest Kälte in ihren Knochen. »Natürlich erzähl ich es euch. Es ist natürlich alles ganz schön aufregend, aber als es passiert ist, war es einfach nur schrecklich.« Schaudernd nahm sie noch einen Schluck.

Die Gesellschaft setzte sich wieder, Bobbie und Mr. Wilkinson händchenhaltend auf dem Sofa, Sebastian und Ben schicklich auf weit voneinander entfernten Sesseln. Daisy war voller Mitleid angesichts dieses Versteckspiels, das den beiden wohl noch ein Leben lang bevorstehen würde. Immerhin wirkte Ben durchaus erholt, nachdem er den ganzen Sonntag im Bett verbracht hatte.

»Nun erzähl doch schon«, drängelte Bobbie.

Sie erzählte ihnen die Geschichte von ihrem Telephonat mit dem *Cheshire Cheese* bis zu Mrs. Rudges Abgang mit den Verbandssachen. Ihr Entsetzen zerstreute sich langsam, während sie alles in Worte faßte. Doch war sie sicher, daß die schrecklichen Erinnerungen früher oder später zurückkehren und sie verfolgen würden. »Phillip hat nicht zugelassen, daß ich noch einmal zurück zur Schmiede gehe«, schloß sie ihren Bericht, »also weiß ich nicht, was dann passiert ist.«

»Ich muß schon sagen, Sie sind ja eine richtige Heldin.« Sebastian war voller Bewunderung.

»Eine durch und durch kompetente Heldin sogar«, sagte Ben.

Daisy errötete. »Ach nein, das stimmt doch gar nicht. Was hätte ich denn sonst tun sollen?«

»Du hättest in Ohnmacht fallen können, und zwar vorher anstatt hinterher«, bemerkte Bobbie. »Oder du hättest zu zimperlich sein können, um ihm ordentlich eins über die Rübe zu hauen. Wie ich sehe, setzt Dodo gerade ein Loblied auf dich auf.«

Ihr Verlobter war tatsächlich in einer ganz eigenen Welt versunken. Natürlich gab es keine Gewißheit, daß das Gedicht auch wirklich um Daisy ging. Lustig wär es bestimmt, dachte sie, solange es die Art von Gedicht war, die sie auch verstehen konnte. Glücklicherweise wirkte Bobbie nicht eifersüchtig.

»Ich würde mich sehr freuen, wenn ihr mir eine Abschrift schickt«, sagte sie diplomatisch.

»Du mußt uns unbedingt besuchen kommen! Im Cottage haben wir sogar ein Gästezimmer.« Bobbies ohnehin immer rosiges Gesicht verfärbte sich tiefrot. »Wenn du nicht gewesen wärest, Daisy, dann hätte ich nie den Mut gehabt ...«

»Ach, das erinnert mich überhaupt. Ich hatte gar keine Gelegenheit, Mr. Fletcher zu fragen, wie er denn auf Moss gekommen ist. Aber nachdem der ja gestanden hat, bin ich mir sicher, daß wir jetzt alle abreisen dürfen. Obwohl man sicherlich lieber auf eine offizielle Entlassung von Mr. Fletcher warten sollte«, fügte sie hinzu. Sie erinnerte sich an ihre Meinungsverschiedenheiten, wer ein Verdächtiger war und wer nicht. Doch dann fiel ihr ein, daß Alec ja auch zu schwer verletzt sein könnte, um irgendwelche Benachrichtigungen auszusprechen. »Oder von Sergeant Tring«, sagte sie unglücklich.

Als hätte er ihre Gedanken gelesen, sagte Ben sofort: »Bestimmt erfahren Sie sofort die Ergebnisse, wenn der Chief Inspector von einem Arzt untersucht worden ist.«

»Ja, natürlich, Tring macht das, oder Phillip. Der holt mich übrigens um zwei Uhr ab, also sollte ich lieber mal losziehen und packen.« Ja, packen würde sie, aber wenn Alec ins Krankenhaus mußte, dann würde sie Phil bitten, sie in ein Hotel in der Nähe zu bringen. Sie zwang sich zu einem Lächeln. »Ich freue mich ja sehr für Sie alle, daß Stan Moss sich als der Mörder herausgestellt hat.«

Erschöpft ging Daisy auf ihr Zimmer, wo sie feststellte, daß Gregg – offenbar auf Anweisung von Lady Valeria – schon ihre Taschen gepackt hatte. Sie zog sich die Schuhe aus und legte sich auf das gemachte Bett. Als nächstes spürte sie, wie Bobbie sie sanft an der Schulter rüttelte.

»Daisy, es ist Mittagessenszeit. Sollen wir dir ein Tablett hochbringen lassen? Ich hab vorhin schon einmal reingeschaut, aber du warst jenseits von Gut und Böse. Mr. Petrie hat angerufen und erzählt, daß Mr. Fletcher nur ein paar schlimme blaue Flecken am Arm und an der Schulter hat.«

»Gott sei Dank!« Daisy warf ihre Beine über die Bettkante und beugte sich rasch vor, um sich die Schuhe anzuziehen und so ihre erleichternden Tränen zu verbergen. »Ach, Bobbie, was hab ich mir Sorgen gemacht, daß er vielleicht für den Rest seines Lebens Invalide bleiben müßte.«

»Er hatte Riesenglück, nicht wahr?« Rasch kehrte Bobbie zu ihren eigenen Angelegenheiten zurück. »Mr. Petrie wußte nichts von irgendeiner offiziellen Erlaubnis, abzureisen. Aber er meinte, das würde er noch herausfinden, ehe er dich ab- holen kommt. Wir hoffen alle, wir können dir bald die Auf- fahrt hinterherfahren. Bastie ist zur Molkerei gegangen, um es Daddy zu erzählen, und Mummy sagt er es beim Mittagessen. Ist ein bißchen knapp, aber dem armen Kerl kann man es ja wohl kaum verübeln. Alles in Ordnung bei dir? Ich sollte mal lieber los und mir noch schnell die Haare kämmen.«

Obwohl am Morgen fast alle Haarklammern aus Daisys Frisur herausgefallen waren, fand sie noch genügend, um einen halbwegs ansehnlichen Knoten hinzubekommen. Hätte sie Bobbies Angebot annehmen sollen, sich das Essen aufs Zim- mer bringen zu lassen? Ohne Zweifel würde der Lunch eine unerfreuliche Angelegenheit werden. Dennoch eilte sie hin- unter, da sie ja nun einmal mit dem Elefantenkind Kiplings den Fluch der »unersättlichen Neugier« gemeinsam hatte.

Aber vielleicht war es auch eine Tugend. Ohne diese Neu- gier wäre Alec vielleicht jetzt tot.

Als sie ins Speisezimmer kam, berichtete Sebastian seinen Eltern gerade, wie Stan Moss gestanden hatte. Lady Valerias offensichtliche Erleichterung schlug rasch wieder zur ge- wohnten Bösartigkeit um, als Daisy eintrat.

»Also, Miss Dalrymple. Die ganze Sache war ein Sturm im Wasserglas«, sagte sie, während sie ihren Platz am Kopf des Tisches einnahm. »Sie und Ihr Inspector Zwitscher haben aus einer Mücke einen Elefanten gemacht. Ich hoffe, Sie sind jetzt wenigstens zufrieden mit dem ganzen Ärger, den Sie für nichts und wieder nichts verursacht haben.«

»Wohl kaum für nichts, Lady Valeria«, erwiderte Daisy, während Moody und das nervöse Serviermädchen die Suppe hereintrugen. »Ohne diese Untersuchung wäre Chief Inspector Fletcher gar nicht auf die Idee gekommen, Moss zu verdächtigen, und dann wäre der Mörder ungestraft davonkommen. Außerdem war es genauso wichtig, Owen Morgan aus dem Gefängnis herauszuholen.«

»Morgan! Ich will doch sehr hoffen, daß er nicht glaubt, er könnte nach Occles Hall zurückkehren, nachdem man ihn wegen Mordes ins Gefängnis gesteckt hat.«

»Nun, meine Liebe«, protestierte Sir Reginald, »das ist wohl dem armen Jungen gegenüber kaum gerecht.«

»Machen Sie sich keine Sorgen, Sir Reginald«, sagte Daisy gelassen. »Meine Mutter hat ihn eingestellt.«

»Maud Dalrymple war immer schon eine verweichlichte Null«, schnaufte Lady Valeria.

»Also ich muß doch sehr bitten, Mutter!« protestierte Sebastian.

Daisy lächelte ihn an und schüttelte den Kopf. Für Lady Valeria bestand der größte Teil der Welt aus Nullen, die sich mit Leichtigkeit überrollen ließen, es gab also keinen Grund, beleidigt zu sein. Außerdem verließ Daisy Occles Hall in knapp einer Stunde. Sebastian zuliebe würde sie es vermeiden, seine Mutter jetzt schon in Rage zu bringen, ehe er seine Pläne kundgetan hatte.

Dann allerdings würde Lady Valeria ohne Zweifel die Sicherung durchbrennen. Würde Sebastian es wohl schaffen, dem standzuhalten und ungebeugt aus der Angelegenheit hervorzugehen?

Im Augenblick hielt er sich bedeckt, während Ihre Ladyschaft sich ausführlich selbst dazu beglückwünschte, Occleswich endlich von diesem Schandfleck befreit zu haben. *En passant* deckelte sie noch Mr. Wilkinson, der zu äußern wagte, daß das Verbot einer Benzin-Abfüllstation bedeute, sich dem Fortschritt entgegenzustellen und damit Englands industriellen Vormarsch aufzuhalten. Nach dem kleinen Schlagabtausch war der Dichter völlig abgelenkt, und es lag ein Glitzern in seinen Augen. Daisy beschloß, unbedingt eine

Abschrift des gerade entstehenden Gedichts über seine Schwiegermutter zu erbitten.

Sebastian wartete, bis Lady Valeria den Mund voller Roly-Poly Pudding mit *Sauce* hatte und höflicherweise nichts anderes tun konnte als schweigen: »Jetzt, wo die Untersuchung von Chief Inspector Fletcher vorüber ist, dürfen wir ja wahrscheinlich alle abreisen.«

»Dodo und ich fahren, sobald wir die offizielle Erlaubnis dazu haben«, sagte Bobbie in treuer Unterstützung ihres Bruders.

Lady Valeria schluckte hinunter. »Ich habe mich nicht im mindesten an die unsäglichen Forderungen von diesem Zwitscher gebunden gefühlt. Wolltest du für ein paar Tage in die Stadt fahren, Sebastian? Ich schau mal in meinen Kalender. Ich glaube, das könnte ich hinbekommen.«

»Nein, Mutter«, sagte Sebastian sanft, »Ben und ich fahren nach Griechenland.«

Leider hatte seine Mutter gerade wieder den Mund voll. Sie hustete und verfärbte sich lila, und ihre Augen quollen hervor. Ihr Sohn klopfte ihr auf den Rücken und drückte ihr ein Glas Wasser in die Hand, während sie nach Luft rang.

»Sei nicht albern, Sebastian«, sagte sie, als sie sich erholt hatte. »Ich hab dir doch schon gesagt, ich würde dich nächsten Winter nach Korfu mitnehmen. Wenn du es so eilig hast, dann können wir das gerne auch schon in diesem Frühling machen.«

»Tut mir leid, Mutter, ich hab es nicht eilig, Ferien auf Korfu zu machen. Ben und ich wollen in Griechenland leben. Wir fahren nach London, sobald der Chief Inspector das zuläßt. Es wird ein paar Tage dauern, das mit meinem Vermögensverwalter zu besprechen und alles zu arrangieren, aber dann reisen wir ab. Erst mit dem Zug nach Marseille, und dann per Schiff nach Piräus.«

Lady Valeria lachte gezwungen auf. »Was für ein Kind du doch bist, mein lieber Junge. Du mit deinen lebensfernen Tagträumen. Vermutlich glaubst du, das Leben wäre ein einziger, langer Ferientag.«

»Das ist es doch hier zu Hause schon! Ich möchte es mit der Archäologie versuchen – und Ben braucht nie wieder einen Winter in England durchzustehen. Man kann dort billig leben; für uns beide reicht das Geld.«

Lady Valeria wandte sich Ben zu und zischte: »Sie intriganter Schmarotzer! Typisch für Sie, einen naiven jungen Mann so zu übervorteilen!«

»Nicht im mindesten«, sagte Daisy scharf. »Das war meine Idee. Wenn Sie genauer darüber nachdenken, werden Sie feststellen, daß damit eine ganze Menge von Problemen gelöst wird.«

Lady Valeria starrte sie mit offenem Mund an. Daisy wollte sich gerade entschuldigen, um ihren Mantel zu holen, als Moody eintrat und vermeldete: »Chief Inspector Fletcher ist da, Mylady.«

Bobbie sprang auf. »Prachtvoll! Komm schon, Dodo. Bitte entschuldige uns, Mummy.«

Sie sauste hinaus, und ihr Verlobter, Sebastian, Daisy und Ben folgten ihr auf dem Fuße. Alec, den Arm in einer Schlinge, saß in der großen Halle auf einem der Sessel, deren Rückenlehnen so schmerzhaft detailreich geschnitzt waren. Daisy fand, daß er entsetzlich blaß aussah.

Als Bobbie auf ihn zugesaust kam, stand er mit einem leichten Lächeln auf. »Miss Parslow, Mr. Parslow, Mr. Goodman. Sie wissen bestimmt schon Bescheid. Ich bin nur gekommen, um zu sagen, daß Moss verhaftet worden ist. Er steht unter dringendem Tatverdacht, seine Tochter ermordet zu haben.«

»Großartig!« sagte Bobbie. »Daisy hat erzählt, er hätte schon eine Art Geständnis abgelegt.«

»Ja, und dann hat er noch eine Menge wirres Zeug geredet. Grace ist wohl nach Hause gekommen und hat ihm gesagt, sie wollte nach London gehen. Da hat ihn eine mörderische Wut gepackt, weil ihre Abreise alle seine Chancen zunichte machte, von Lady Valeria eine Benzin-Abfüllstation zu erzwingen.«

»Wie schrecklich«, sagte Daisy schaudernd. »Der war ja besessen.«

»Genau wie meine werte Mutter«, sagte Sebastian ernst.

»In gewisser Hinsicht ist das eine richtige klassische Tragödie«, bemerkte Ben.

Mr. Wilkinson war beflügelt. »Ich werde ein Versdrama schreiben!«

»Eine großartige Idee«, sagte Bobbie und blickte ihn liebevoll an. »Ich gehe davon aus, wir dürfen jetzt abreisen, Mr. Fletcher?«

»Sie können alle gehen, wohin es Ihnen beliebt. Es tut mir leid, mit meinen Untersuchungen so in ihr Leben eingegriffen zu haben.«

Bobbie lud ihn prompt ein, sie einmal im Cottage der Schule zu besuchen, sollte er irgendwo in der Nähe sein. Sebastian schüttelte ihm die unversehrte Hand.

»Sie haben mich schon einigermaßen in Aufruhr versetzt«, sagte er, »aber das will ich Ihnen nicht nachtragen. Hat Daisy Ihnen schon erzählt, daß Ben und ich ihren Rat befolgen und nach Griechenland ziehen?«

»Das war es also! Ich wußte, daß sie irgend etwas im Schilde führt.« Alec seufzte und grinste Daisy an. Sein Mund zuckte. »Miss Dalrymple steckt ihre Nase aber auch wirklich in jede Angelegenheit.«

»Was für uns und andere ein wahres Glück ist«, sagte Ben grinsend.

»Ich versuch doch nur zu helfen«, sagte sie würdevoll. »Alec ... Mr. Fletcher«, korrigierte sich schnell, als Lady Valeria und Sir Reginald auftauchten, »ist alles bei Ihnen in Ordnung? Wird Ihr Arm auch wieder gesund?«

»Ein oder zwei Wochen muß ich mit dieser Schlinge herumlaufen, und dann soll der Höllenschmerz wohl in den nächsten Wochen langsam nachlassen. Kaum auszudenken, wie es mir ginge, wenn er mich tatsächlich auf den Kopf getroffen hätte ... Es heißt, er hat die arme Grace mit etwas wesentlich Leichterem geschlagen, aber die war danach tot.«

»Hören Sie auf!« Daisy schauderte, und plötzlich hatte sie es sehr eilig, von Occles Hall wegzukommen. »Phillip ist nicht zufällig mit Ihnen gekommen?« fragte sie und streckte die Hand nach Mantel, Hut und Schal aus, die sie auf einem Sessel in der Nähe deponiert hatte.

Sebastian half ihr in den Mantel, während Alec berichtete: »Nein, Petrie hat Morgan noch hinüber zum Gärtner-

Cottage gefahren, um seine Klamotten zu holen. Die beiden werden aber jede Minute hier sein.«

Daisy machte die Runde, um sich zu verabschieden und zu bedanken und um noch einmal ihre Glückwünsche auszusprechen. Lady Valeria erwiderte ihr kühl-höfliches »auf Wiedersehen« mit einem schmallippigen Schnaufen. Alles begleitete sie und Alec in das kleine Zimmer an der Tür, in dem die Koffer schon bereitstanden.

Die Klingel ertönte, und Sebastian öffnete. Da stand Phillip. Moody erschien und wirkte diesmal fast fröhlich, Daisys Gepäck hinauszutragen. Sie vermutete, daß der Butler geruhsamere Zeiten für seine schmerzenden Füße kommen sah, wenn alle abreisten.

Eine letzte Abschiedsrunde, dann standen sie draußen und die massige Tür schloß sich langsam, millimeterweise hinter ihnen. Daisy hörte Bobbie sagen: »Komm jetzt, Dodo, wir packen mal.«

»Wir auch, Ben«, sagte Sebastian.

»Reginald, halt sie auf!« Lady Valerias Stimme war streng. Als Daisy zurückblickte, sah sie ihr weißes, verzweifeltes Gesicht. Zum ersten Mal tat sie ihr leid.

»Ich muß zurück zur Molkerei, meine Liebe«, sagte Sir Reginald ausweichend.

Dumpf schlug die Tür zu. Daisy atmete erleichtert auf. Im schwachen Licht unter der Durchfahrt war Owen auf dem Notsitz des Swift zu erkennen, wie er sich, halb verdeckt vom Stativ, der Kamera, der Schreibmaschine und seinen eigenen wenigen Besitztümern hingekauert hatte. Der arme Kerl wirkte etwas benebelt. Hinter dem Burggraben warteten Tring und Piper in Alecs Austin.

Phillip öffnete die Beifahrertür seines Automobils. Er war ganz schön erleichtert, Daisy aus Occles Hall wegzuholen, auch wenn keiner der Einwohner ein Mörder war.

Daisy zog ihren Hut etwas fester ins Gesicht, band sich den Schal darüber und zog ihn unter dem Kinn fest. »Schön, daß ich Mutter noch einmal besuche, ehe ich mir die Haare abschneiden lasse«, sagte sie und stieg in den Swift.

»Das hast du vor?« Phillip war entsetzt. »Wie schade.«

»Um Himmels willen, Phil, du hast doch selbst gesagt ... Alec, was denken Sie? Meinen Sie nicht, das wird mir gut stehen?«

»Ich würde es mir nie träumen lassen, eine Schlußfolgerung ohne Beweismittel zu ziehen«, sagte der Detective. »Ich warte erst einmal, bis ich es gesehen habe.«

»Gesehen!« rief Phillip entsetzt aus. War ja alles schön und gut, mit einem Polizisten hier draußen auf dem platten Land so vertraut zu tun. Aber der verflixte Copper hatte doch nicht etwa vor, sie auch noch in der Stadt heimzusuchen!

»Ich werd mir erlauben, Miss Dalrymple in London aufzusuchen«, sagte Fletcher gelassen, doch hatte Phillip das unangenehme Gefühl, daß er sich dabei königlich amüsierte. »Um ihr über den Fall zu berichten, natürlich. Ich fürchte, sie wird als Zeugin auftreten müssen.«

»Oh, prachtvoll!« rief Daisy aus. »Diesmal ein richtiges Gerichtsverfahren, nicht nur ...«

Die Tür ging auf, und alle drehten sie sich um. Sir Reginald erschien mit einem riesigen, runden, in Papier eingewickelten Gegenstand in den Armen. »Fast hätt ich's vergessen«, sagte er entschuldigend. »Ich hatte Ihnen doch einen Käse versprochen, Miss Dalrymple. Auf Wiedersehen, meine Liebe, und vielen Dank für alles.«

Widerwillig nahm Phillip ihm die Last ab, und Sir Reginald zuckelte ab in seine Molkerei. Nachdem er den Käse auf Morgans Schoß deponiert hatte, ließ Phillip sich hinter das Steuer gleiten und streckte die Hand nach dem Selbstanlasser aus.

Fletcher, der sich mit seiner unverletzten Hand an die Windschutzscheibe lehnte, beugte sich vor. »Petrie, Sie bekommen noch einen Bedankemichbrief von Scotland Yard«, sagte er. Nun denn, vielleicht war er doch nicht ein ganz so übler Kerl. »Und Sie, Miss Dalrymple, erhalten eine offizielle Ehrung für Ihre Tapferkeit. Und eine inoffizielle Warnung, sich ...«

»Ich weiß«, sagte Daisy und grinste verschmitzt zu ihm hoch. »Sich nie wieder einzumischen.«